海外漢文古醫籍精選叢書・第三輯

2011—2020年國家古籍整理出版規劃項目
2018年度國家古籍整理出版專項經費資助項目
中國中醫科學院「十三五」第一批重點領域科研項目
——我國與「一帶一路」九國醫藥交流史研究（ZZ10-011-1）

蕭永芝◎主編

本草圖翼（第一種）

〔日〕稻生若水 撰

20

北京科學技術出版社

圖書在版編目（CIP）數據

本草圖翼. 第一種/蕭永芝主編. —北京：北京科學技術出版社，2019.1
（海外漢文古醫籍精選叢書. 第三輯）
ISBN 978－7－5714－0002－6

Ⅰ. ①本… Ⅱ. ①蕭… Ⅲ. ①本草—研究—日本—江户時代 Ⅳ. ①R281.3

中國版本圖書館 CIP 數據核字（2018）第294687號

海外漢文古醫籍精選叢書・第三輯・本草圖翼（第一種）

主　　編：蕭永芝
策劃編輯：李兆弟　侍　偉
責任編輯：吕　艷　周　珊
責任印製：李　茗
出 版 人：曾慶宇
出版發行：北京科學技術出版社
社　　址：北京西直門南大街16號
郵政編碼：100035
電話傳真：0086-10-66135495（總編室）
0086-10-66113227（發行部）　0086-10-66161952（發行部傳真）
電子信箱：bjkj@bjkjpress.com
網　　址：www.bkydw.cn
經　　銷：新華書店
印　　刷：北京虎彩文化傳播有限公司
開　　本：787mm×1092mm　1/16
字　　數：162千字
印　　張：13.5
版　　次：2019年1月第1版
印　　次：2019年1月第1次印刷
ISBN 978－7－5714－0002－6/R・2559

定　　價：**380.00元**

海外漢文古醫籍精選叢書·第三輯

本草圖翼（第一種）

〔日〕稻生若水　撰

内容提要

《本草圖翼》是日本江户時代著名本草學家稻生若水編纂的一種本草著作。全書以圖文對照的形式論述和反映藥材的形態特徵，幫助讀者直觀、快速地掌握藥材的真僞優劣鑒别。本書内容主要來自明·李中立的《本草原始》，可認爲是《本草原始》的一種摘録本，對研究中日本草學術的交流亦具有較高的價值。

一　作者與成書

《本草圖翼》各卷首葉的書名、卷次之下皆題有「平安若水稻義彰信甫訂補」一句。「彰信」爲稻生若水的字，故知本書編纂者爲稻生若水。

稻生若水（一六五五—一七一五），名宣義，字彰信，號若水，通稱正助，後改稱稻若水，又號白雪道人，爲江户時代中期非常著名的本草學家、漢學家。稻生若水一生著述頗豐，僅本草學著作就有《本草圖翼》《庶物類纂》《結髦居别集》《結髦居别集補》《炮炙全書》《本草綱目指南》《本草喉襟》《本草别集》《和漢人參考》《采藥獨斷》《食物本草》《本草音讀指南》《本草秘物和名改正》《我土物産目録》

《皇和物産品目》《金澤物對》《多識談苑》《若水先生倭名集》等。稻生若水尤其長於研究《本草綱目》，并以該書爲教材教授本草學，門弟衆多，後世本草學家松岡玄達、江村簡易、内山覺中、丹羽正伯、野吕元丈等人均出其門下。寬保元年（一七四一），稻生若水校訂刊刻明・李時珍《本草綱目》一書，同時參照《本草原始》等中國本草學著作，以漢文撰成《本草圖翼》和《結髦居别集》各四卷，附於《本草綱目》之後，以《本草綱目新校正》爲名同時刊行。❶可見，《本草圖翼》的成書與《本草綱目》有着密切的關繫。稻生若水編撰《本草圖翼》的目的，或許是將其作爲《本草綱目》的一種輔助讀物，意在幫助日本讀者更好地學習和運用《本草綱目》中的藥學知識。

二　主要内容

《本草圖翼》共四卷，載有藥物四百二十四條、四百三十三種，每種藥物皆附繪墨綫藥圖，共計有四百二十五個框格、四百三十三種藥圖。所録藥物分爲草部、木部、穀部、菜部、果部、石部、獸部、禽部、蟲魚部九類。

卷之一、卷之二爲草部。卷之一收載藥物九十三條、九十五種，包括甘草、人參、黄芪、白术、蒼术、葳蕤、黄精、天麻、桔梗、沙參、肉蓯蓉、草蓯蓉、麥門冬、柴胡、遠志、巴戟天、仙茅、甘菊花等。其中大薊、小薊同載於「大薊小薊」條中，赤芍、白芍同録於「芍藥」條中。卷之二收録藥品一百一十三條、

❶ 周敏.《本草綱目》在日本江户時期的傳承及影響研究[D].北京：中國中醫科學院中國醫史文獻研究所，二〇〇九：四一－四二.

一百一十七種，含有紫花地丁、堇堇菜、蜀葵、黄蜀葵、威靈仙、紅藍花、鷄冠、青葙子、曼陀羅花、白及、鳳仙、葶藶、旋覆花、貫衆等。其中荆三棱、黑三棱、草三棱、石三棱收於同一條中，葛根、葛花亦載於同一條内。

卷之三含木部、穀部、菜部、果部四類。木部收藥七十條、七十一種，載松、柏、桂、牡桂、樫、柳、楊、槐、黄檗、楮實、乾漆、白膠香、大楓子等，其中雌丁香、雄丁香收於同一條中；穀部有十條、十種，含糯米、粳米、小麥、大麥、胡麻、大麻、赤小豆、薏苡仁、緑豆、白扁豆；菜部共十八條、十八種，録冬葵、胡荽、白芥、蒲公英、萊菔、蘹香、蒔蘿、葱、韭等；果部二十四條、二十四種，可見橘、青皮、枸櫞、生棗、梅實、栗、柿、桃、杏、梨、胡桃、安石榴、木瓜、山楂等。

卷之四收石部、獸部、禽部、蟲部四類。石部載三十二條、三十三種，有玉屑、珊瑚、丹砂、白石英、紫石英、石膏、理石、方解石、長石、滑石、蛇黄等，其中朴消、芒消同載於「朴消」條中；獸部計十三條、十三種，含麝、熊、羚羊、犀牛、羊、豕、驢、駝、獺、川山甲、蝟、阿膠、温納臍；禽部八條、八種，收鷹、鶺、鷲、白鴿、雄鵲、啄木鳥、伏翼、五靈脂；蟲魚部四十三條、四十四種，録龍、紫梢花、石龍子、蛤蚧、白花蛇、烏蛇、蛇蜕、蟾蜍、蝦蟆、蛙、蜈蚣、蜜蟲、蜘蛛、水蛭、蝸牛、青魚、烏賊魚、蝦、海馬、海牛、龜、鱉、蟹、牡蠣、真珠等。其中螳螂、桑螵蛸載於同一條中。

每種藥物繪有一至數幅墨綫圖，圖旁以文字注其名稱、出處、産地、基原、形態、釋名及真僞優劣鑒别等内容。

需要説明的是，《本草圖翼》收録藥物的數量及其分類方式，在目録與正文存在某些不一致之處。

如目録僅録「生地黄」一條，但正文中「生地黄」條後還附有「熟地黄」條。筆者對藥物數量的統計，以正文收載藥物爲准。對於分類方式，目録稱「屬」，如「草屬」「木屬」；而正文云「部」，如「草部」「木部」。筆者對分類方式的記載，同樣以正文爲准。

此外，因每一種藥物所附藥圖往往包括了不同品類、不同角度、不同部位、不同品質等多幅藥圖。如卷之一草部當歸，附有不同品類的「馬尾當歸」「蠶頭當歸」兩種藥圖；卷之一草部山漆，後附一種藥物基原圖及兩種藥材圖；卷之二草部青黛，繪有「花紫碧，體輕浮者佳」「靛枯黑，體重實者劣」兩種不同品質的藥圖。另如卷之四蟲魚部蠶，描繪了「屈伸形」「直形」「曲形」三種不同形態的蠶、「正」「反」兩種不同角度的蠶蛹、兩種不同形狀的繭蛹、三種不同形態的蛾，共繪製十幅藥圖。除卷之一草部人參所載藥圖占據兩個框格外，其餘每條藥物所收藥圖皆繪於同一框格中。因此，筆者在計算藥圖數目時，按照藥圖的框格數而非幅數進行統計，四百二十四條藥物共計在四百二十五個框格中繪製藥圖。其中，卷之一草部大薊、小薊，卷之一草部赤芍、白芍，卷之二草部荆三棱、黑三棱、草三棱、石三棱，卷之二草部葛根、葛花，卷之三木部雌丁香、雄丁香，卷之四石部朴消、芒消，卷之四蟲魚部螳螂、桑螵蛸分别收載於同一框格的藥圖中；卷之一草部人參占有兩個框格的藥圖。據此統計，四百二十五格藥圖所繪製的藥物種類共有四百三十三種。

三　特色與價值

明・李時珍《本草綱目》一書傳入日本之後，對日本江户時代本草學的發展産生了極大的影響。

日本衆多醫家、本草學家對《本草綱目》展開了一系列的注解、研究，而稻生若水正是其中的重要人物之一。他從《本草原始》中摘録了大量圖文，編撰成《本草圖翼》一書，并將其附在所校正的《本草綱目》之後一同刊行。可見稻生若水編撰《本草圖翼》，將其作爲《本草綱目》的補充材料，正有以藥圖羽翼《本草綱目》之意，一方面幫助日本醫家更好地研習《本草綱目》，另一方面也將藥材圖這一繪圖形式介紹到日本，使讀者能够更加清晰直觀地辨識藥物，掌握藥材的真僞優劣鑒别。

（一）大量摘録《本草原始》内容及藥圖

在《本草圖翼》卷首的「本草圖徵用書目」中，稻生若水開列了編撰《本草圖翼》所參考的書目，共列出一百五十五種書籍，除《證類本草》《政和本草》《救荒本草》《本草綱目》《重校本草原始》《證治準繩》《保命歌括》《先醒齋筆記》等五十七種醫藥書籍外，還包括《天工開物》《致富全書》《南方草木狀》《洛陽花木記》等九十八種農書、經書、植物志、地方志等非醫學類古籍。但筆者將本書内容同相關中國本草古籍對比後發現，《本草圖翼》的文字内容和藥圖大部分來自明·李中立的《本草原始》一書。

《本草圖翼》從《本草原始》中共摘録了四百二十一種藥物、四百一十六幅藥圖。所載藥物除卷之一草部葳蕤、山漆，卷之二草部黄蜀葵、蘭花、絡石、五葉藤，卷之三木部檉、柳、楊、紫荆、西國米、竹黄共計十二種以外，其餘皆爲《本草原始》所録。不過，卷之一草部茺蔚、豨簽，卷之二草部紅藍花，卷之三木部柏、女貞子五種藥物所繪藥圖與《本草原始》并不一致。此外，卷之一草部白术、遠志、巴戟天、山慈菰四種藥物所繪藥圖數量均比《本草原始》多出一幅，目前尚未知其源於何處。

本書的分類方式同樣來自李中立的著作。《本草原始》全書共分爲草(上、中、下)、木、穀、菜、果、石、獸、禽、蟲魚、人十部,《本草圖翼》從該書十部中摘抄了九部藥品,僅有人部未予收載。除了個别藥物的分類有所變動外,稻生若水主要按照《本草原始》的原有分類進行記録。其中,《本草圖翼》卷之一草部所載藥物,大部分來自《本草原始》卷之一草部上、卷之二草部中、卷之三草部下,僅有益智子一種來自《本草原始》卷之四木部;本書卷之二草部所收録藥品,同樣主要源於《本草原始》草部上、中、下,唯有堇堇菜一種取自《本草原始》卷之六菜部;卷之三木部、穀部、菜部、果部,卷之四石部、獸部、禽部、魚部,則分别源於《本草原始》相應部類,僅卷之三木部的衛矛、牡丹、芫花三藥例外,分别出自《本草原始》卷之一、卷之二、卷之三草部。

此處需要説明的是,不同版本的《本草原始》在藥物記載、藥物分類及藥圖繪製上存在某些差异。至於稻生若水所參考的《本草原始》爲何種版本,學者張鈁通過對比《本草原始》多種版本的藥圖後認爲,《本草圖翼》的藥圖應該來自一六三八年由葛鼐校訂的永懷堂本。❶筆者今所參考的《本草原始》,爲哈佛大學圖書館所藏明崇禎十一年戊寅(一六三八)永懷堂刻本。

在具體内容方面,《本草原始》的撰寫體例采用文字與藥圖相互穿插的形式。正文部分記述其原始(包括藥物産地、形態、釋名等)、氣味、主治、修治、附方等内容,❷藥圖旁以小字注明藥物名稱、藥圖來源、形態特徵、采收時間、品質鑒别等。而《本草圖翼》一書,僅摘録《本草原始》所載藥圖及藥圖

❶ 張鈁.《本草原始》的生物圖像流變及其啓示[J].自然科學史研究,三四(三):二九〇.

❷ (明)李中立撰;張衛,張瑞賢校注.本草原始:前言[M].北京:學苑出版社,二〇一一:九.

旁的小字注文。如卷之一草部白术，附有雲頭术、狗頭术、鷄腿术三種藥圖，圖旁注：「白术，《本經》上品。入藥用根，二月、三月、八月、九月采，暴乾。雲頭术生平壤，形雖肥大，謡糞力故也，易生油。狗頭术、鷄腿术雖瘦小，得土氣充足，甚燥，白。凡用不拘州土，惟白爲勝。」

可見，《本草圖翼》摘録《本草原始》，以幫助日本讀者學習辨析藥材爲宗旨，重點在於選載李中立的藥圖及其對藥物形態、品質鑒别的文字描述。

（二）借助藥材圖的繪畫形式以分辨藥材

在《本草原始》成書以前，本草古籍對藥物圖形的描繪，多以藥物整體的植物形態爲主。雖然也有繪製藥材飲片的藥材圖，但所占比例極小。而在《本草原始》一書中，李中立首開藥材圖之先河。他親自觀察當時的市售藥材，對藥材的不同品類、不同角度、不同剖面進行了細緻、真實的描繪，并在藥材圖旁以文字注明藥材的形態特徵、真僞鑒别，幫助醫家快速、直觀地瞭解藥材鑒定。稻生若水在《本草圖翼》一書中轉繪了《本草原始》的大量藥材圖，同樣方便了日本醫家對照瞭解藥材品種的分辨及鑒别，同時也將藥材圖這種繪圖形式傳入了日本。

一方面，《本草圖翼》收録了《本草原始》所繪同種藥材不同品類的藥圖。如本書卷之一草部天麻，繪有「瓜形」「羊角形」兩種天麻的藥材圖。瓜形天麻圖旁注「皮黄白，肉明亮者佳」，羊角形天麻圖旁注「形如羊角者，俗呼羊角天麻」「不堪用」。通過兩幅藥圖的對比，讀者可以直觀地感受到兩類天麻的不同之處，并能迅速分辨在臨床運用中孰優孰劣。

另一方面，即使是同一種藥材，《本草原始》也分别從不同角度去繪製多幅藥圖，力求全面、立體地展現出該藥材完整的形態特徵。《本草圖翼》同樣收録了這部分藥圖。如本書卷之一草部人參，附有人參的正面圖、側面圖，圖旁以文字標明人參的頭部、尾部，并注其「近頭紋多，近尾紋少」，很好地説明了人參不同部位的形態特徵；卷之二草部罌子粟殼，附有平視、俯視兩種不同視角的藥材圖，從俯視圖中可以清晰地看出罌粟果實頂端邊緣的波狀鋸齒。這種多視角組合的繪圖方式，有助於讀者直觀地感受藥材的整體形態。

對於某些藥物，《本草原始》還以剖面圖的形式展現其内部結構。《本草圖翼》也摘録了這部分藥圖。如本書卷之一草部黄芩，附有「條芩」「片芩」「枯芩」三圖。「條芩」描繪了完整的藥材形狀，而「片芩」「枯芩」則展現了其縱切面，尤其是「枯芩」一種，以縱向綫條描繪其中心腐爛的特點，并在圖旁注明「枯芩中心朽爛」；卷之二草部天花粉，載有兩種根部横剖面的藥圖，可以清楚地看到其斷面呈現出放射狀排列的木質部；❶另如卷之三木部連翹，繪有正面、側面、縱剖面三種圖像。如此編排繪圖，不僅令讀者瞭解其外部形態，更能使其悉知其内部的結構特點。

至於某些昆蟲類藥材，《本草原始》更是繪製了其生命發展的過程圖，而《本草圖翼》將它們一并收録。如本書卷之四蟲魚部蠶，收録了從蠶到蠶蛹、繭蛹、最後變成飛蛾的過程圖，使讀者能够更加清晰地認識到蠶在生命變化過程中的各個階段。

❶ 張鈁.《本草原始》的生物圖像流變及其啓示[J].自然科學史研究，三四(三)：二八一.

總之，《本草原始》首開繪製藥材圖之先河，對後世本草學著作的藥圖繪製産生了極大的影響。而《本草圖翼》大量摘録《本草原始》的藥材圖，將這種獨特的繪圖形式傳播到日本，同樣對日本後世本草學的發展發揮了積極的作用。

（三）重視藥材真僞優劣鑒别

《本草原始》的另一個顯著特點是重視藥材真僞優劣的鑒别。李中立親自考察市售多種藥材，結合本草古籍中的記載，對藥物的優劣分辨提出了獨到的見解，尤其是指出市面上存在的一些常見假冒藥材，并詳細論述了鑒别的方法與要點。

《本草圖翼》同樣繼承了《本草原始》的這個特點，書中大量摘録李中立關於藥材真僞優劣鑒别的文字描述。如卷之一草部肉蓯蓉：「肉蓯蓉肥大柔軟者佳，乾枯瘦小者劣，今人多以金蓮根、草蓯蓉嫩松梢，鹽潤充之賈利，用者宜審。」卷之一草部獨活：「獨活類老前胡，尋常皆以老宿前胡爲獨活，非矣。近時江淮中出一種土當歸，長近尺許，肉白皮黄，氣極穢惡，山人每呼香白芷，又謂之水白芷，用充獨活，解散亦或用之，不可不辨。」再如卷之二草部萆薢：「川萆薢色白而虚軟，山萆薢色赤而堅硬，凡用，以白軟者爲勝。」卷之二草部青黛：「市多取乾靛羅青充賣，入藥宜擇嬌嫩體輕者，以水飛净灰脚，日中曬乾任用。」唯其如此，通過閲讀《本草圖翼》一書，結合文字與藥圖，日本醫家可以快速地掌握藥材真僞優劣的鑒别方法，并將其運用於臨床處方用藥之中。

（四）以《本草原始》爲《本草綱目》之補充

李中立在撰寫《本草原始》一書時，主要參考了明·李時珍的《本草綱目》，此外還參閲了宋·唐慎微《經史證類備急本草》，明·陳嘉謨《本草蒙筌》、王綸《本草集要》等幾種本草著作。《本草原始》正文部分的體例與内容，主要源自於《本草綱目》。「原始」（包括産地、形態、釋名）「采摘」二項，可對應於《本草綱目》「釋名」「集解」兩部分；而「氣味」「主治」「修治」「附方」幾項，分别與《本草綱目》諸項相應。至於藥圖及圖旁文字，則爲李中立在親自考察、分析之後編撰的原創内容。❶

不過，稻生若水在摘抄《本草原始》時，未取《本草原始》中來自《本草綱目》的部分，僅録李中立原創的藥圖及圖旁文字，并將由此編撰而成的《本草圖翼》附於《本草綱目》之後一同刊行，可見他編寫本書或有以此作爲《本草綱目》補充之意。讀者在閲讀此書時，可先讀《本草綱目》，對藥物的性味、功效、修治等内容有一個大體的認識。若要具體運用藥物之時，便可進一步參考《本草圖翼》對藥物的圖形描繪及真僞優劣鑒别，從而對相關藥物有一個全面、系統的認識。

四 版本情况

據日本《國書總目録》所載，《本草圖翼》一書别名《本草圖訂補》，於日本正德四年（一七一四）刊

❶ （明）李中立撰；張衛，張瑞賢校注．本草原始：前言［M］．北京：學苑出版社，二〇一一：九—一〇．

行，目前分别藏於日本國立國會圖書館白井文庫、國立公文書館内閣文庫、静嘉堂文庫、宫内廳書陵部、愛知學芸大學圖書館、鹿兒島大學圖書館、京都大學圖書館、慶應義塾大學圖書館、東京大學圖書館、京都植物園大森文庫、京都府立綜合資料館、東京都立日比谷圖書館市村文庫、東京都立日比谷圖書館東京志料、東京都立日比谷圖書館諸橋文庫、宫城縣立圖書館小西文庫、飯田市立圖書館、果園文庫、杏雨書屋、楂蓍書屋、神宫文庫、住吉文庫、尊經閣文庫、牧野圖書館、無窮會真軒文庫等處。❶

本次影印采用的底本，爲日本國立國會圖書館藏正德四年（一七一四）刻本。此本藏書號爲「特1—1715」，封皮處貼有上述藏書號。全書分爲上、下二册，每册各載二卷，共有四卷。封皮題簽分别書「本草圖翼 上」及「本草圖翼 下」。第一册卷首載「本草圖徵用書目」，無序、跋。四周單邊，無界格欄綫。正文部分以藥圖配文字的方式呈現，每半葉劃分爲一至七格，分别繪製墨綫藥圖，圖旁附注文字。版心白口，書口上三分之一處有一枚白魚尾，魚尾上方有「本草圖翼」書名，下方刻章節名，如「徵用書目」「目録」「卷之一」；版心下方刻有葉次，如「一」「二」。

綜上所述，稻生若水是日本最爲著名的本草學家之一，他所校刻的《本草綱目》是該書迄今爲止最好的和刻本，對《本草綱目》在日本的傳播影響深遠。作爲羽翼《本草綱目》之作，《本草圖翼》采擷、轉繪明·李中立《本草原始》中的大量圖文，并作爲附於《本草綱目》之後的書籍之一同時刊行，一方面幫助日本醫家更好地學習《本草綱目》，另一方面首次將藥材圖介紹到了日本，爲日本醫家學習辨

❶〔日〕國書研究室.國書總目録：第七卷[M].東京：岩波書店，一九七七：三八八.

識藥物的方法，瞭解藥材品質、鑒別真贋提供了直觀、確切的圖文資料。此外，《本草圖翼》對今人研究《本草原始》流傳到日本的過程與影響，亦有着重要的意義。

付　璐　蕭永芝

本草圖翼
上
特1
1715

本草圖徵用書目

周禮註疏
毛詩註疏
爾雅註疏
鄭夾漈爾雅註
毛詩草木鳥獸蟲魚疏
陸疏廣要
三家詩名物疏
詩經名物類考
毛詩鳥獸草木攷
山海經
齊民要術
廣雅
埤雅
爾雅翼

太平御覽
太平廣記
酉陽雜俎
酉陽雜俎續集
北戶錄
急就篇註
唐國史補
南方草木狀
益部方物略記
華夷花木鳥獸珍玩考
庶物異名疏
洛陽花木記
桂海虞衡志
瀛涯勝覽

博物志
續博物志
廣博物志
便民圖纂
雲林石譜
偃曝偶談
臨柱雜識
學圃雜疏
夢溪筆談
續筆談
補筆談
海語
竹譜
橘錄
通雅
何首烏錄
彰明附子記
御定歷代賦彙

楚辭集註辨證
新增格古要論
鄭夾漈通志
洪容齋五筆
名山勝槩記
潛確居類書
六家文選
典籍便覽
合璧事類
類書纂要
彙苑詳註
月令廣義
三才圖會
農政全書
農桑輯要
遵生八牋
羣芳譜
花鏡

柳柳州集
蘇文忠集
朱子文集
吳草廬集
楊升菴集
王弇州四部稿
重修鎮江府志
寧波府志
邵武府志
汀州府誌
泉州府志
松江府志
瓊州府志
肇慶府志
漳州府志
紹興府志
八閩通志
廣東通志

增補致富奇書
致富全書
天工開物
物理小識
證類本草
政和本草
救荒本草
本草綱目
本草經疏
仙製本草
本草發揮
本草約言
本草洞詮
本草衍義
本草衍義補遺
神農本經會通
食物本草綱目
新編類要圖註本草

廣西通志
興化府志
儋州志
海澄縣志
江陰縣志
嘉興縣志
閩書
茅山志
東西洋考
天台山方外志
大明一統志
增訂廣輿記
外臺祕要方
千金方
和劑局方
聖劑總錄纂要
證治準繩
錦囊祕錄

本草滙
本草述
本草選
本草蒙筌
本經逢原
本草纂要
本草彙箋
本草單方
本草集要
本草彙言
藥性奇方
日用本草
分部本草
食物本草會纂
重校本草原始
增訂本草備要
本草綱目纂要
本草綱目類纂必讀

古今醫統
保命歌括
張氏醫通
證治大還
奇効良方
百一選方
薛立齋醫案
世醫得効方
先醒齋筆記
醫准

上醫本草
本草新編
本草真詮
本草提綱
炮炙大法
藥性要略
癘瘍全書
醫宗必讀
藥籤

本草圖目錄

卷一　草屬

漏蘆
茵陳蒿
白頭翁
骨碎補
蓽撥
續隨子

卷二　草屬

卷三 木屬

阿魏
没藥
皁莢
蘇方木
酸棗仁
枸杞地骨
紫荊
榧核
卮子
猪苓
山茱
淡竹

穀屬
糯米
胡麻
綠豆
白扁豆

菜屬
冬葵
萊菔
韭
瓜帶使

盧會
海桐
訶梨勒
椿樗
辛夷
五加皮
牡丹
金櫻子
蜀椒
烏藥
吳茱萸
苦竹
粳米
大麻
胡荽
蘹香
葫蒜
湖雞腿

蕪荑
合歡
楝實
椶櫚
杜仲
牡荊
芫花
連翹
枳實
茗
五倍子
竹黃
小麥
赤小豆
白芥
蒔蘿
生薑
荊芥

厚朴
巴豆
無食子
樟腦
女貞
蔓荊實
衞矛
蜜蒙花
枳殼
西國米
篁竹
雷丸
大麥
薏苡仁
蒲公英
蔥
茄
紫蘇

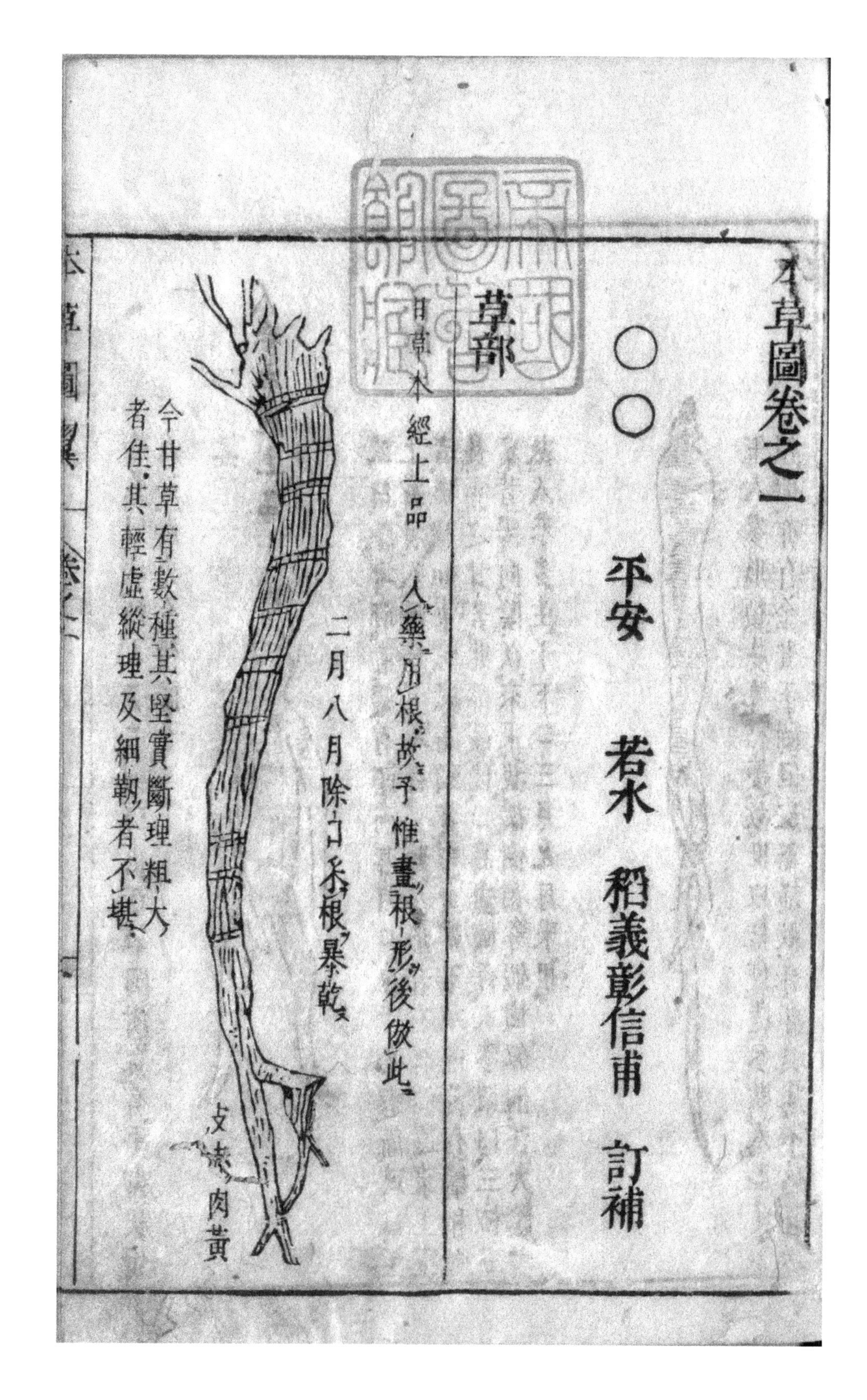

本草圖卷之一

○○　平安　若水　稻義彰信甫　訂補

草部

甘草　本經上品

入藥用根故予惟畫根形後倣此

二月八月除日采根暴乾

今甘草有數種其堅實斷理粗大者佳其輕虛縱理及細靭者不堪

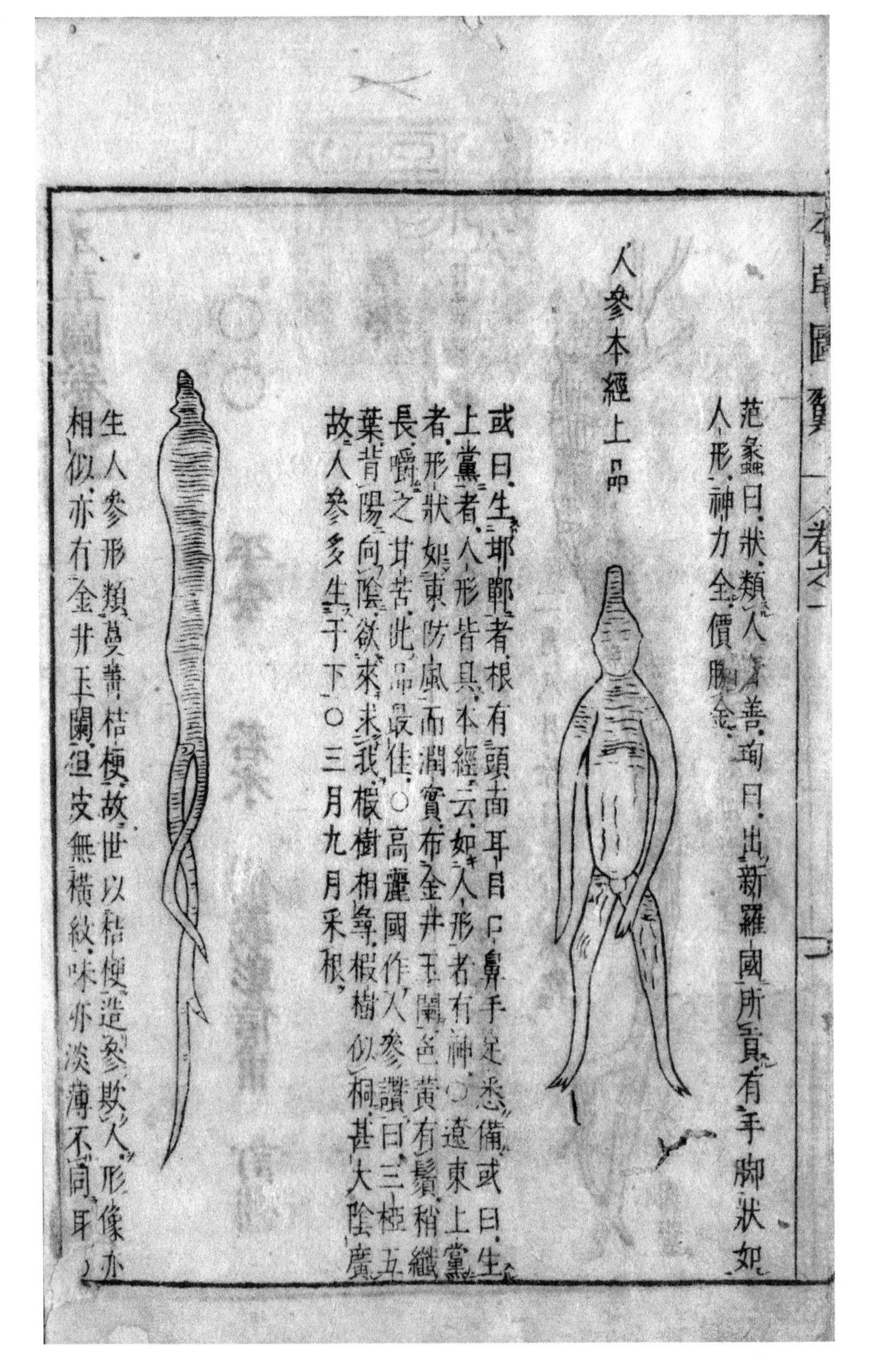

本草圖彙　卷之一

范蠡曰狀類人者善珣曰出新羅國所貢有手脚狀如
人形神力全價脚金

人參本經上品

或曰生邯鄲者根有頭面耳目口鼻手足悉備或曰生
上黨者人形皆具本經云如人形者有神○遼東上黨
者形狀如東防風而潤實布金井玉闌色黄有鬚稍纖
長嚼之甘苦此品最佳○高麗國作人參讚曰三椏五
葉背陽向陰欲來求我椵樹相尋椵樹似桐甚大陰廣
故人參多生于下○三月九月采根

生人參形類薺苨桔梗故世以桔梗造參欺人形像亦
相似亦有金井玉闌但皮無横紋味亦淡薄不同耳

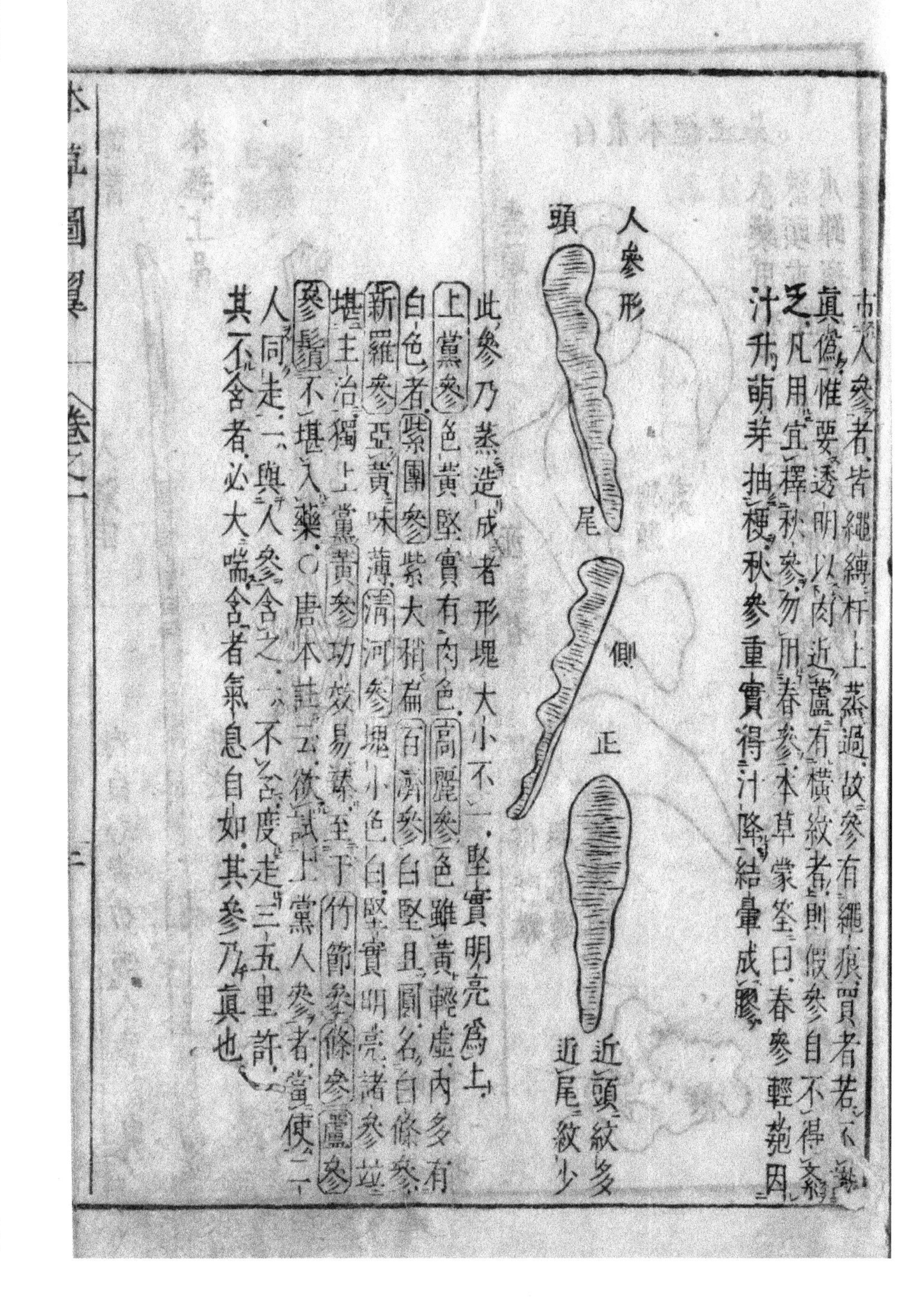

市人參者，皆縄縛杆上蒸過，故參有縄痕，買者若不辨真僞，惟要透明以肉近蘆有横紋者，則假參自不得欺之。凡用宜擇秋參，勿用春參。本草蒙筌曰：春參輕鬆，因汁升萌芽抽梗；秋參重實，得汁降結暈成膠。

此參乃蒸造成者，形塊大小不一，堅實明亮爲上。上黨參色黄堅實，有肉色。高麗參色雖黄，輕虛，內多有白色者。紫團參紫大稍扁。百濟參白堅且圓，名白條參。新羅參亞黄，味薄。清河參塊小色白，堅實明亮。諸參並堪主治，獨上黨黄參功效易著，至下竹節參、條參、蘆參、參鬚，不堪入藥。○唐本註云：欲試上黨人參者，當使二人同走，一與人參含之，一不含，度走三五里許，其不含者必大喘，含者氣息自如，其參乃真也。

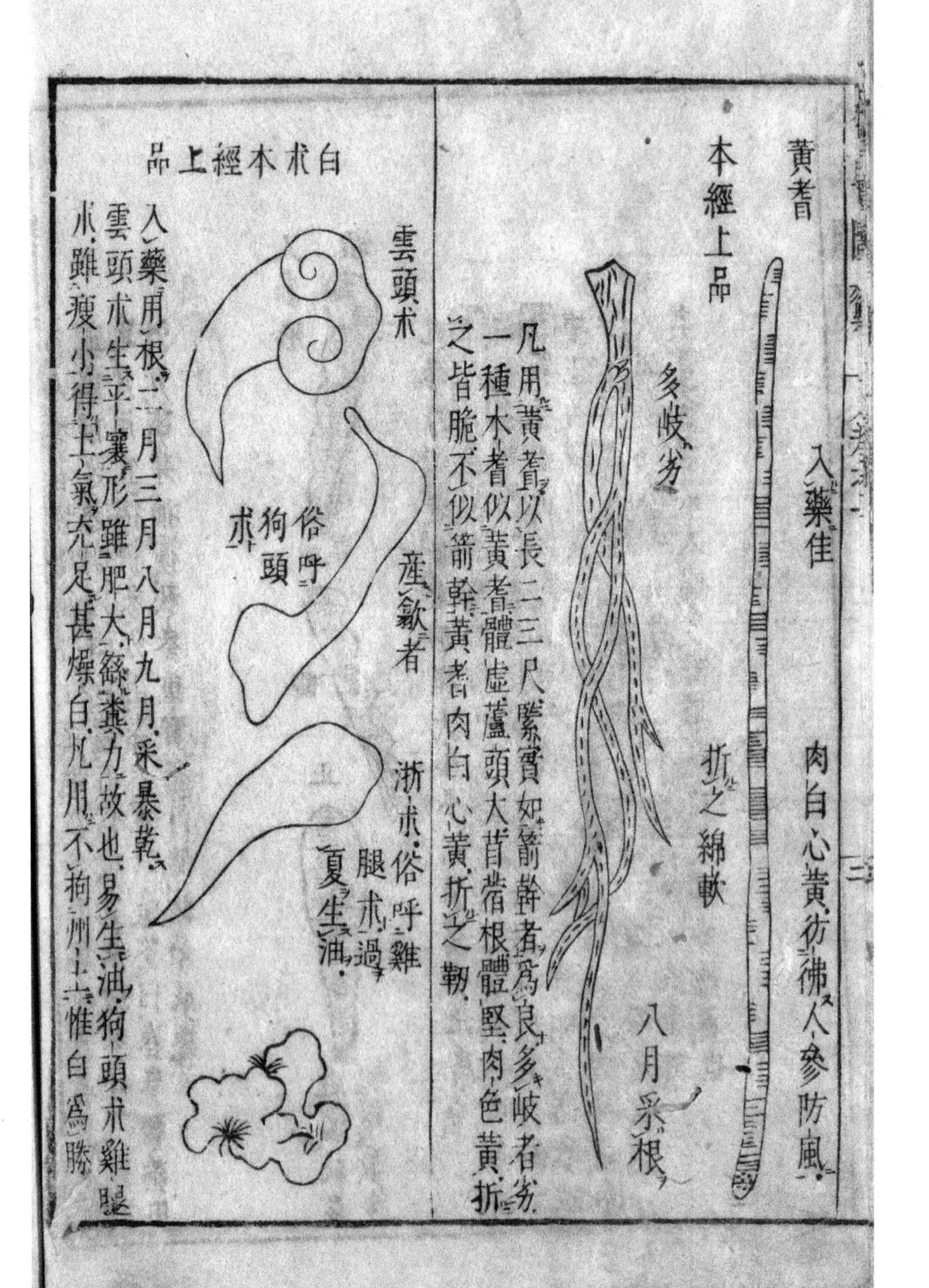

黄耆

入藥佳

肉白心黄彷彿人參防風

本經上品

多岐劣

折之綿軟

八月采根

凡用黄耆以長二三尺緊實如箭幹者爲良多岐者劣一種木耆似黄耆體虚蘆頭大苜蓿根體堅肉色黄折之皆脆不似箭幹黄耆肉白心黄折之靭

白术本經上品

雲頭术

産歙者

俗呼狗頭术

浙术俗呼雞腿术過夏生油

入藥用根二月三月八月九月采暴乾雲頭术生平壤形雖肥大繇糞力故也易生油狗頭术雞腿术雖瘦小得土氣充足甚燥白凡用不拘州土惟白爲勝

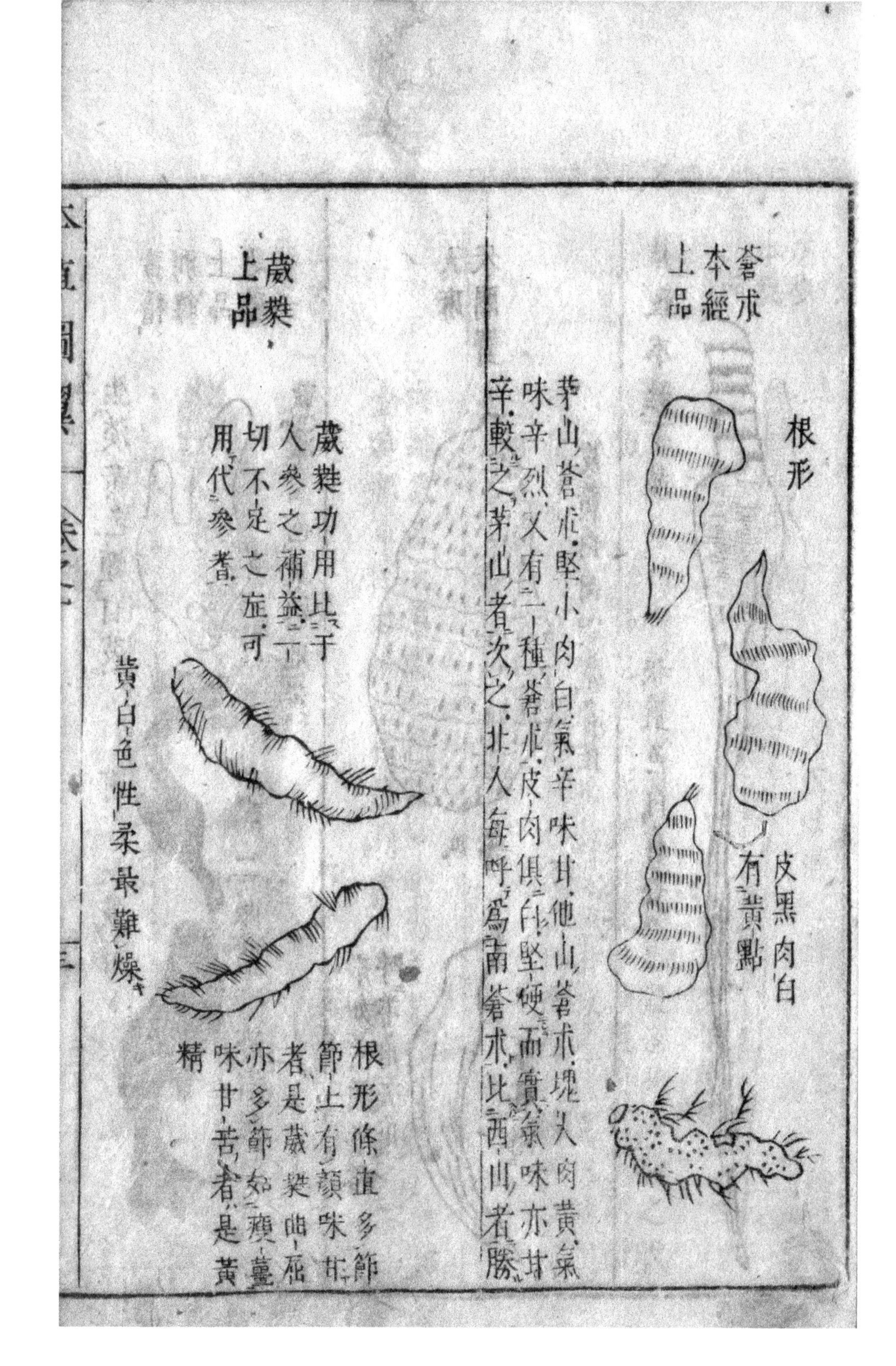

蒼朮 本經上品

根形

皮黑肉白有黃點

茅山蒼朮，堅小肉白，氣辛味甘。他山蒼朮，塊大肉黃，氣味辛烈。又有一種蒼朮，皮肉俱白，堅硬而實，氣味亦甘辛，較之茅山者次之。北人每呼為南蒼朮，比西山者勝。

葳蕤 上品

葳蕤功用比于人參之補益，可切不足之症，可用代參者。

黃白色，性柔，最難燥。

根形條直多節，節上有鬚，味甘者是葳蕤。曲屈亦多節，如薑，味甘苦者是黃精。

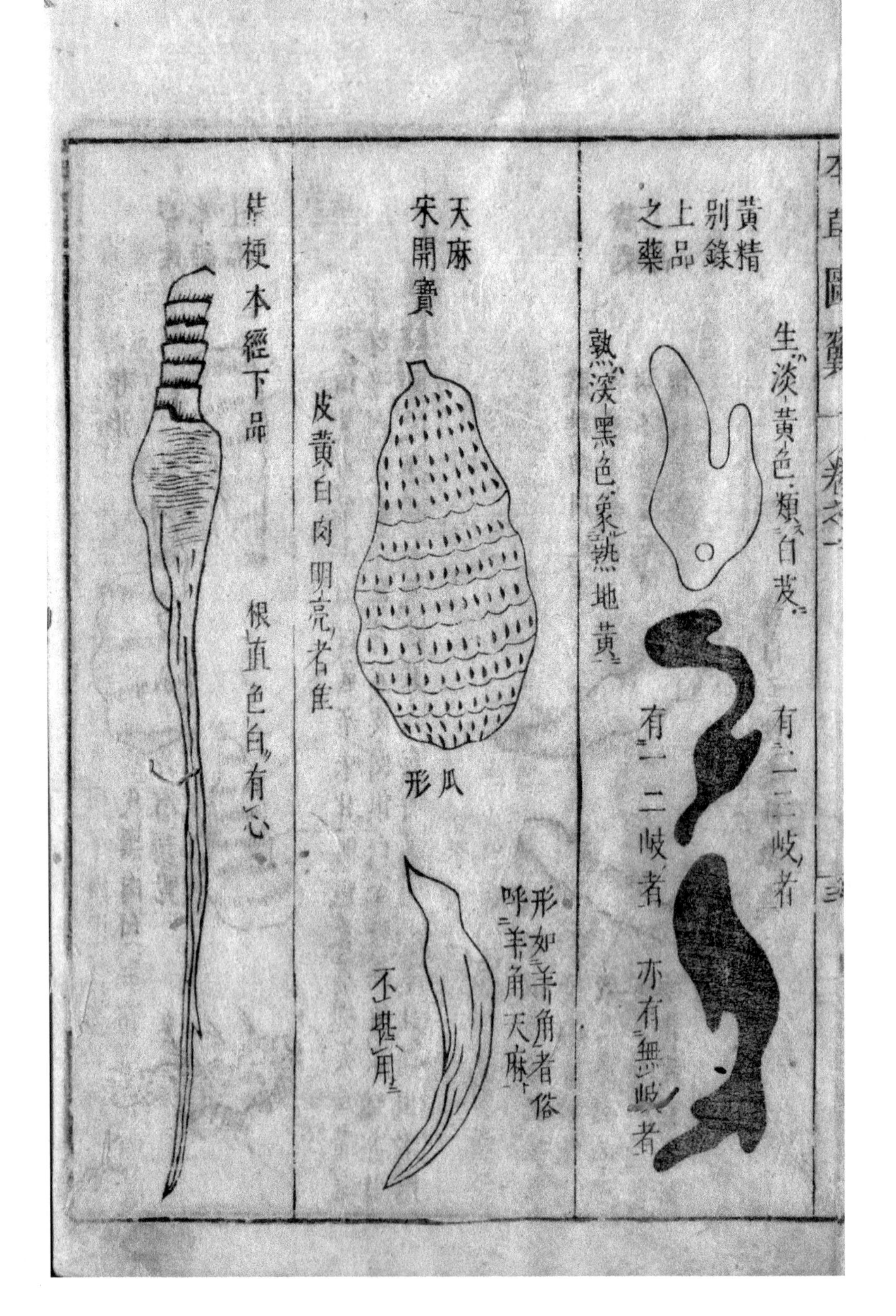

黃精 別錄上品之藥

生淡黃色類白芨

有二三岐者

熟漆黑色蒸熟地黃

有一二岐者

亦有無岐者

天麻 宋開寶

皮黃白肉明亮者佳

瓜形

形如羊角者俗呼羊角天麻

不堪用

桔梗 本經下品

根直色白有心

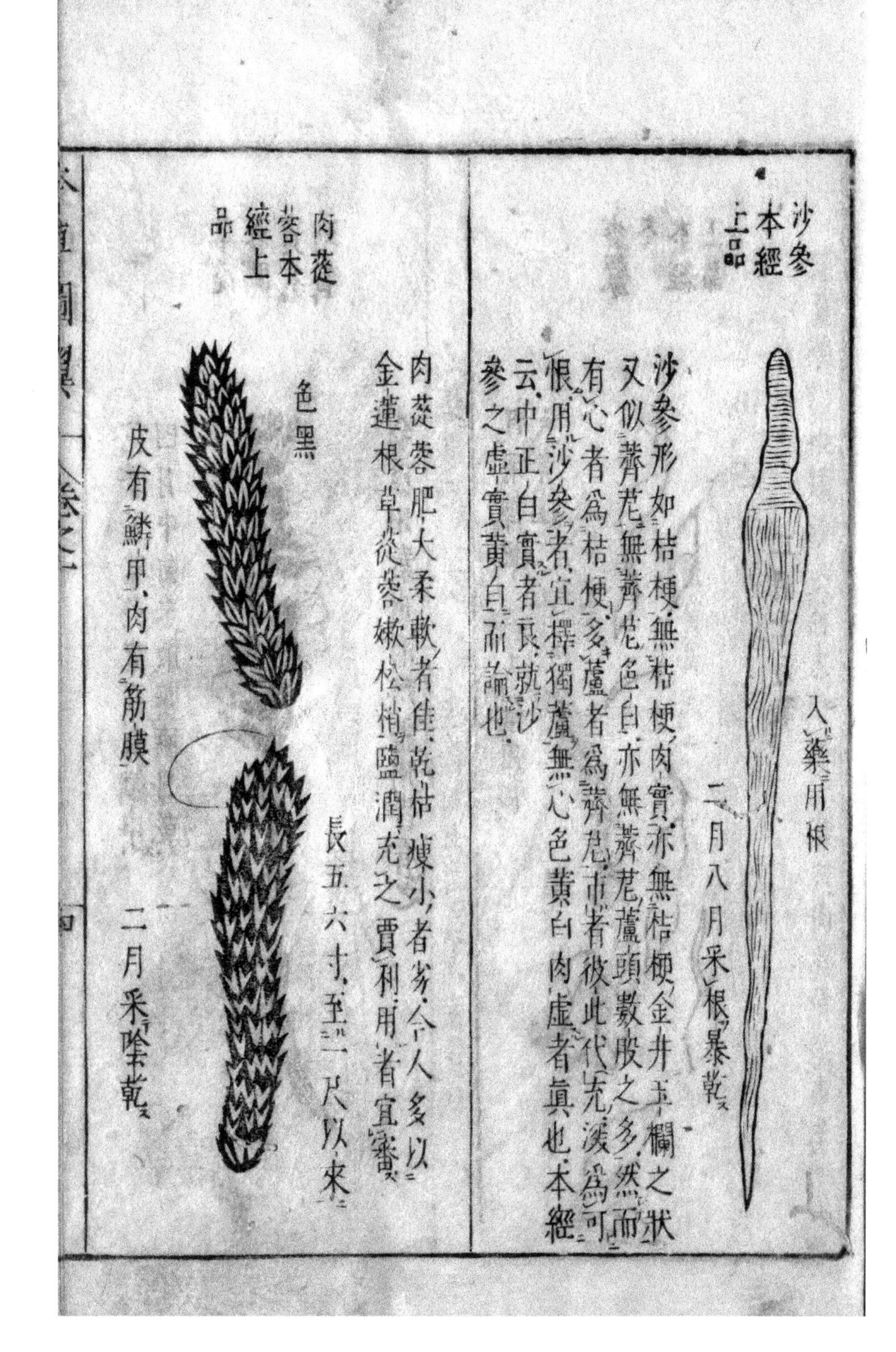

沙參 本經上品

入藥用根

二月八月采根暴乾

沙參形如桔梗，無桔梗肉實，亦無桔梗金井玉欄之狀，又似薺苨，無薺苨色白，亦無薺苨蘆頭數股之多，然而有心者爲桔梗，多蘆者爲薺苨，市者彼此代充，深爲可恨。用沙參者宜擇獨蘆無心色黃白肉虛者眞也。本經云，中正白實者良，就沙參之虛實黃白而論也。

肉蓯蓉 本經上品

色黑

肉蓯蓉肥大柔軟者佳，乾枯瘦小者劣，今人多以金蓮根草蓯蓉嫩松梢鹽潤充之，賈利用者宜審。

長五六寸至一尺以來

皮有鱗甲，肉有筋膜

二月采陰乾

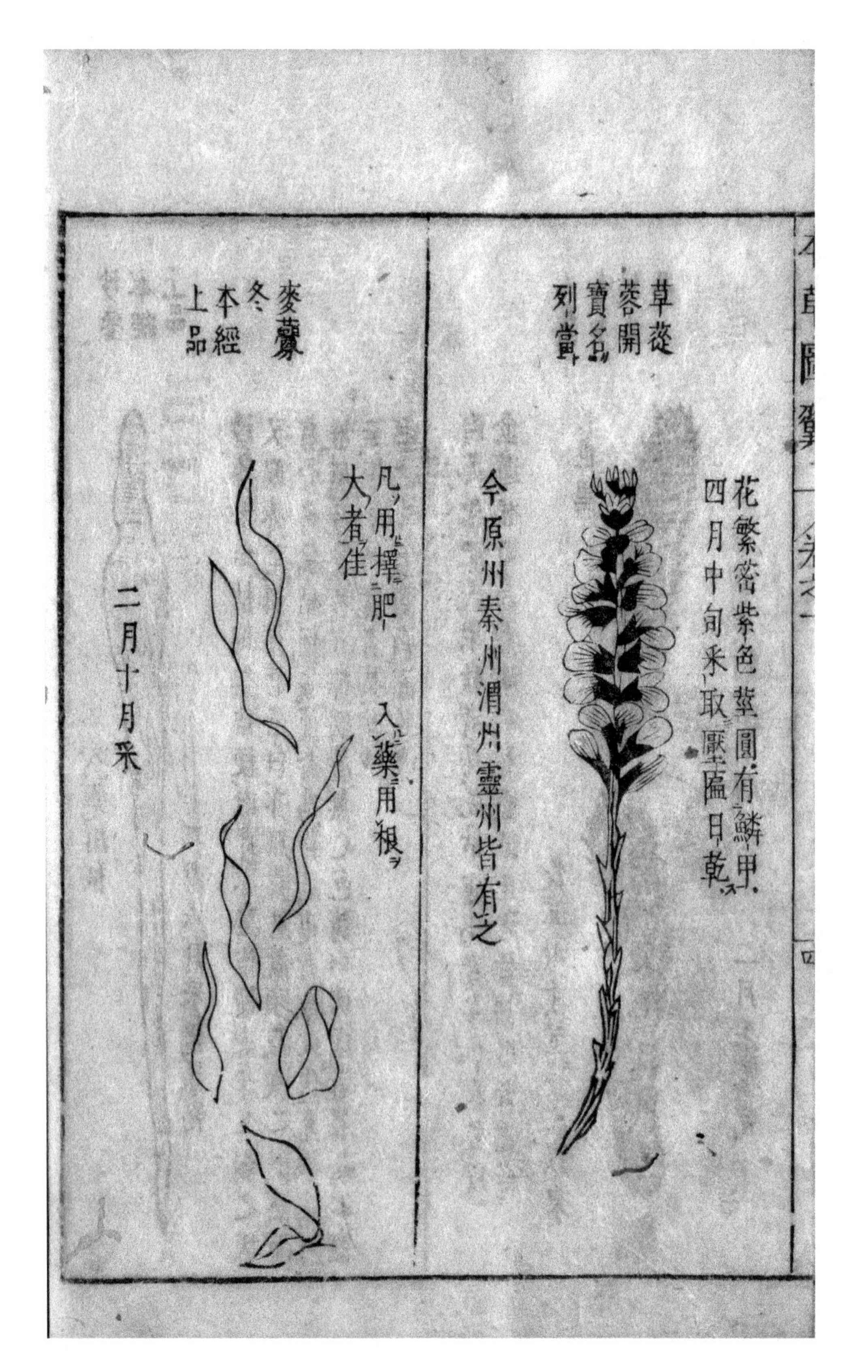

草蓯蓉 開寶名列當

花繁密紫色莖圓有鱗甲
四月中旬采取壓扁日乾

今原州秦州渭州靈州皆有之

麥門冬 本經上品

凡用擇肥大者佳
入藥用根

二月十月采

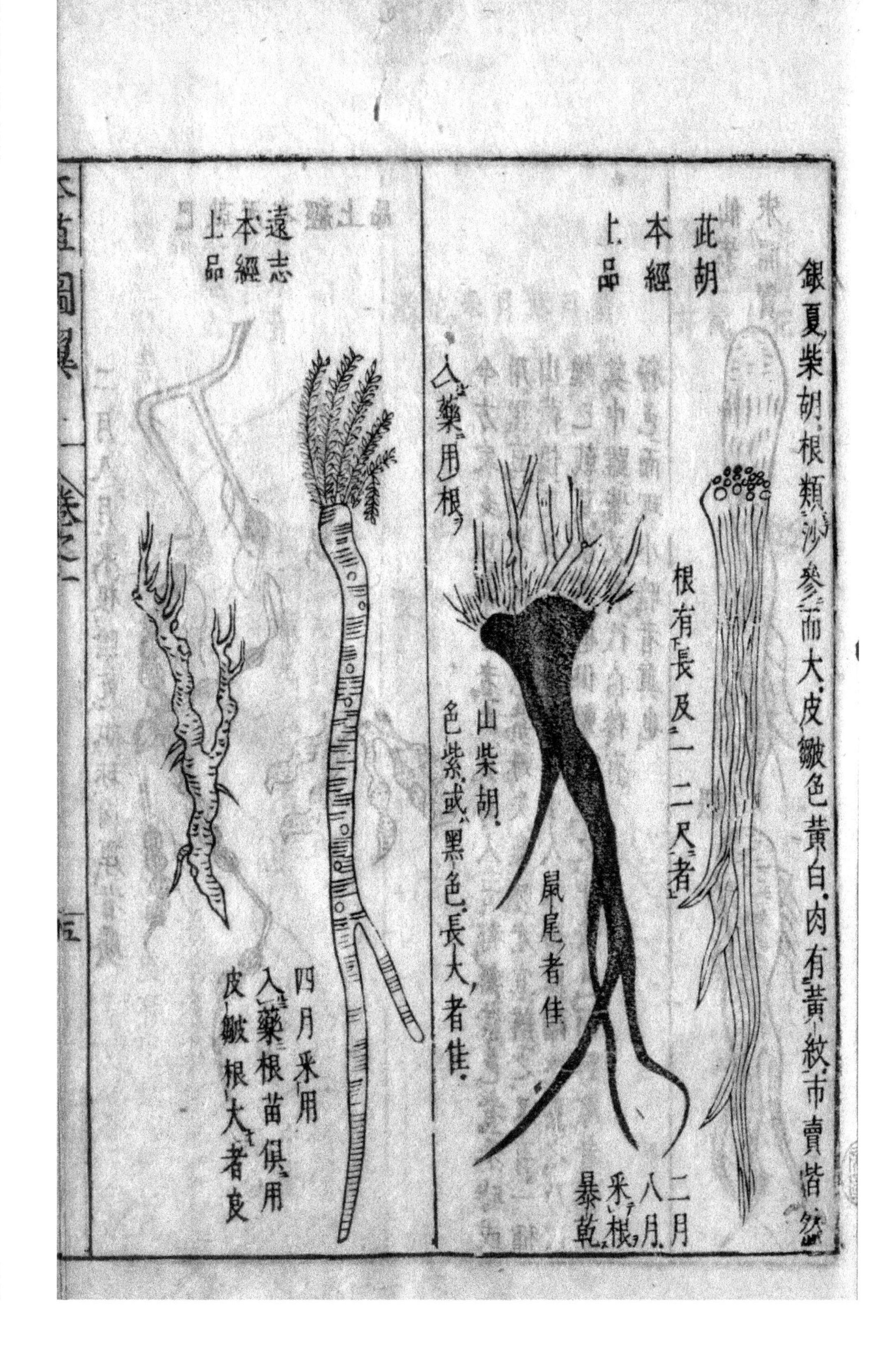

銀夏柴胡根類沙參而大皮皺色黄白肉有黄紋市賣皆然

茈胡
本經
上品

根有長及一二尺者

入藥用根

山柴胡色紫或黑色長大者佳

鼠尾者佳

二月八月采根暴乾

遠志
本經
上品

四月采用
入藥根苗俱用
皮皺根大者良

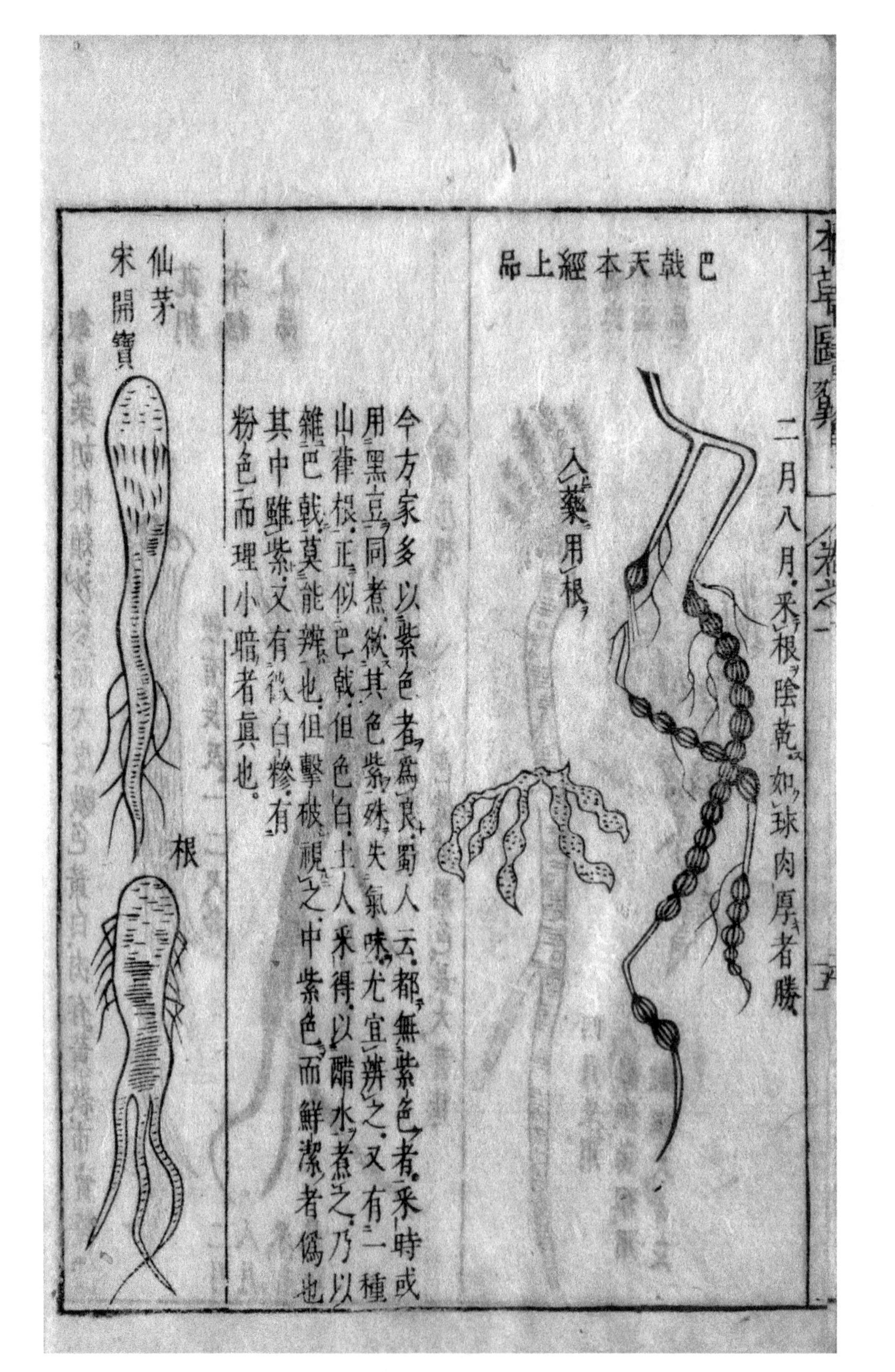

巴戟天本經上品

二月八月采根陰乾如球肉厚者勝

今方家多以紫色者爲良蜀人云都無紫色者采時或用黑豆同煮欲其色紫殊失氣味尤宜辨之又有一種山葎根正似巴戟但色白土人采得以醋水煮之乃以雜巴戟莫能辨也但擊破視之中紫色而鮮潔者僞也其中雖紫又有微白糝有粉色而理小暗者眞也

仙茅

宋開寶

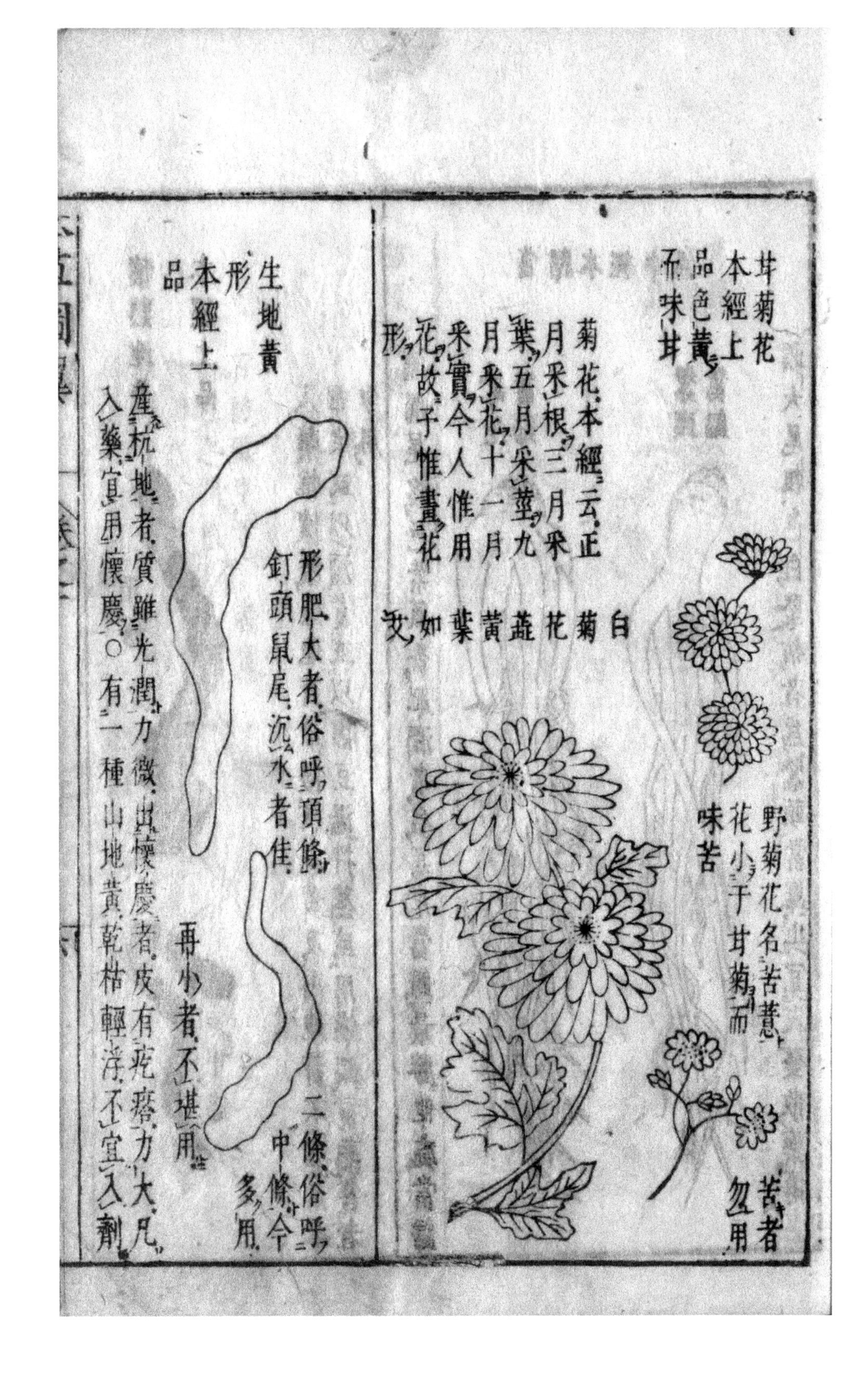

甘菊花
本經上
品色黃
而味甘

菊花本經云正月采根三月采葉五月采莖九月采花十一月采實今人惟用花故子惟畫花形

白菊花蕋黃葉如艾

野菊花名苦薏花小于甘菊而味苦

苦者勿用

生地黃
形
本經上
品

形肥大者俗呼頭條釘頭鼠尾沉水者佳

二條俗呼中條今多用

再小者不堪用

產杭地者質雖光潤力微出懷慶者皮有疙瘩力大凡入藥宜用懷慶○有一種山地黃乾枯輕浮不宜入劑

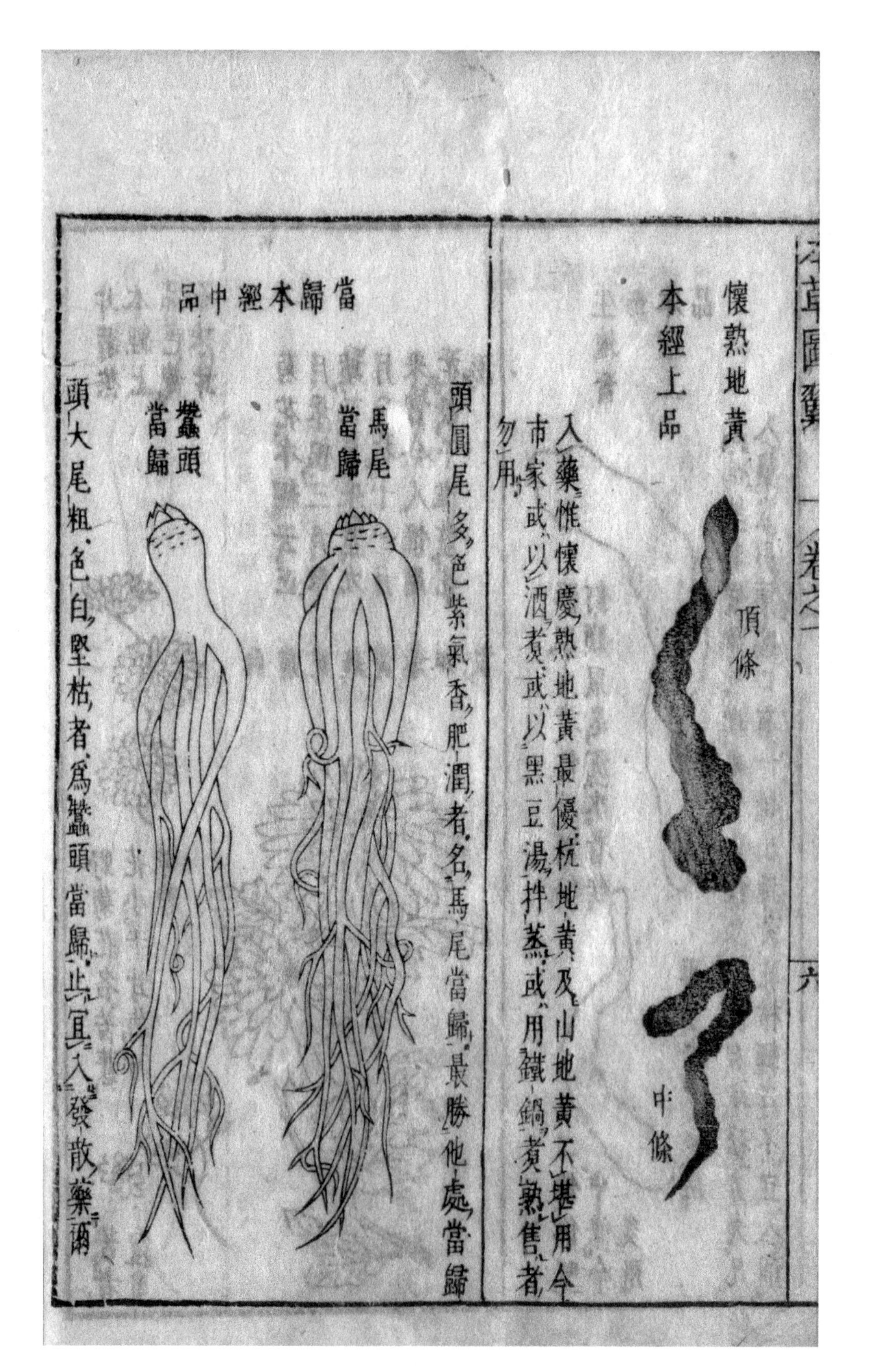

懷熟地黄

本經上品

入藥惟懷慶熟地黄最優杭地黄及山地黄不堪用今市家或以酒煮或以黑豆湯拌蒸或用鐵鍋煮熟售者勿用

當歸本經中品

頭圓尾多色紫氣香肥潤者名馬尾當歸最勝他處當歸頭大尾粗色白堅枯者爲鑱頭當歸止宜入發散藥爾

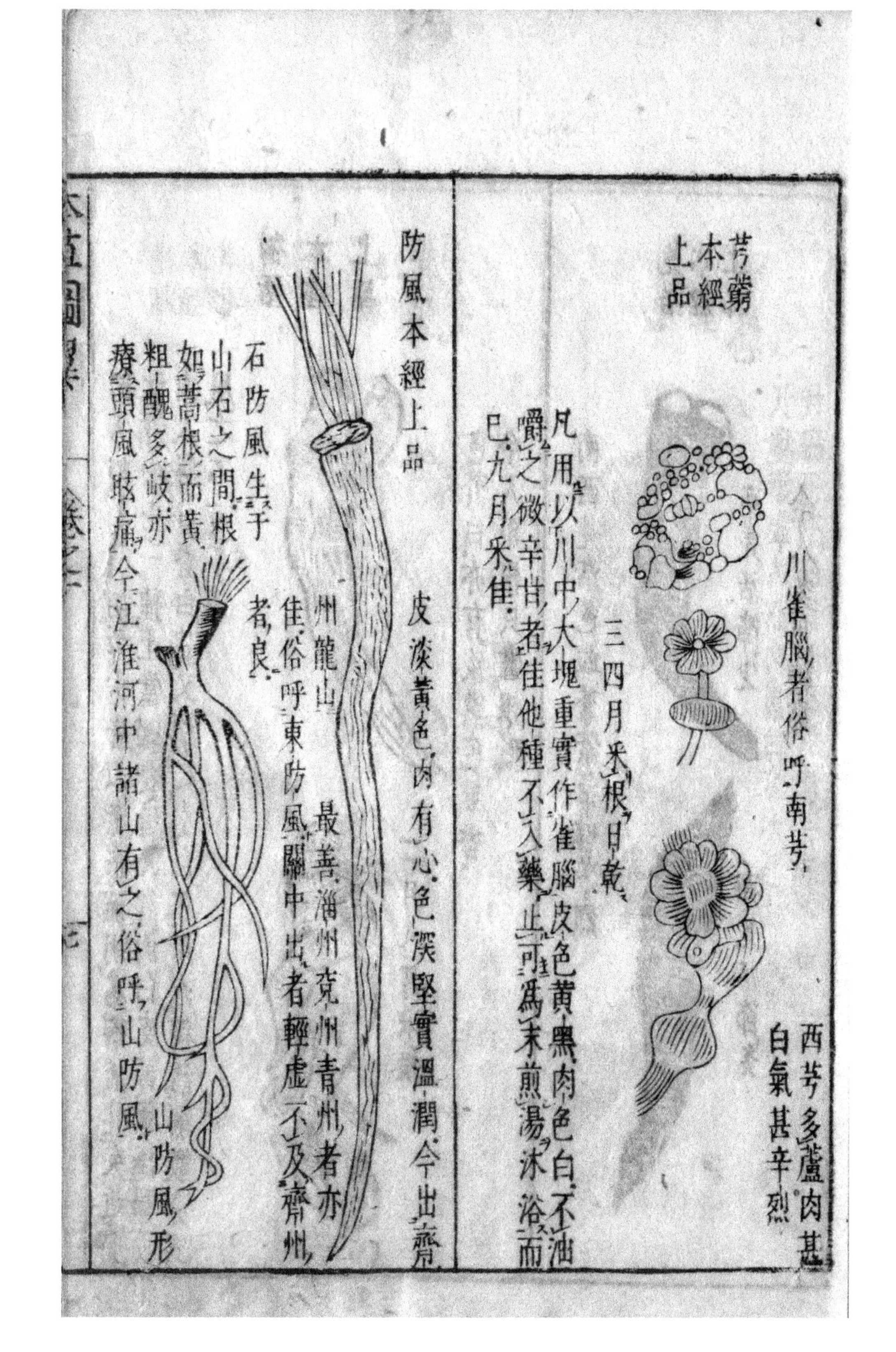

芎藭本經上品

川雀腦者俗呼南芎

西芎多蘆肉甚白氣甚辛烈

三四月采根日乾

凡用以川中大塊重實作雀腦皮色黃黑肉色白不油嚼之微辛甘者佳他種不入藥止可爲末煎湯沐浴而已九月采隹

防風本經上品

皮淡黃色肉有心色深堅實溫潤今出齊州龍山最善淄州兗州青州者亦佳俗呼東防風關中出者輕虛不及齊州者良

石防風生于山石之間根如蒿根而黃粗醜多岐亦療頭風眩痛今江淮河中諸山有之俗呼山防風

山防風形

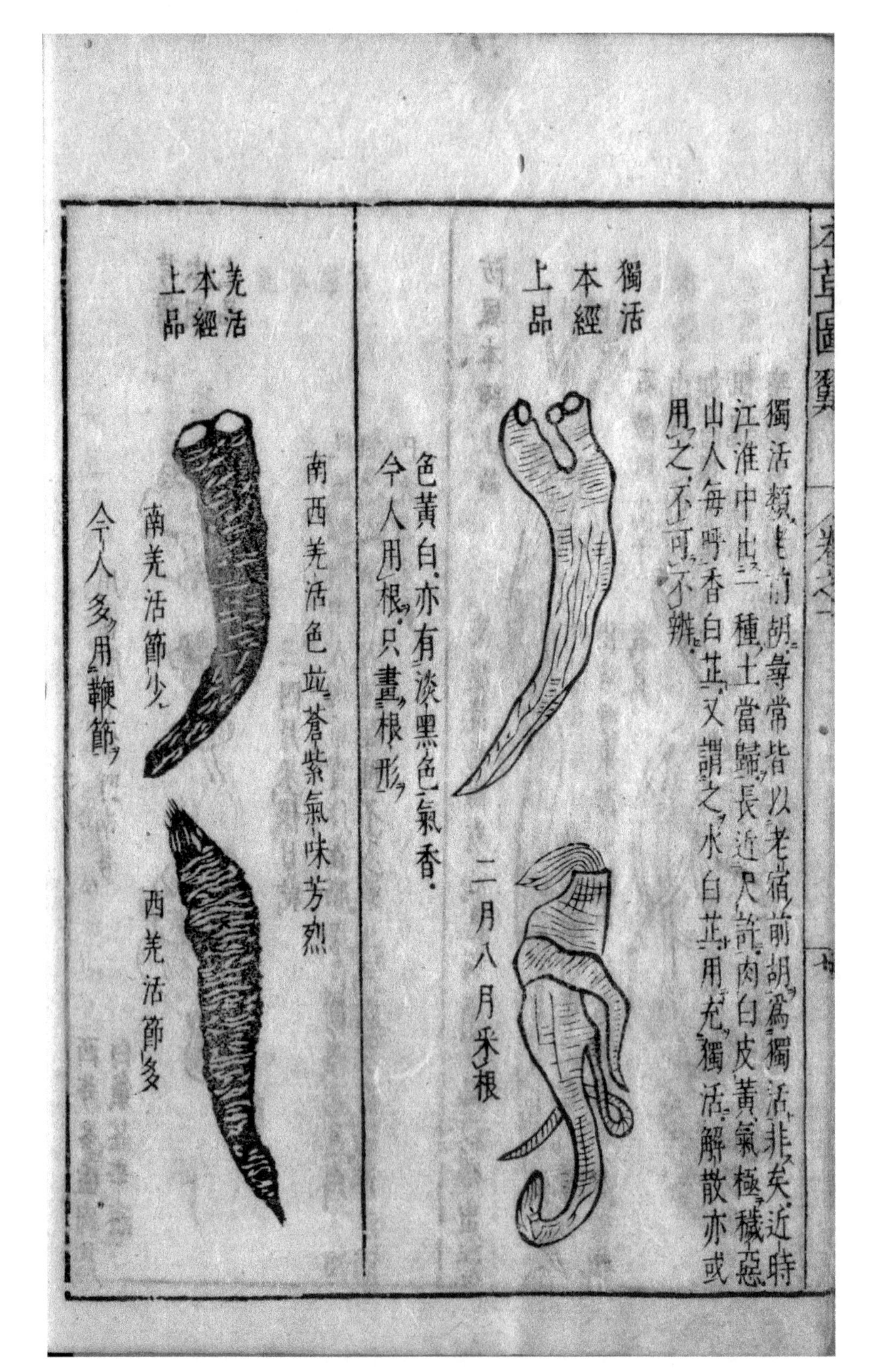

獨活類前胡。尋常皆以老宿前胡爲獨活，非矣。近時江淮中出一種，土當歸，長近尺許，肉白皮黃，氣極穢惡，山人每呼香白芷，又謂之水白芷，用充獨活，解散亦或用之，不可不辨。

獨活 本經 上品

色黃白，亦有淡黑色，氣香。今人用根，只畫根形。

二月八月采根

羌活 本經 上品

南西羌活色竝蒼紫，氣味芳烈

南羌活節少

今人多用鞭節

西羌活節多

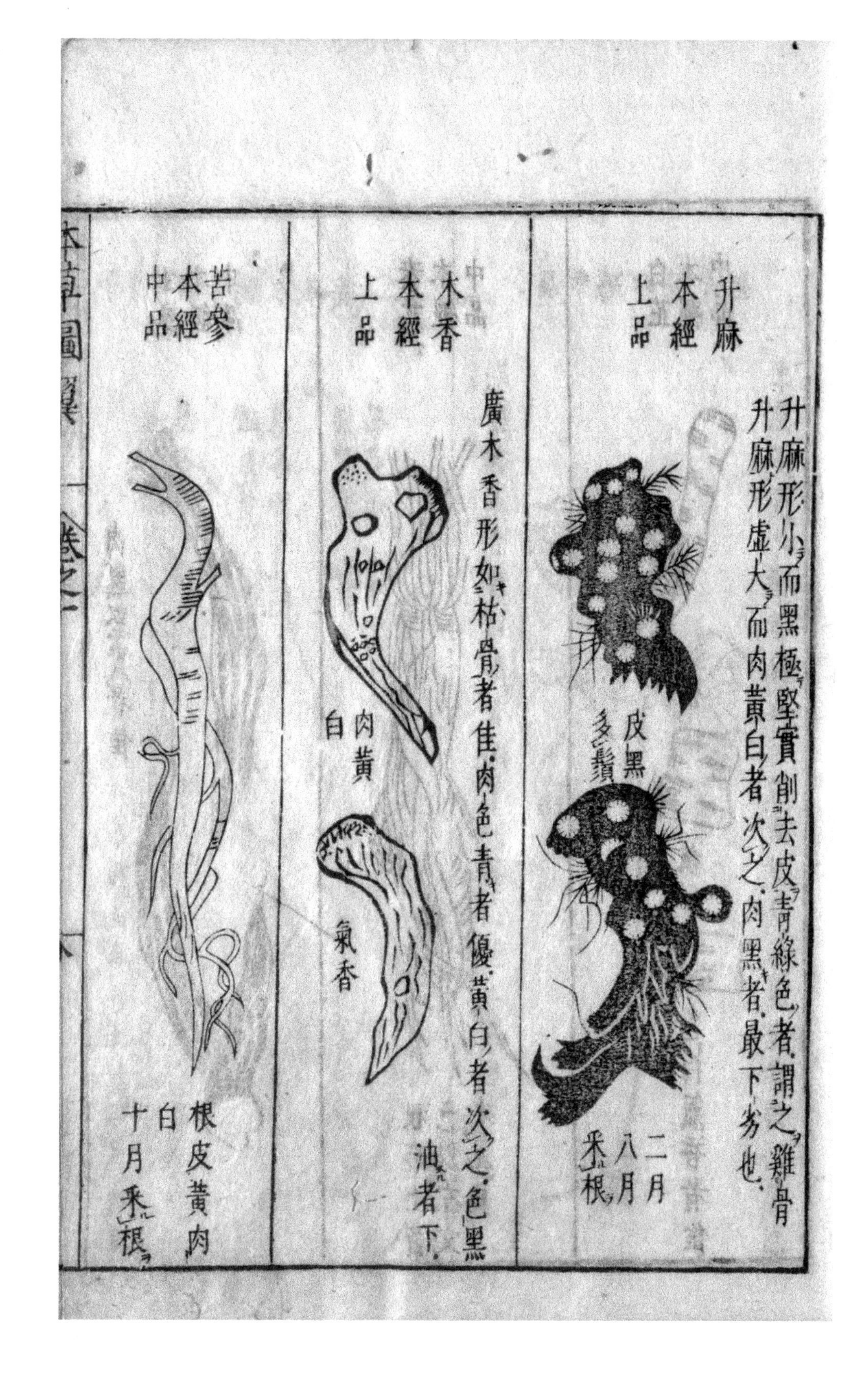

升麻
本經
上品

升麻形小而黑極堅實削去皮青綠色者謂之雞骨升麻形虛大而肉黃白者次之肉黑者最下劣也

皮黑多鬚

二月八月采根

木香
本經
上品

廣木香形如枯骨者佳肉色青者優黃白者次之色黑油者下

肉黃白

氣香

苦參
本經
中品

根皮黃肉白

十月采根

本草圖翼　卷之一

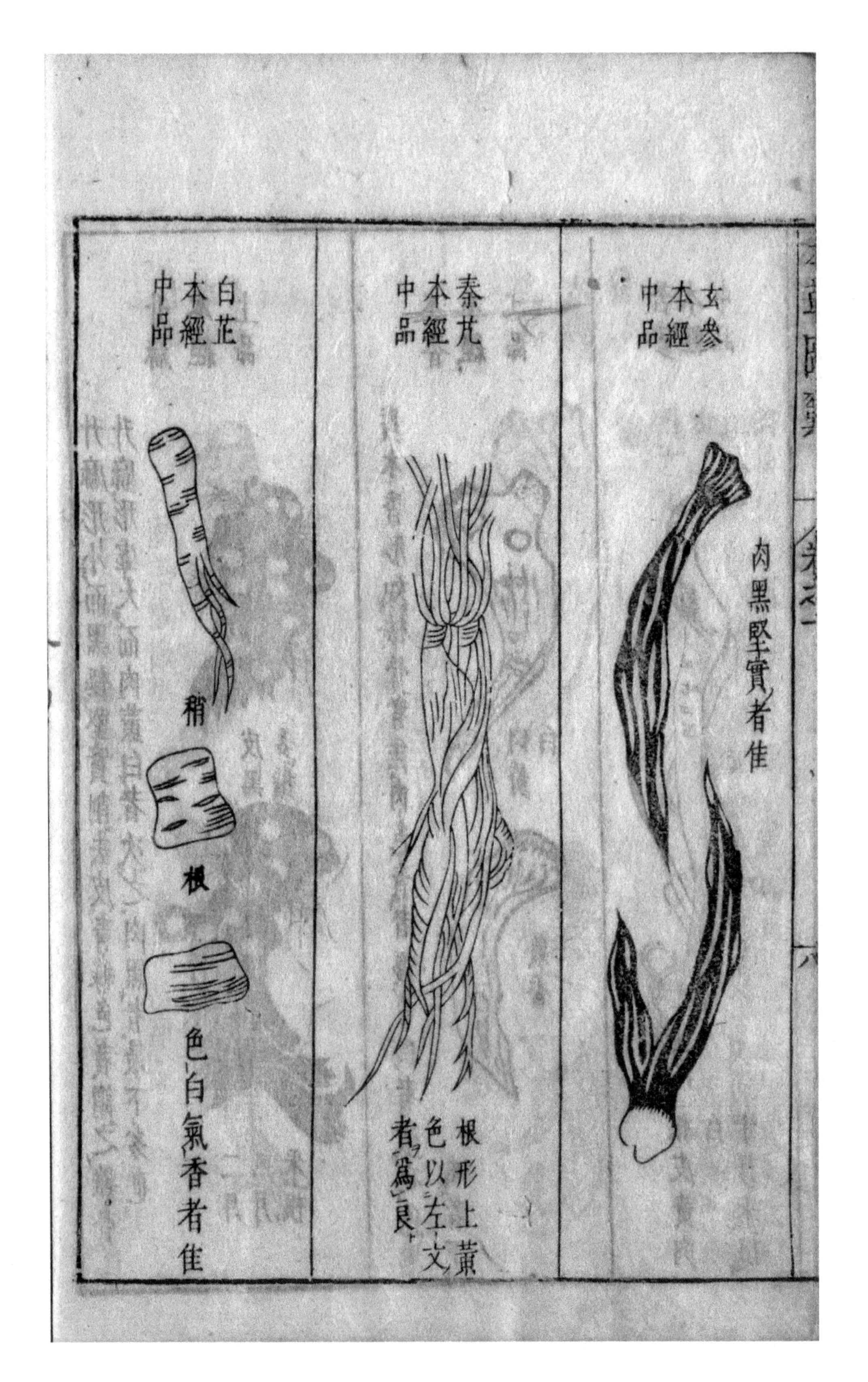
玄参
本經
中品
肉黑堅實者佳
秦艽
本經
中品
根形上黄色以左文者爲良
白芷
本經
中品
稍
根
色白氣香者佳

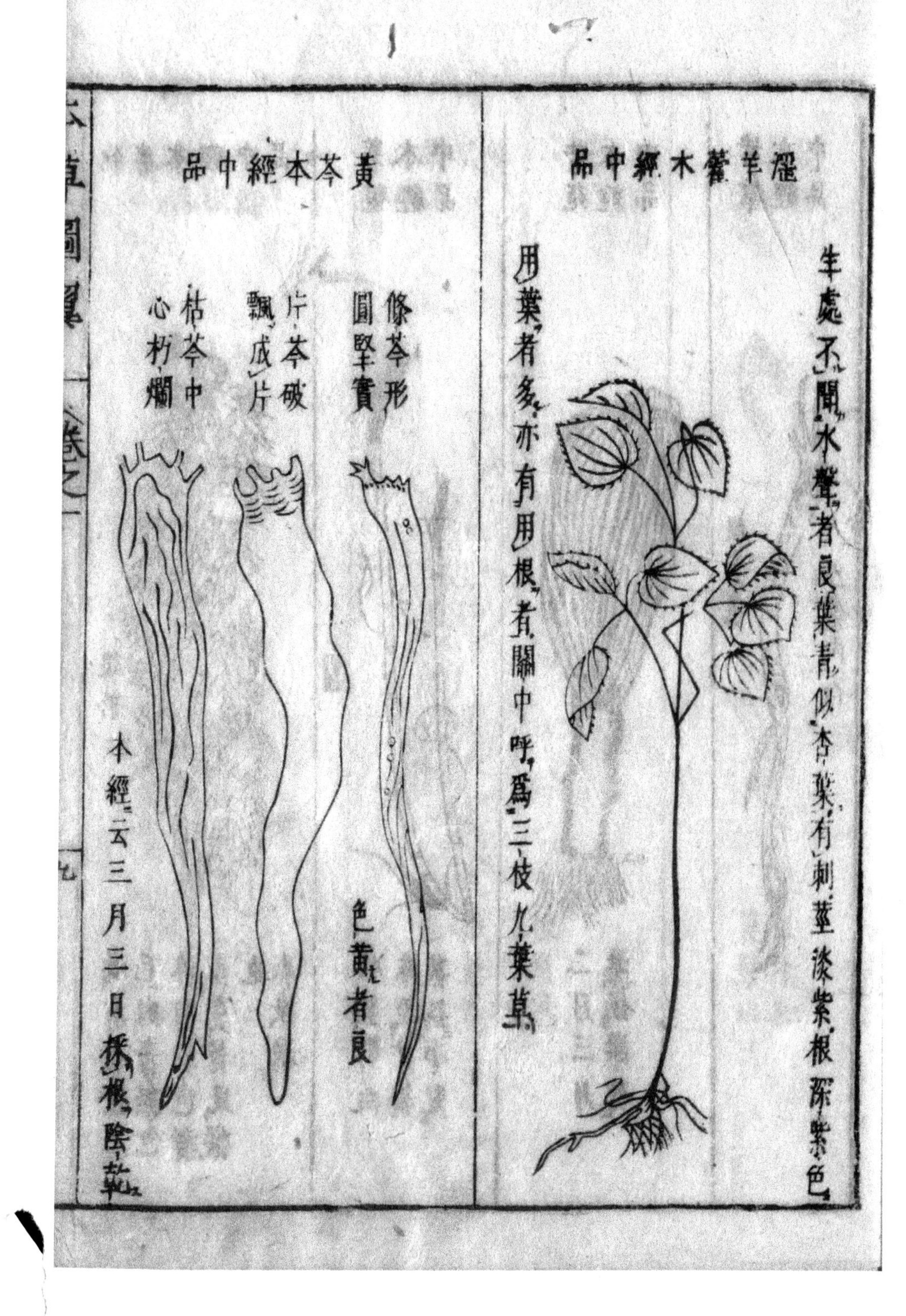
淫羊藿　本經中品
生處不聞水聲者良葉青似杏葉有刺莖淡紫根深紫色
用葉者多亦有用根者關中呼為三枝九葉草
黃芩　本經中品
條芩形圓堅實
片芩破成片飄
枯芩中心朽爛
色黃者良
本經云三月三日採根陰乾

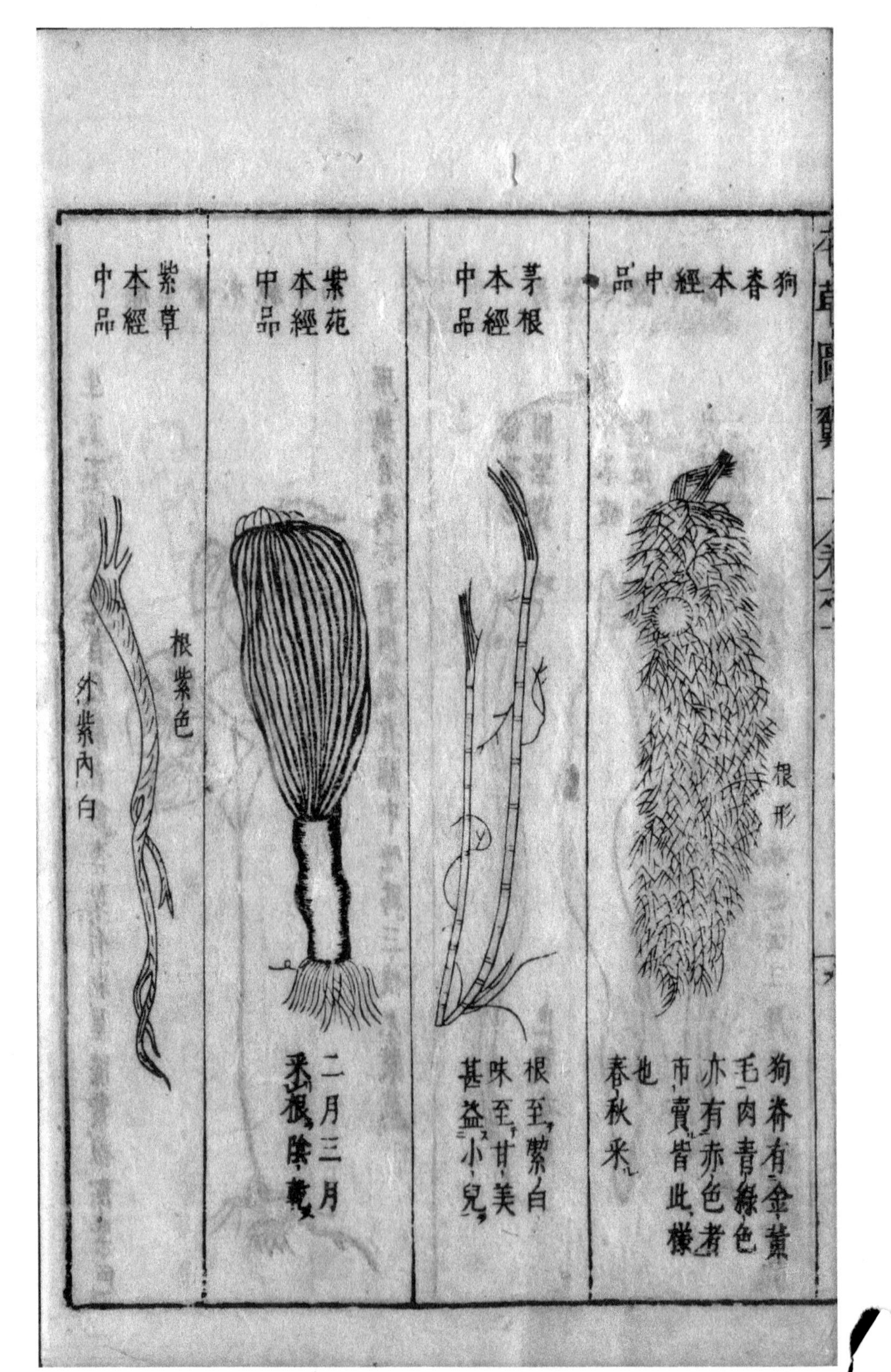
狗脊本經中品
根形
狗脊有金黄毛肉青緑色亦有赤色者市賣皆此樣也
春秋采
茅根本經中品
根至紫白味至甘美甚益小兒
紫菀本經中品
二月三月采根陰乾
紫草本經中品
根紫色
外紫内白

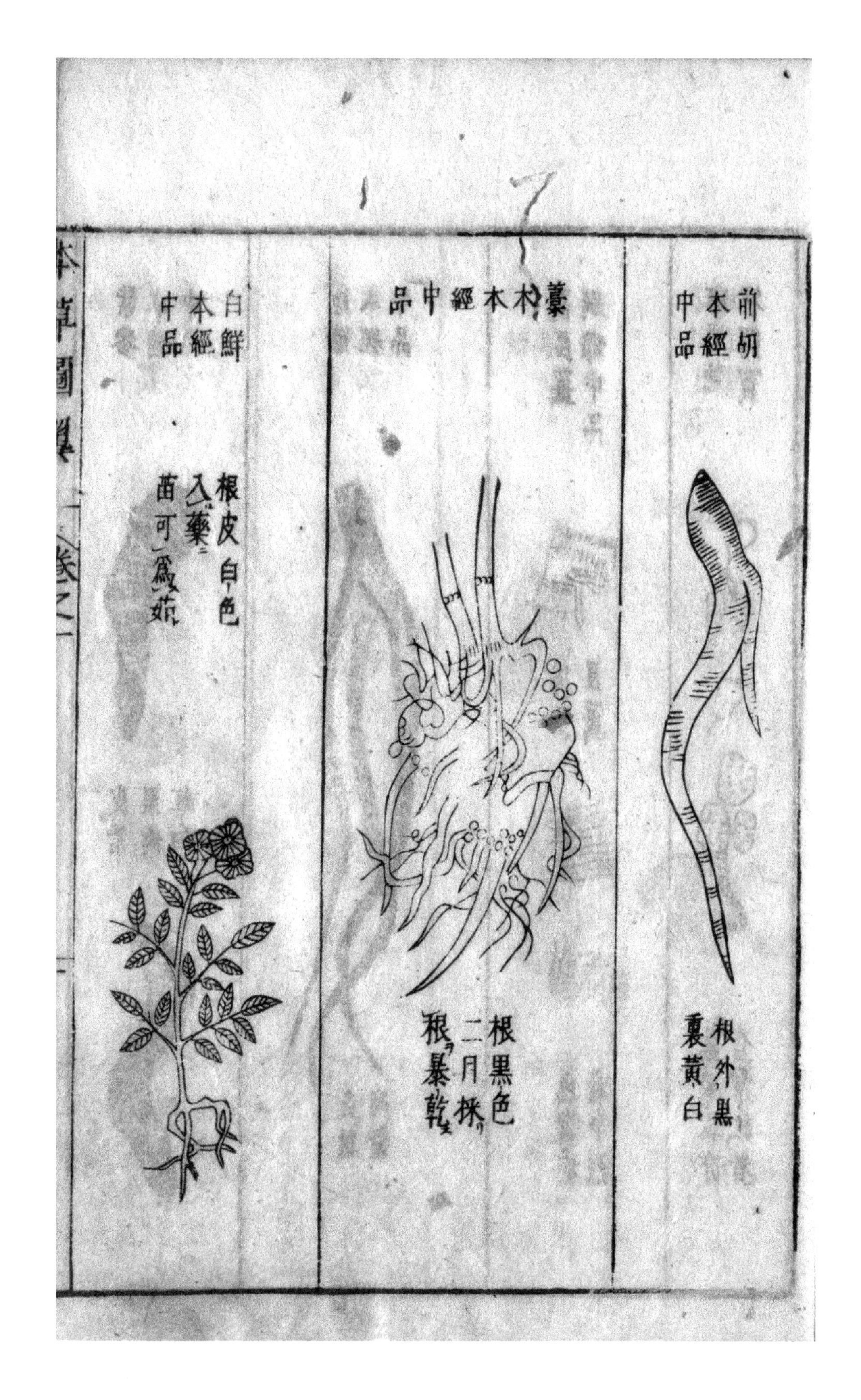
本草圖翼　卷之二

前胡　本經中品

根外黒裏黄白

蓁艽　本經中品

根黒色二月採根暴乾

白鮮　本經中品

根皮白色入藥苗可爲茹

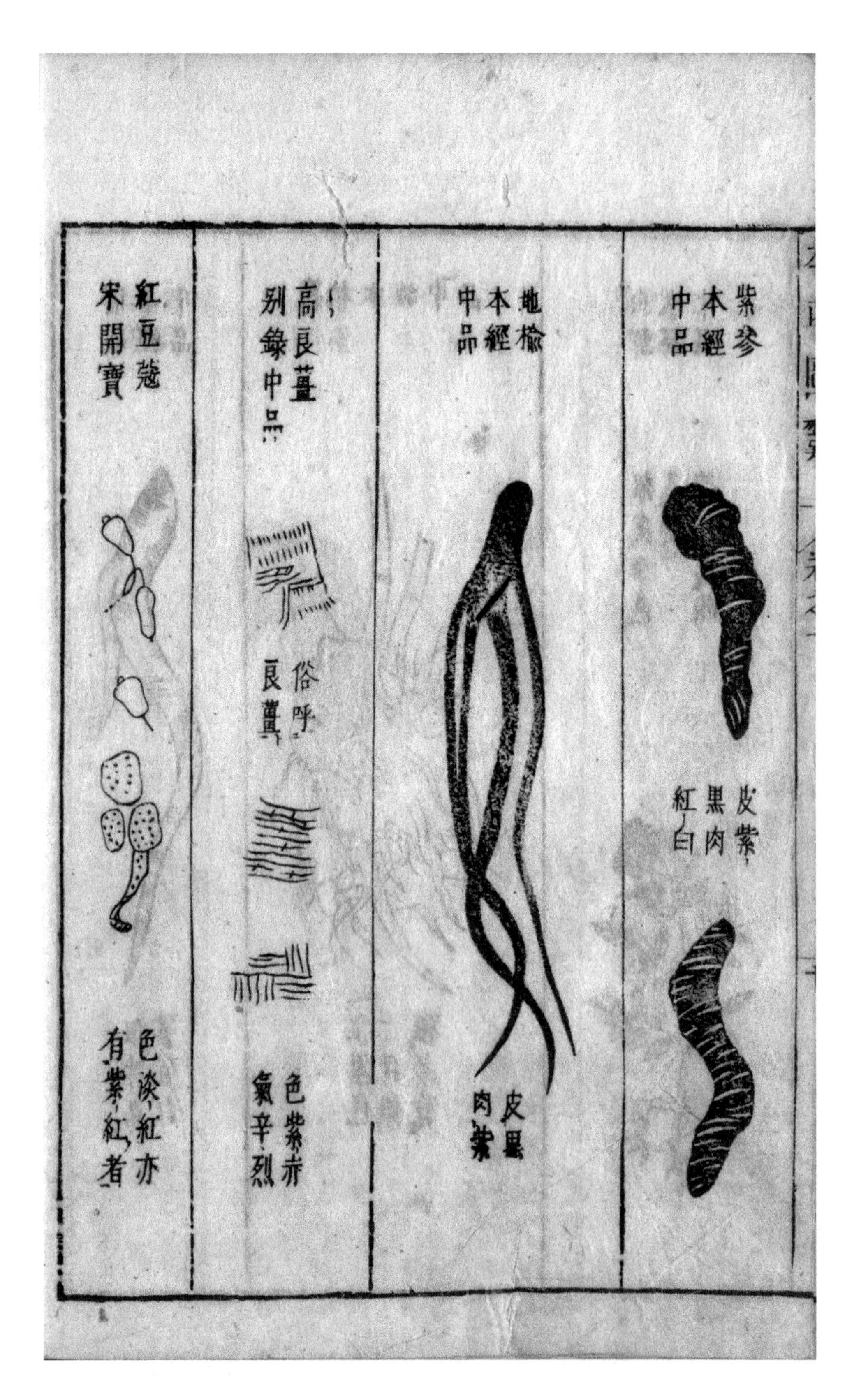
紫參
本經
中品
皮紫
黑肉
紅白
地楡
本經
中品
皮黑
肉紫
高良薑
別錄中品
俗呼
良薑
色紫赤
氣辛烈
紅豆蔻
宋開寶
色淡紅赤
有紫紅者

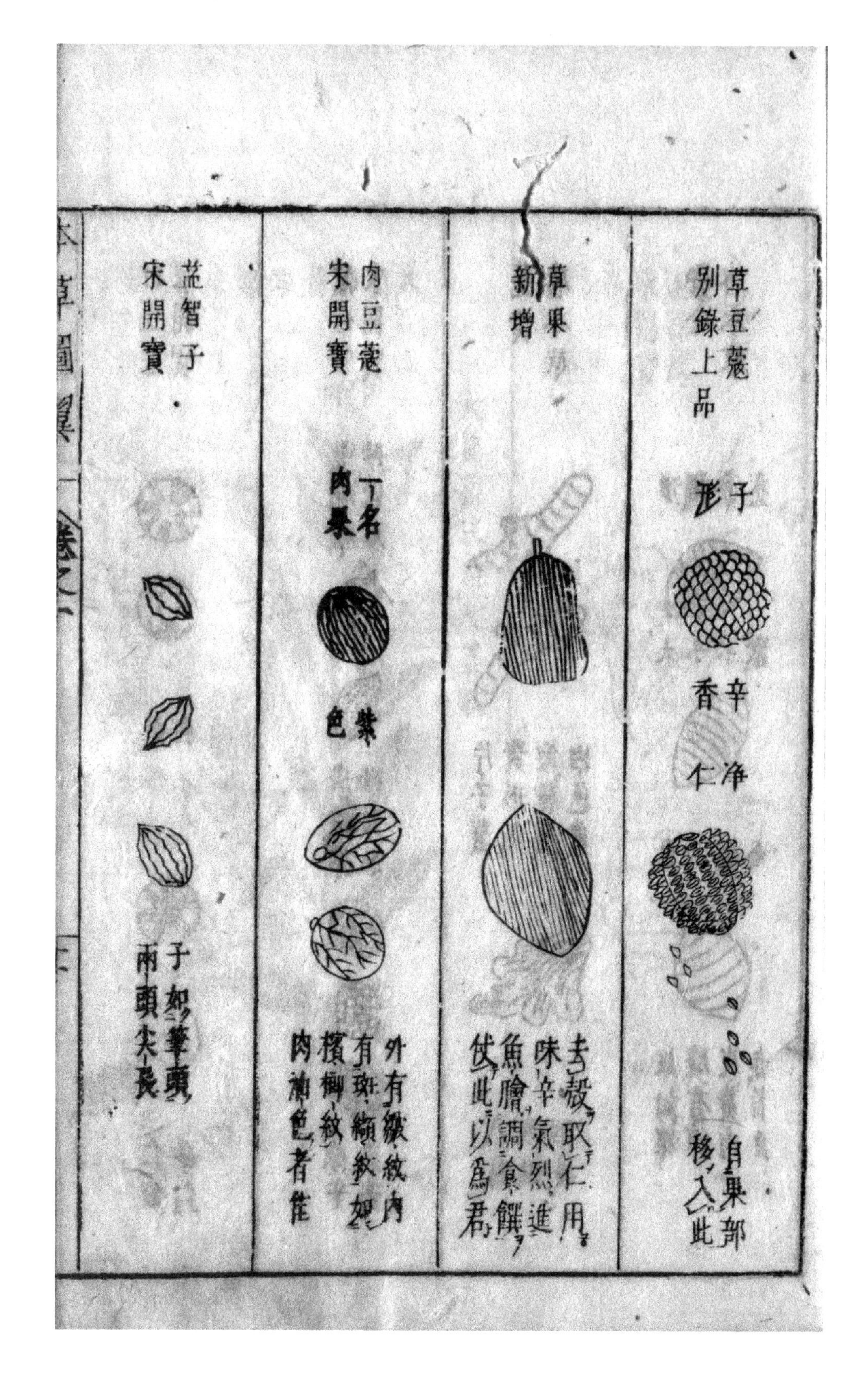
草豆蔻
別錄上品
子形
辛香净仁
自果部移入此
草果
新增
去殼取仁用味辛氣烈進魚膾調食饌飲此以爲君
肉豆蔻
宋開寶
一名肉果
紫色
外有皺紋內有斑纈紋如檳榔紋肉油色者佳
益智子
宋開寶
子如筆頭兩頭尖長

白豆蔻
宋開寶

白殼

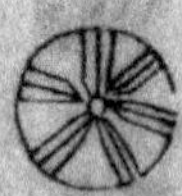

仁似砂仁

縮砂密
宋開寶

連殼縮砂密形

去殼縮砂密形

味辛氣香

薑黄
唐本草

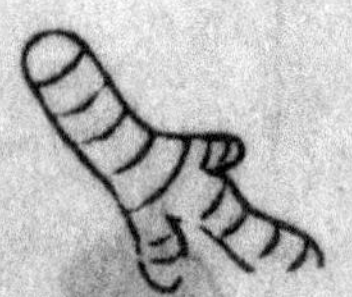

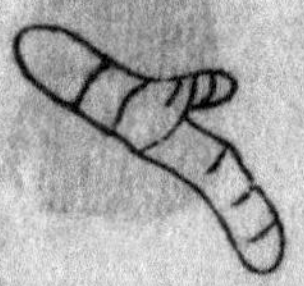

片子薑黄形極似乾薑肉色黄

八月采根曬乾

鬱金
唐本草

形類蓮米

大小不齊

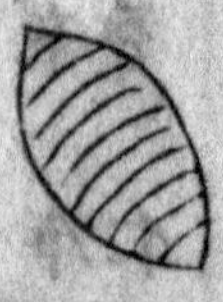

色黄類金

根如蟬腹有節皮黄肉赤者良

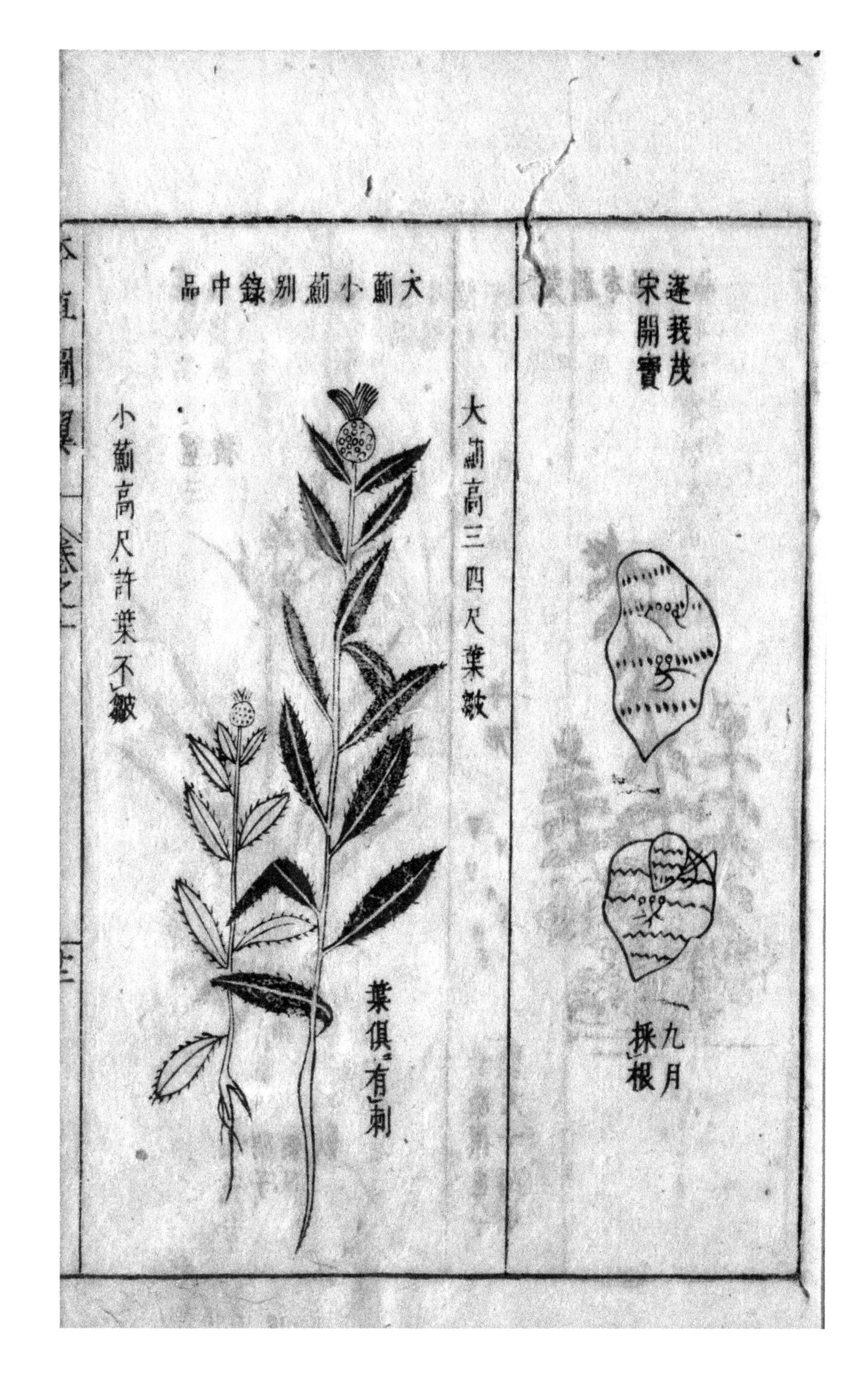
蓬莪茂
宋開寶
九月採根
大薊小薊別錄中品
大薊高三四尺葉皺
小薊高尺許葉不皺
葉俱有刺

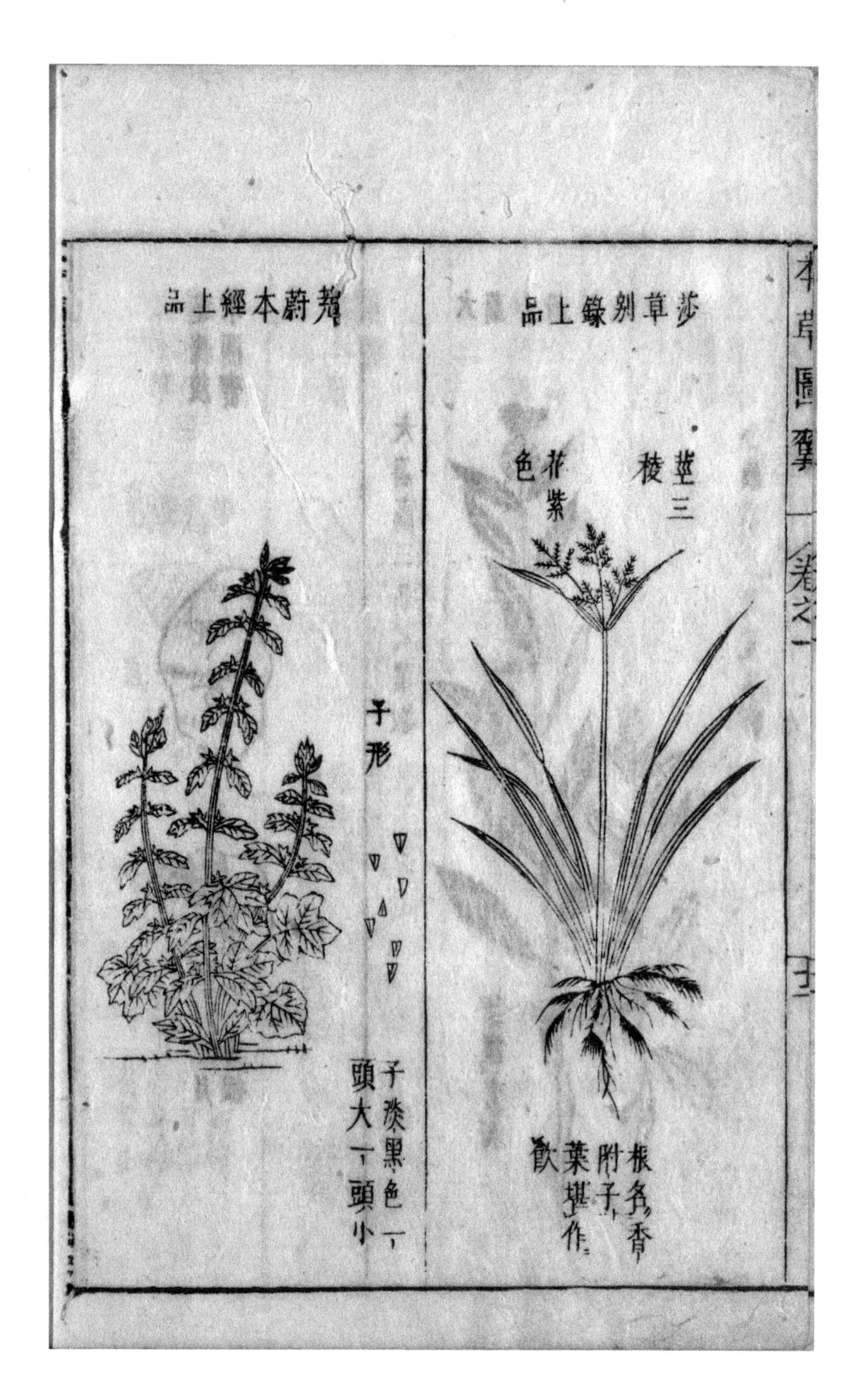

本草圖彙 卷之一
莎草 別錄上品
莖三稜
花紫色
根多香附子堪作藥飲
茺蔚 本經上品
子形
子深黑色一頭大一頭小

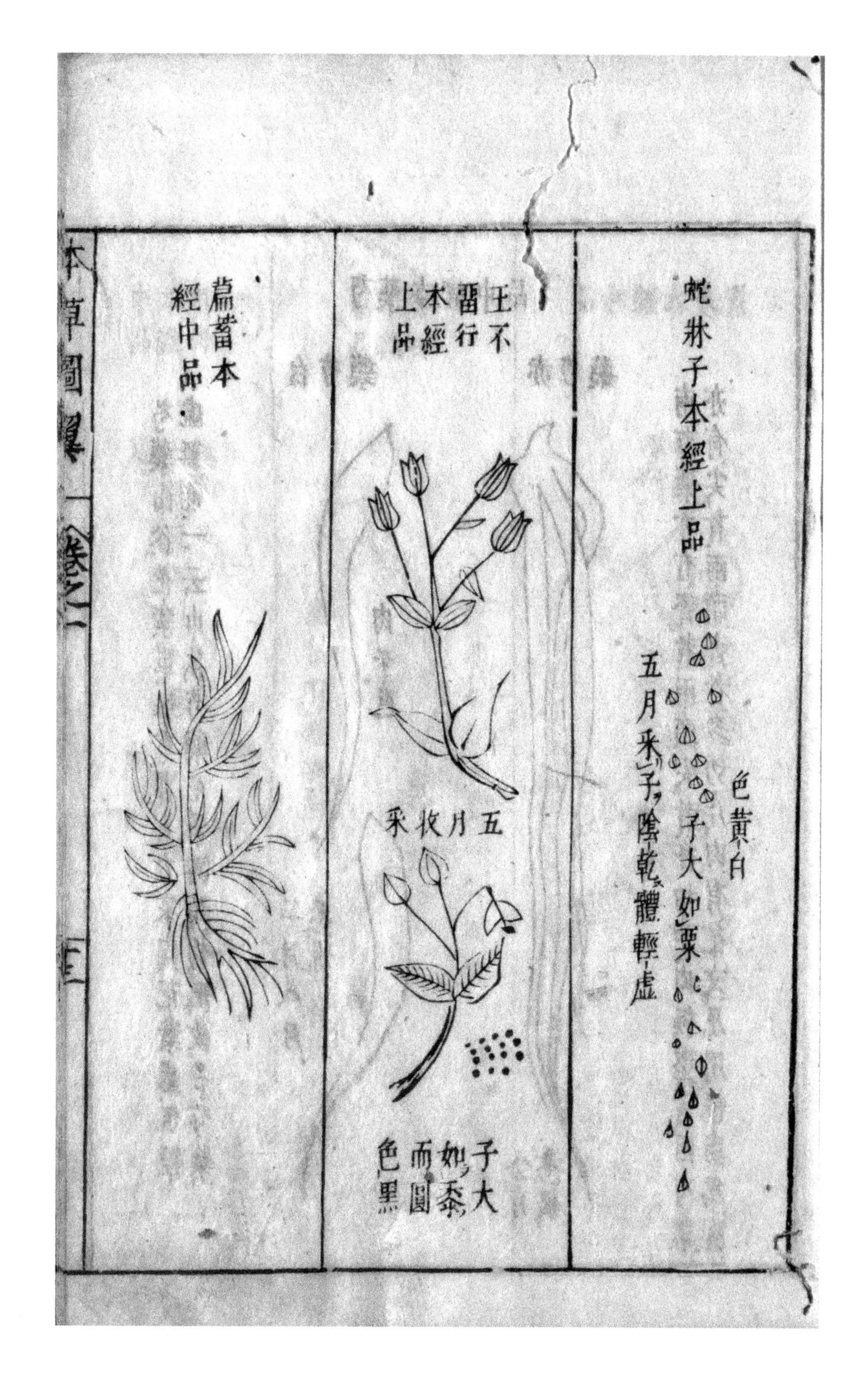
蛇牀子本經上品
色黃白
子大如粟
五月采子陰乾體輕虛
王不留行本經上品
五月收采
子大如黍而圓色黑
萹蓄本經中品
本草圖翼 卷二

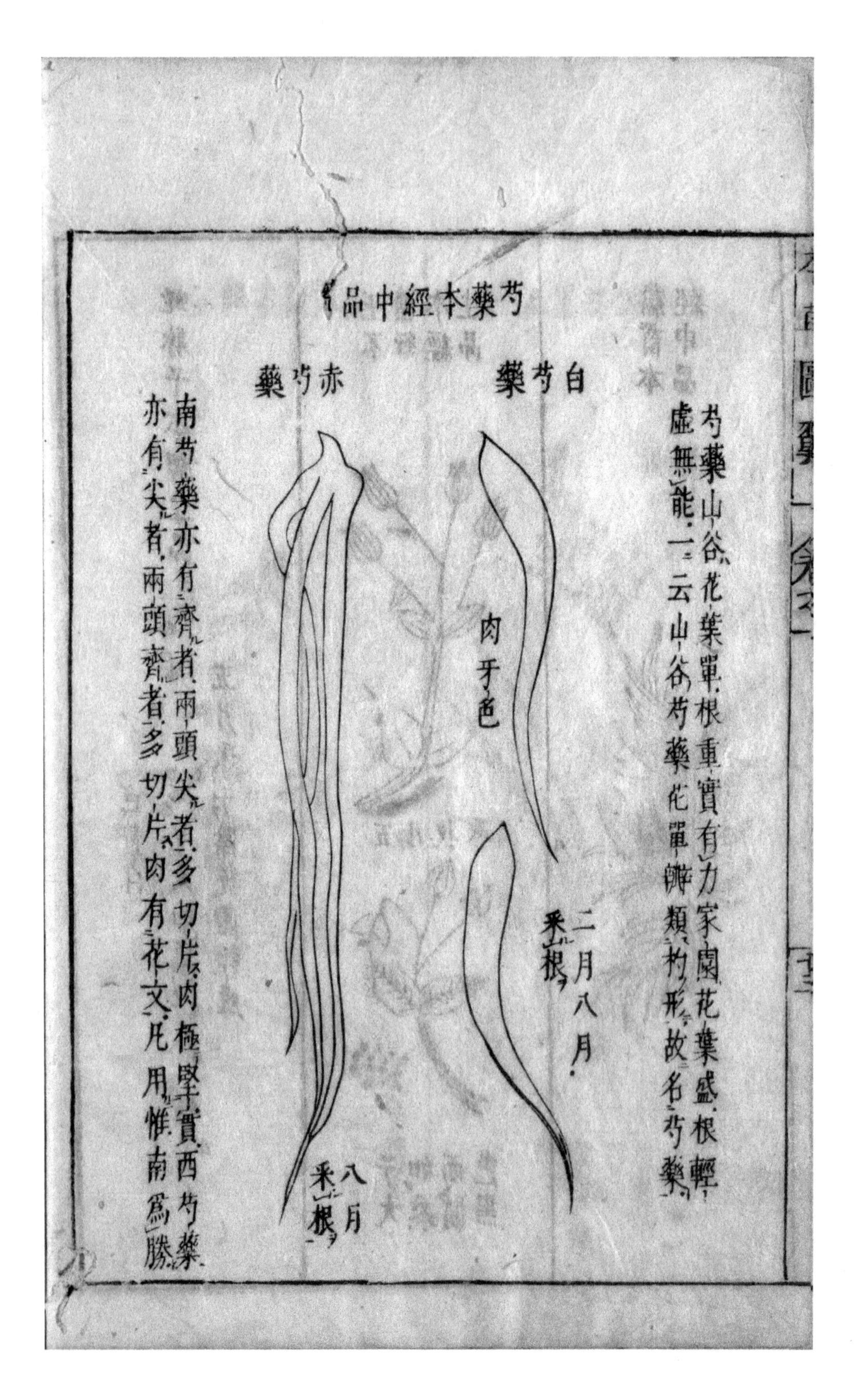
芍藥本經中品
白芍藥
赤芍藥
芍藥山谷花葉單根重實有力家園花葉盛根輕虛無能一云山谷芍藥花單瓣類杓形故名芍藥
肉牙色
二月八月采根
八月采根
南芍藥亦有齊者兩頭尖者多切片肉極堅實西芍藥亦有尖者兩頭齊者多切片肉有花文凡用惟南爲勝

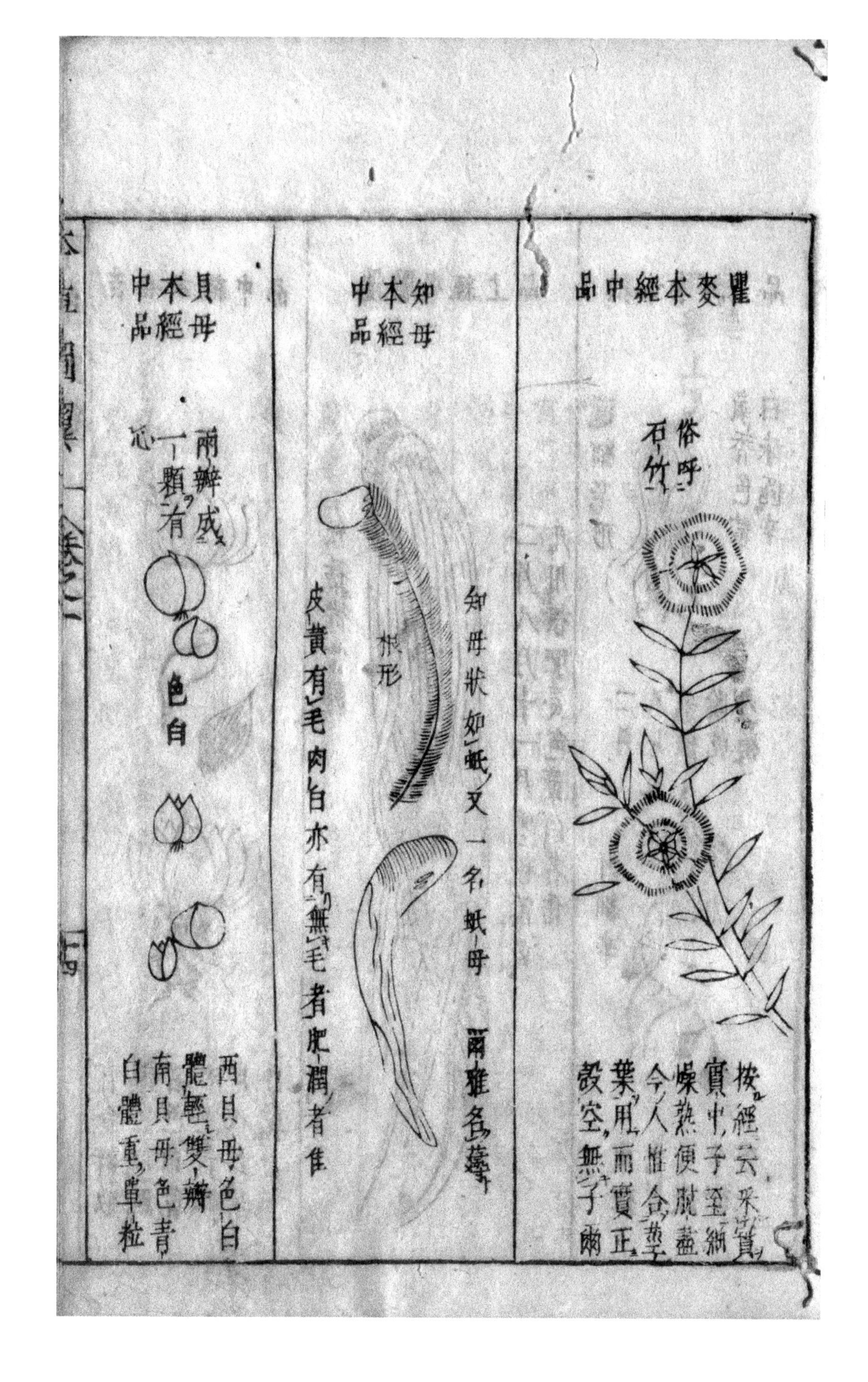

瞿麥本經中品

俗呼石竹

按經云采實，實中子至細，燥熱便脱盡。今人惟合莖葉用，而實正空殻無子爾。

知母本經中品

知母狀如蚳，又一名蚳母。爾雅名薚。

根形

皮黄有毛，肉白，亦有無毛者，肥潤者佳。

貝母本經中品

兩瓣成一顆，有心。

色白

西貝母色白，體輕，雙瓣。

南貝母色青白，體重，單粒。

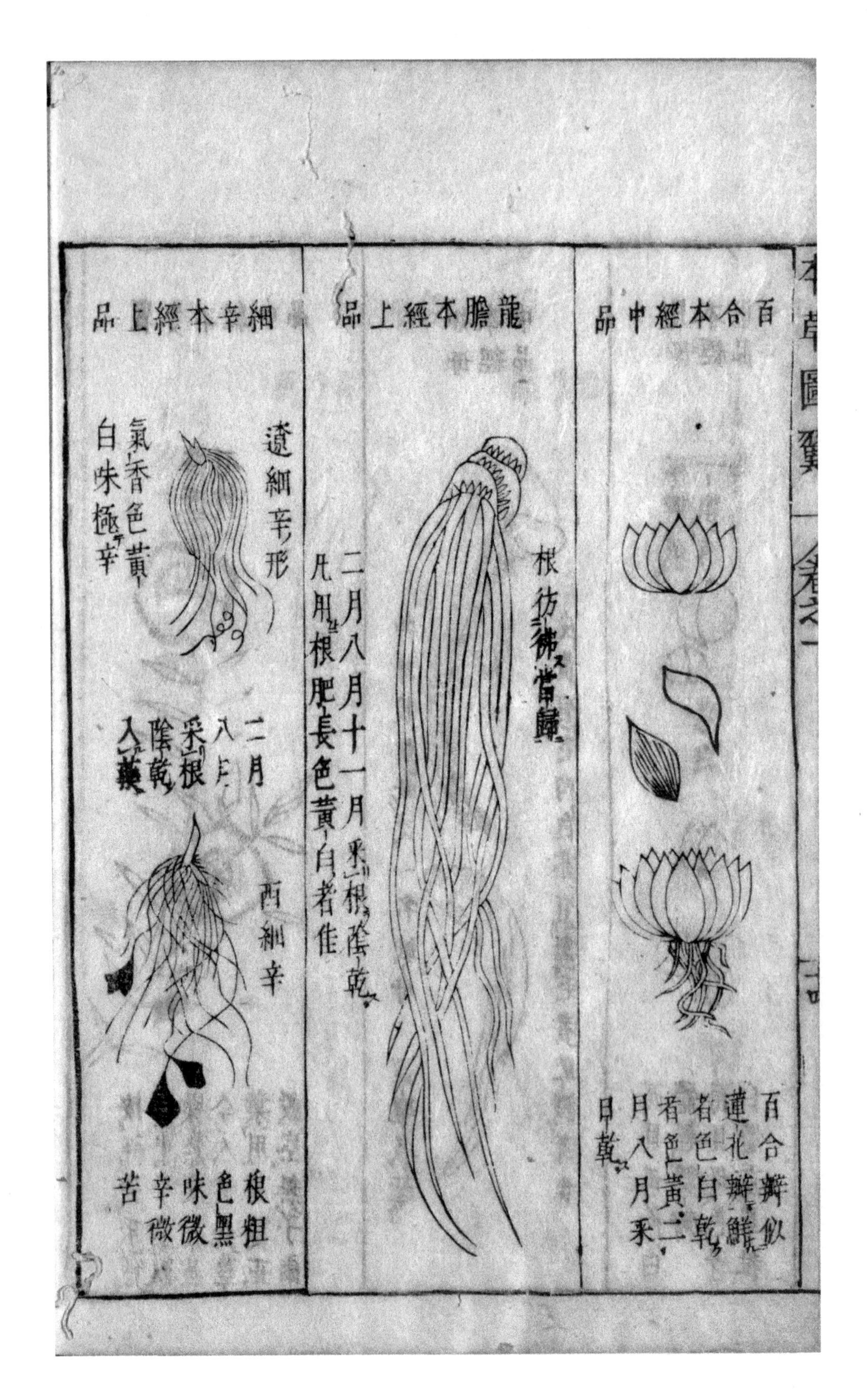
本草圖彙卷之一
百合本經中品
百合瓣似蓮花瓣鱗者色白乾二月八月采日乾
龍膽本經上品
根彷彿當歸
二月八月十一月采根陰乾
凡用根肥長色黃白者佳
細辛本經上品
遼細辛形
氣香色黃白味極辛
二月八月采根陰乾入藥
西細辛
根粗色黑味微辛苦

黃連 本經上品

毛色淺而虛者不堪用

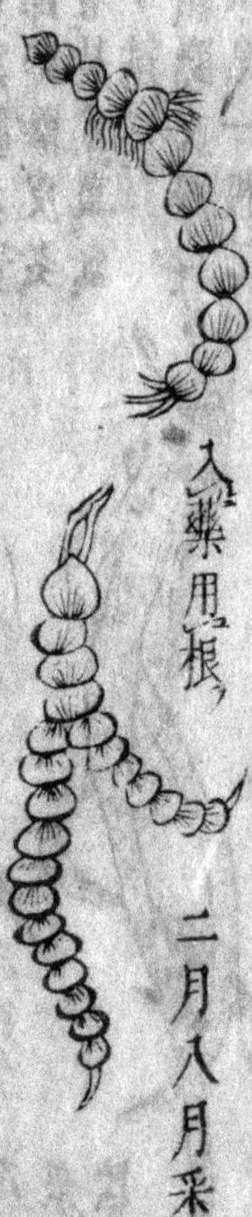

入藥用根

二月八月采

出川省俗呼川黃連産雅州俗呼雅黃連生宜城俗呼宜黃連有連珠無毛而堅實色深黃者有無珠多毛而中虛黃色稍淡者○凡用黃連選粗大黃色鮮明多節堅重相擊有聲者爲勝小而連珠無鬚者次之無球多

牛膝本經上品

莖

九月末取根水浸揉皮暴乾懷慶者佳

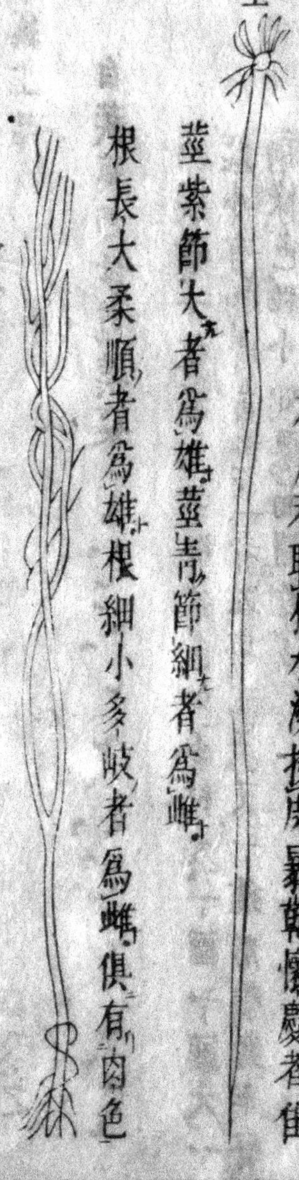

莖紫節大者爲雄莖青節細者爲雌

根長大柔順者爲雄根細小多岐者爲雌俱有肉色

凡用牛膝擇懷慶白亮長及八餘無岐者最優色紫短細者下色黑乾枯者乃土牛膝耳不堪服食

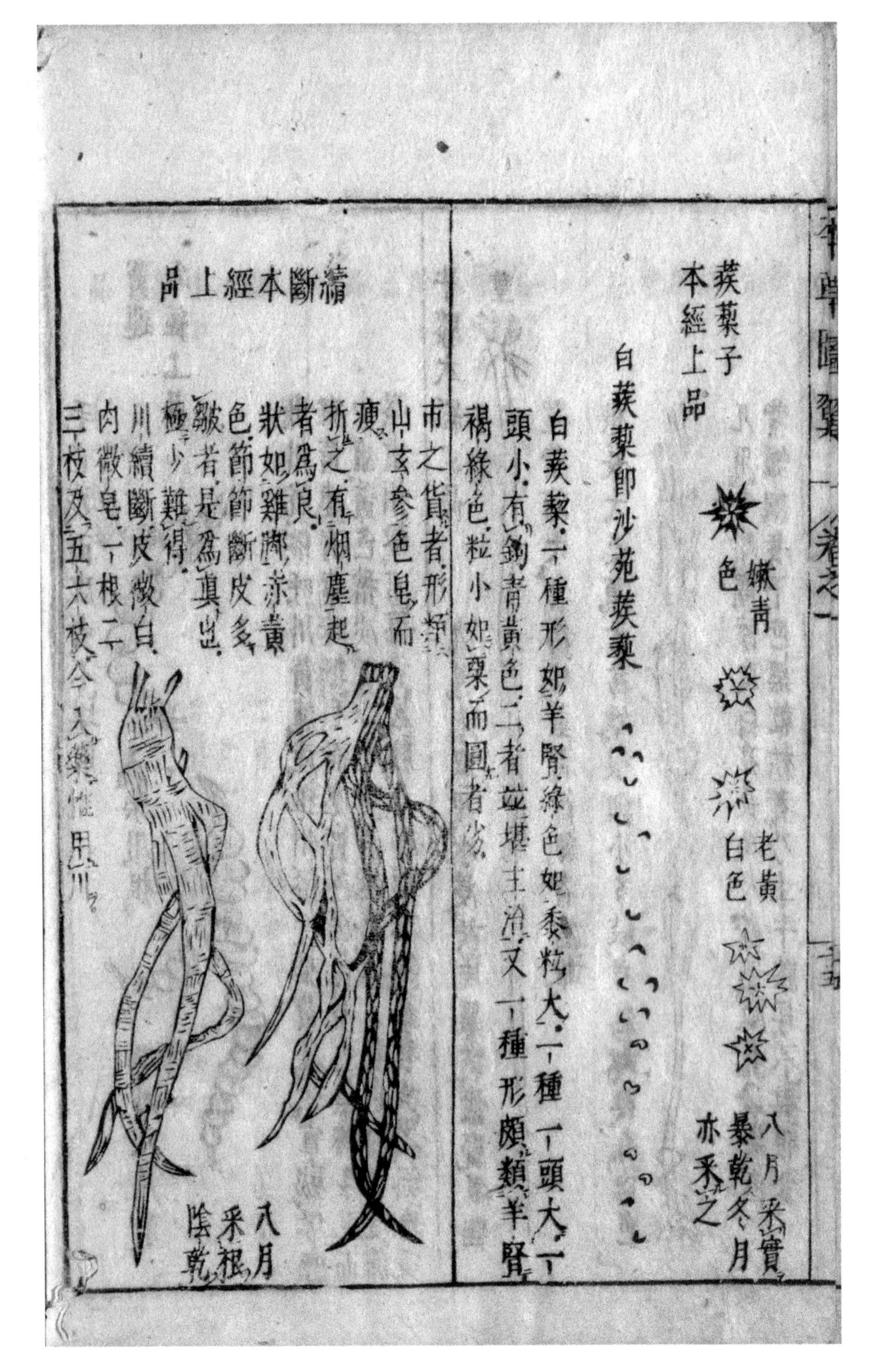

蒺藜子
本經上品

嫩青色

老黄白色

八月采實暴乾冬月亦采之

白蒺藜即沙苑蒺藜

白蒺藜一種形如羊腎綠色如黍粒大一種一頭大一頭小有鉤青黄色二者並堪主治又一種形頗類羊腎褐綠色粒小如粟而圓者劣

續斷本經上品

市之貨者形類山玄參色皂而瘦折之有烟塵起者爲良狀如雞脚赤黄色節節斷皮多皺者是爲真出極少難得川續斷皮微白肉微皂一根二三枝及五六枝今入藥惟用川

八月采根陰乾

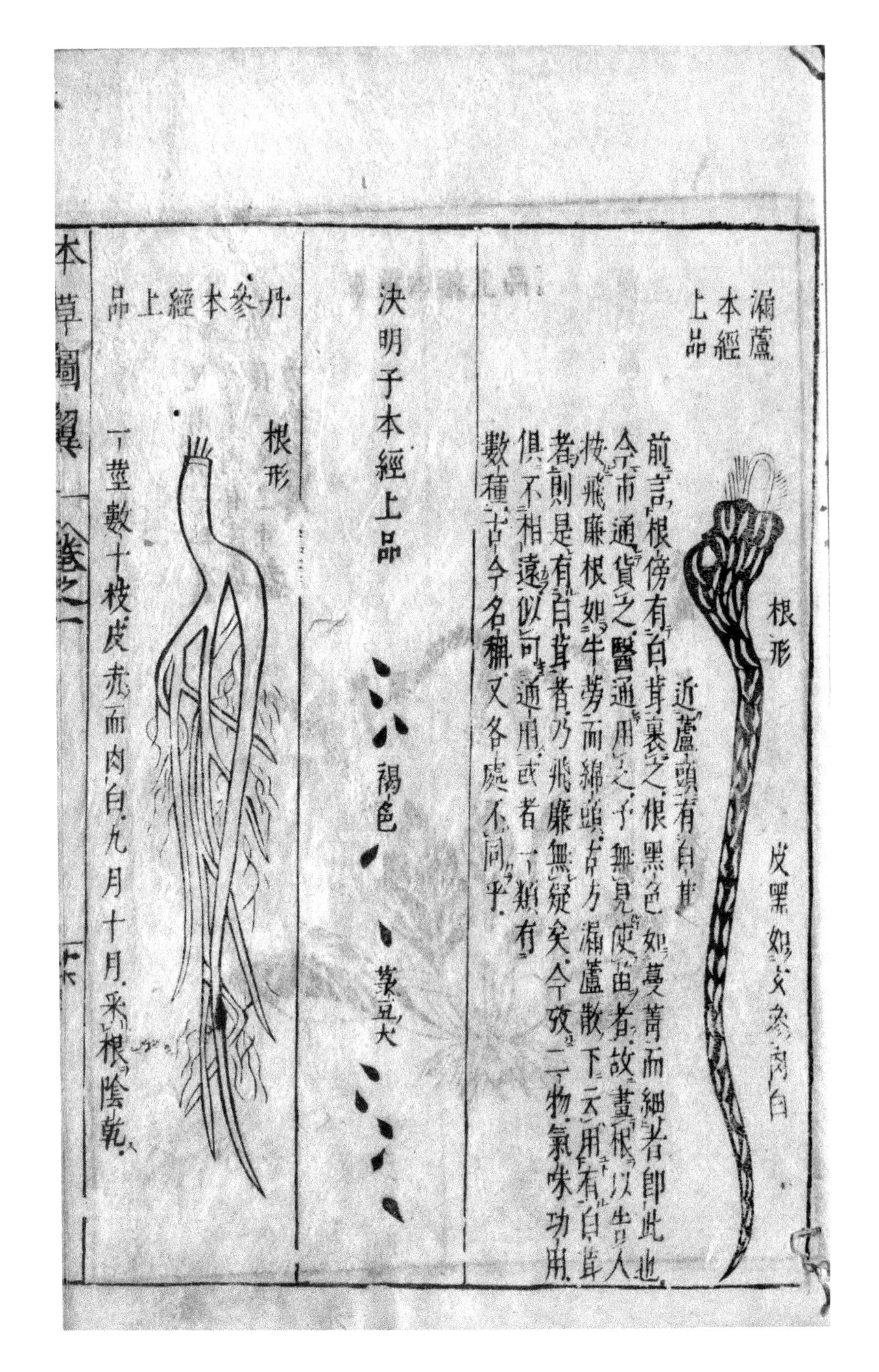

漏蘆　本經上品

前言根傍有白茸裹之根黑色如蔓菁而細者即此也今市通貨之醫通用之予無見使苗者故畫根以告人按飛廉根如牛蒡而綿頭古方漏蘆散下云用有白茸者則是有白茸者乃飛廉無疑矣今攷二物氣味功用俱不相遠似可通用或者一類有數種古今名稱又各處不同乎

決明子本經上品

丹參本經上品

一莖數十枝皮赤而肉白九月十月采根陰乾

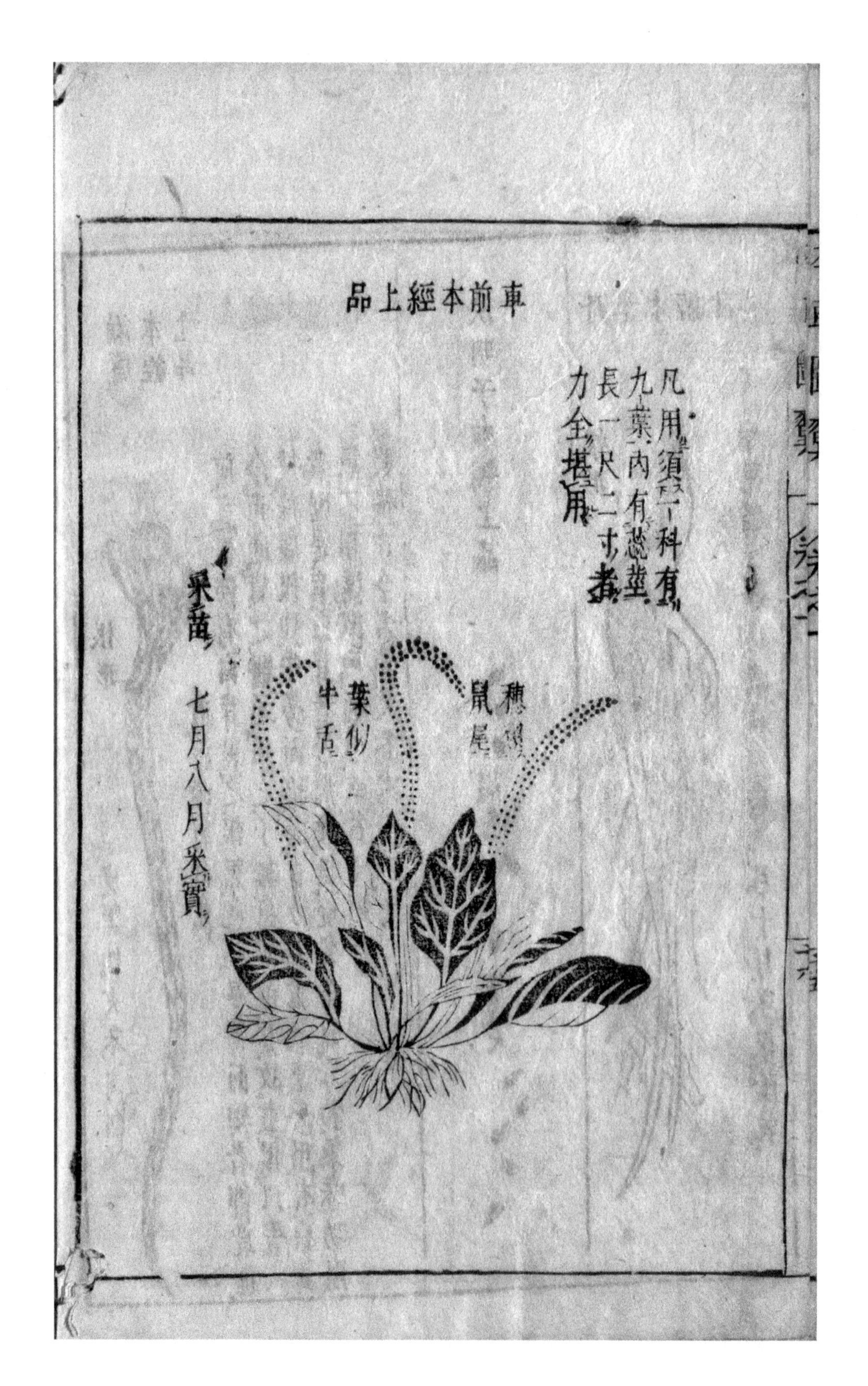

車前本經上品
凡用須一科有九葉內有蕊莖長一尺二寸者力全堪用
穗似鼠尾
葉似牛舌
采苗七月八月采實

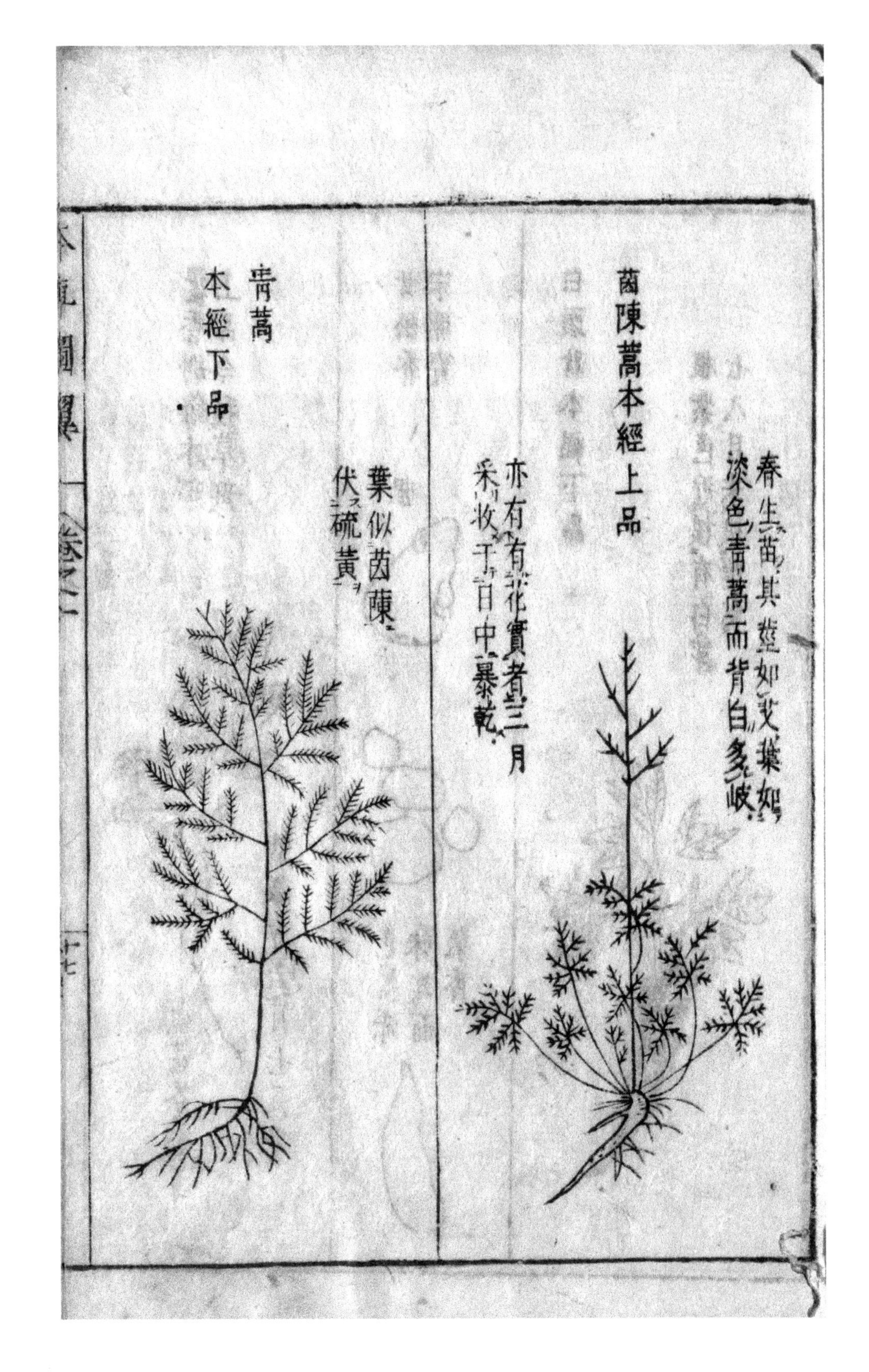

茵陳蒿本經上品

春生苗其莖如艾葉如淡色青蒿而背白多岐

亦有有花實者三月采收于日中暴乾

青蒿

本經下品

葉似茵陳伏硫黃

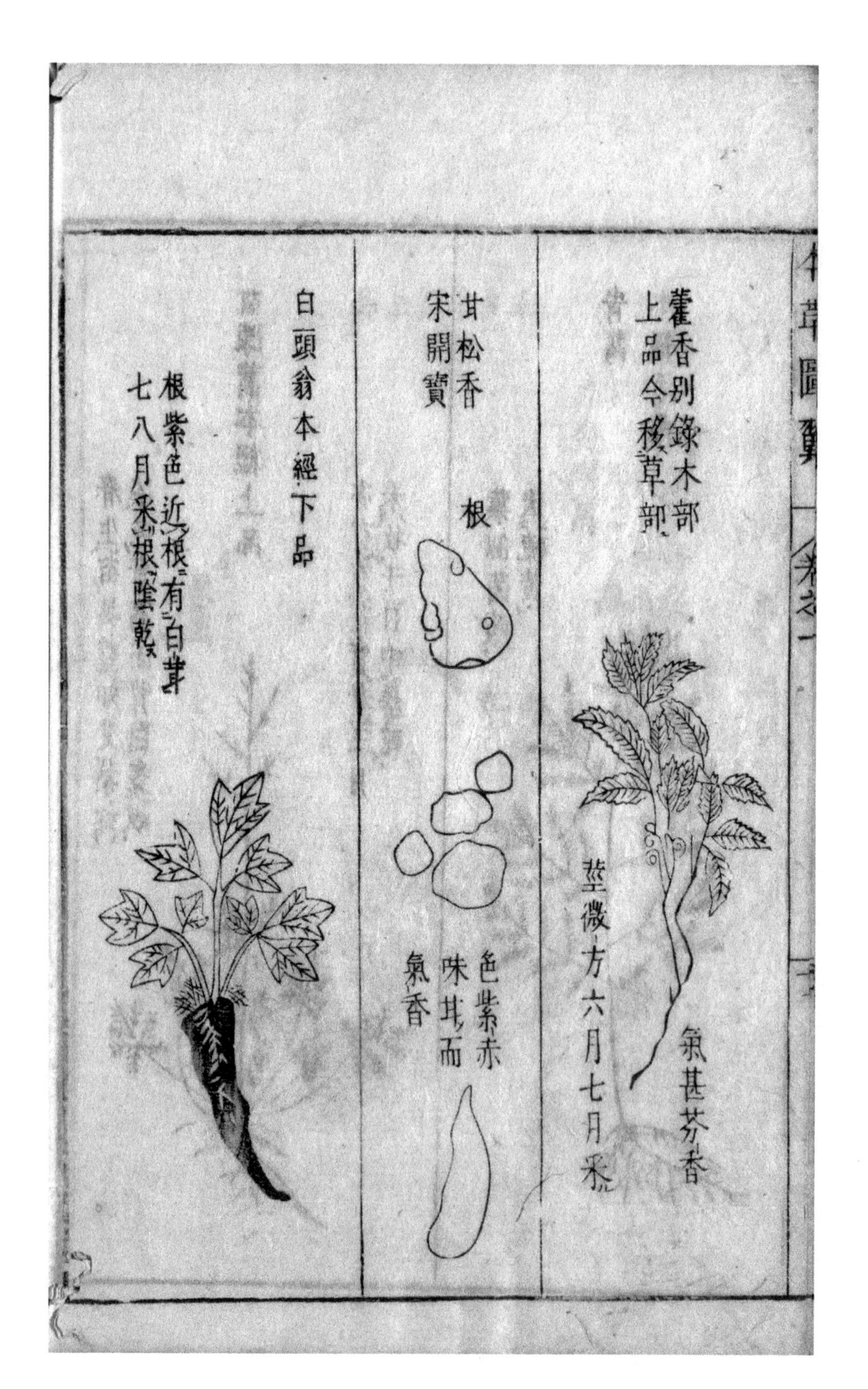
本草圖翼 卷之一

藿香別錄木部上品今移草部

氣甚芬香莖微方六月七月采

甘松香宋開寶

根

色紫赤味甘而氣香

白頭翁本經下品

根紫色近根有白茸七八月采根陰乾

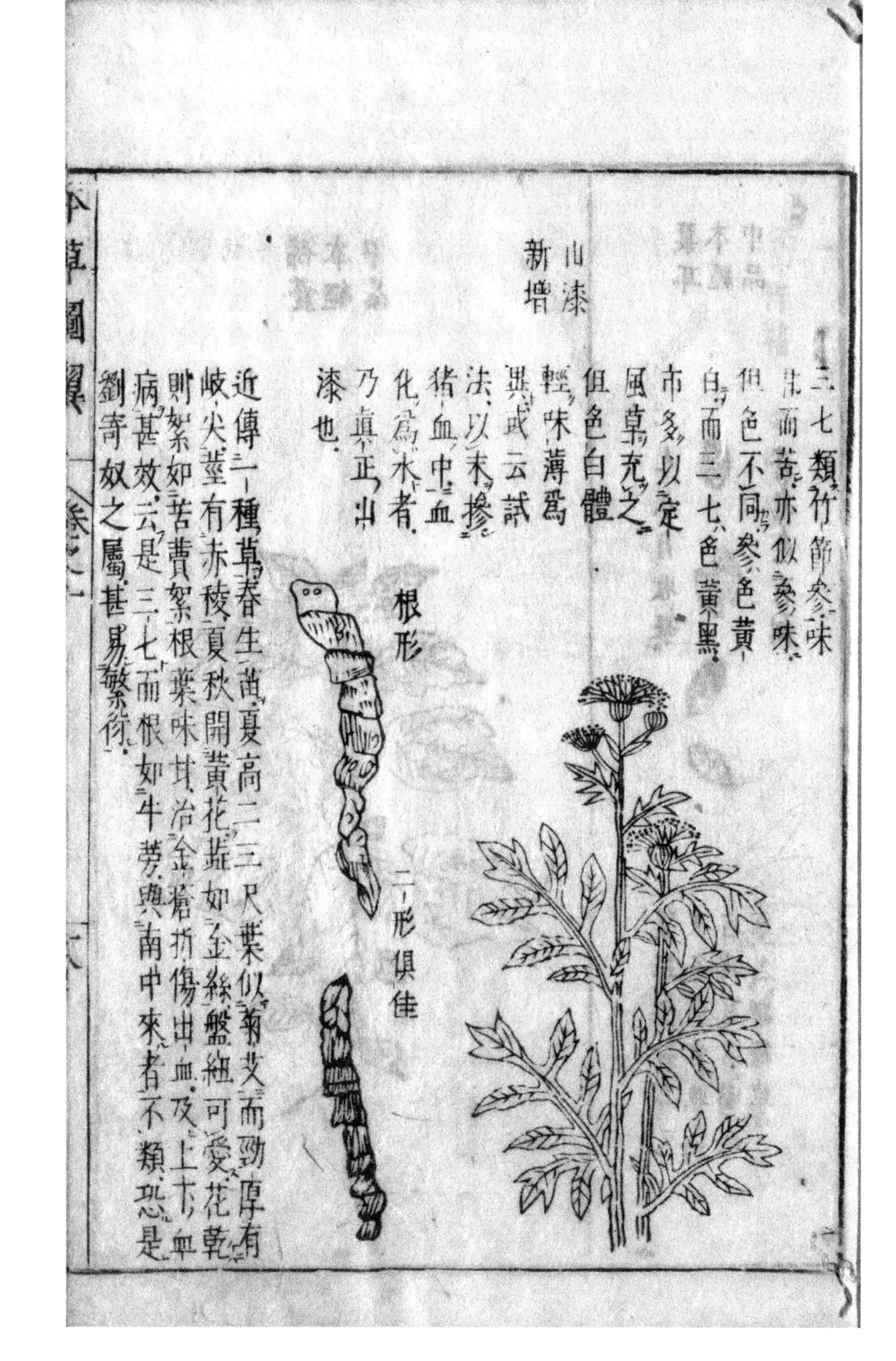

三七類竹節參味甘而苦亦似參味但色不同參色黃白而三七色黄黑市多以定風草充之但色白體輕味薄爲異或云試法以末摻猪血中血化爲水者乃真正山漆也

山漆 新增

近傳一種草春生苗夏高二三尺葉似蒿艾而勁厚有岐尖莖有赤稜夏秋開黄花蕋如金絲盤紐可愛花乾則絮如苦蕒絮根葉味甘治金瘡折傷出血及上下血病甚效云是三七而根如牛蒡與南中來者不類恐是劉寄奴之屬甚易繁衍

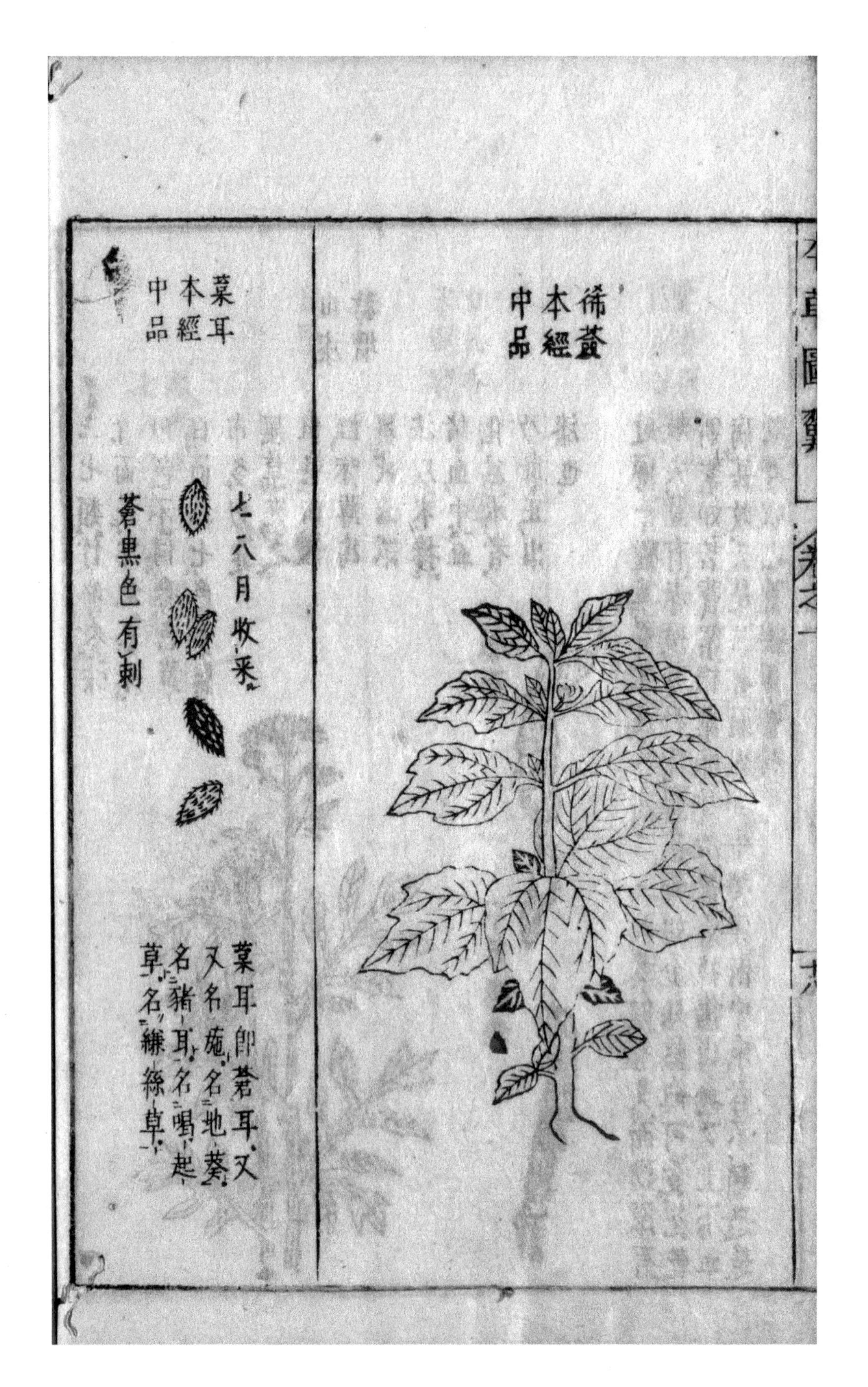
豨薟
本經
中品
葈耳
本經
中品
七八月收采
蒼黒色有刺
葈耳即蒼耳又
又名葹名地葵
名猪耳名喝起
草名縑絲草

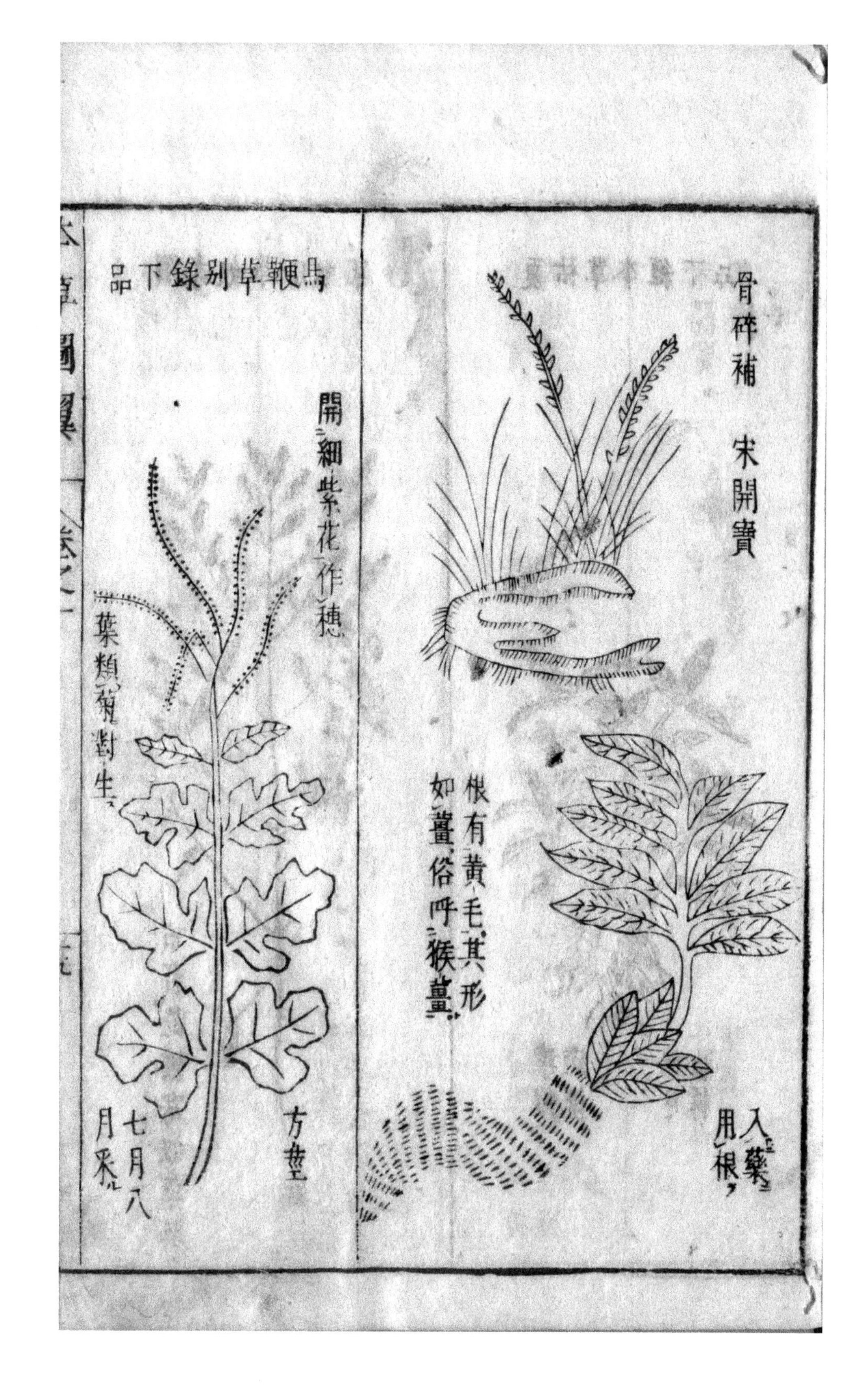
骨碎補　宋開寶
根有黃毛其形如薑俗呼猴薑
入藥用根
馬鞭草別錄下品
開細紫花作穗
葉類菊對生
方莖
七月八月采

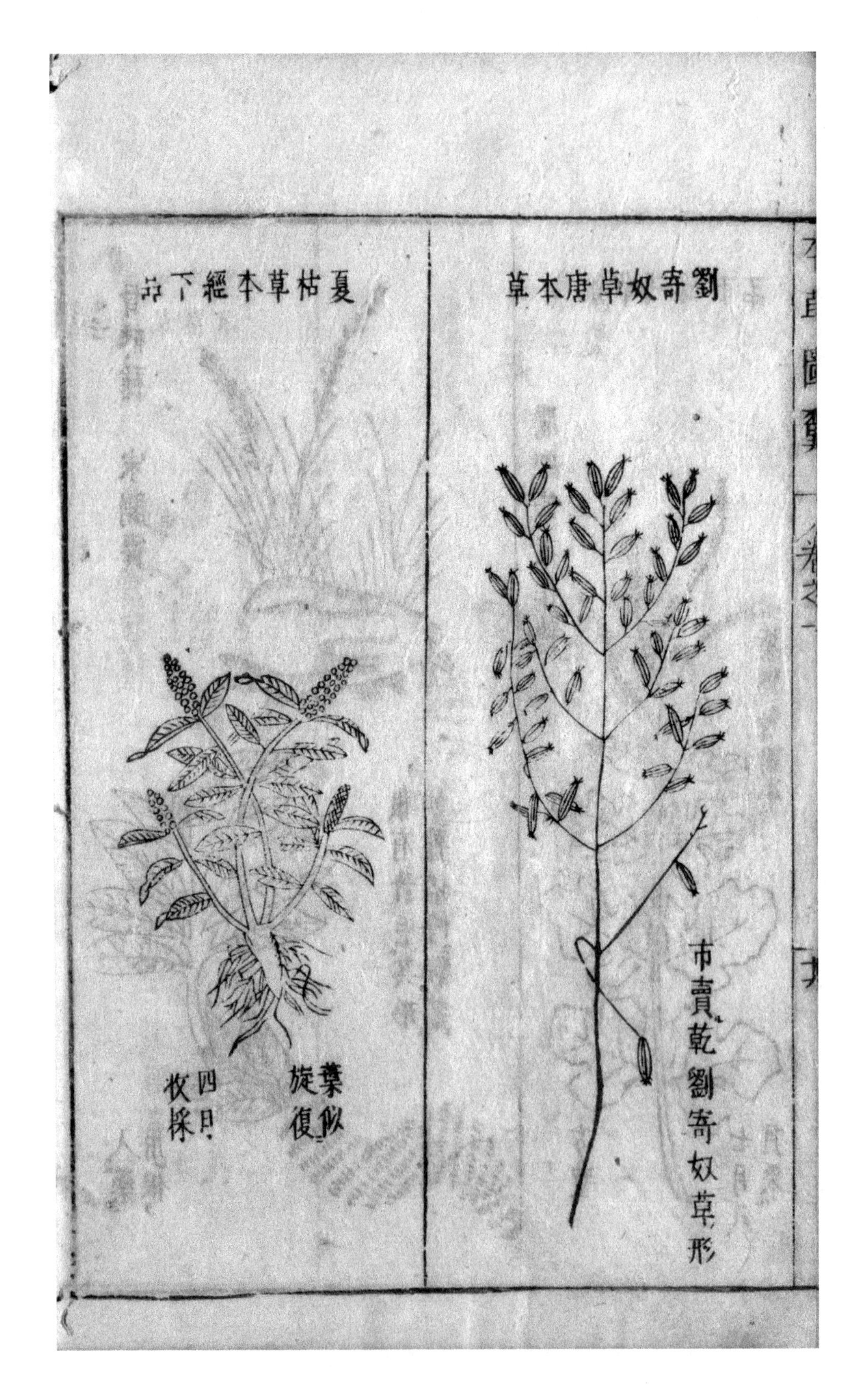
劉寄奴草唐本草
市賣乾劉寄奴草形
夏枯草本經下品
葉似旋復
四月採收

蓽撥
宋開寶 
子形 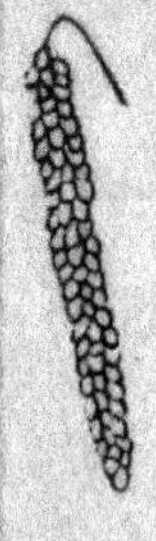
市有以芥子造者

玄胡索
宋開寶
茅山 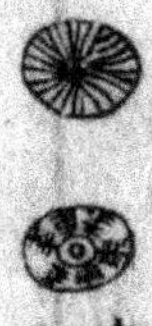
皮皺形小而黃
西玄胡索 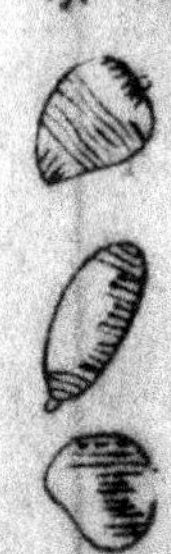
外黒內黃

補骨脂即破故紙 
色黒氣香類茴麻子 
日華子云南蕃者色赤廣南者色綠

續隨子
宋開寶 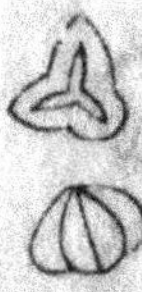
青殻
三稜 
子如小豆大黄色
采無時

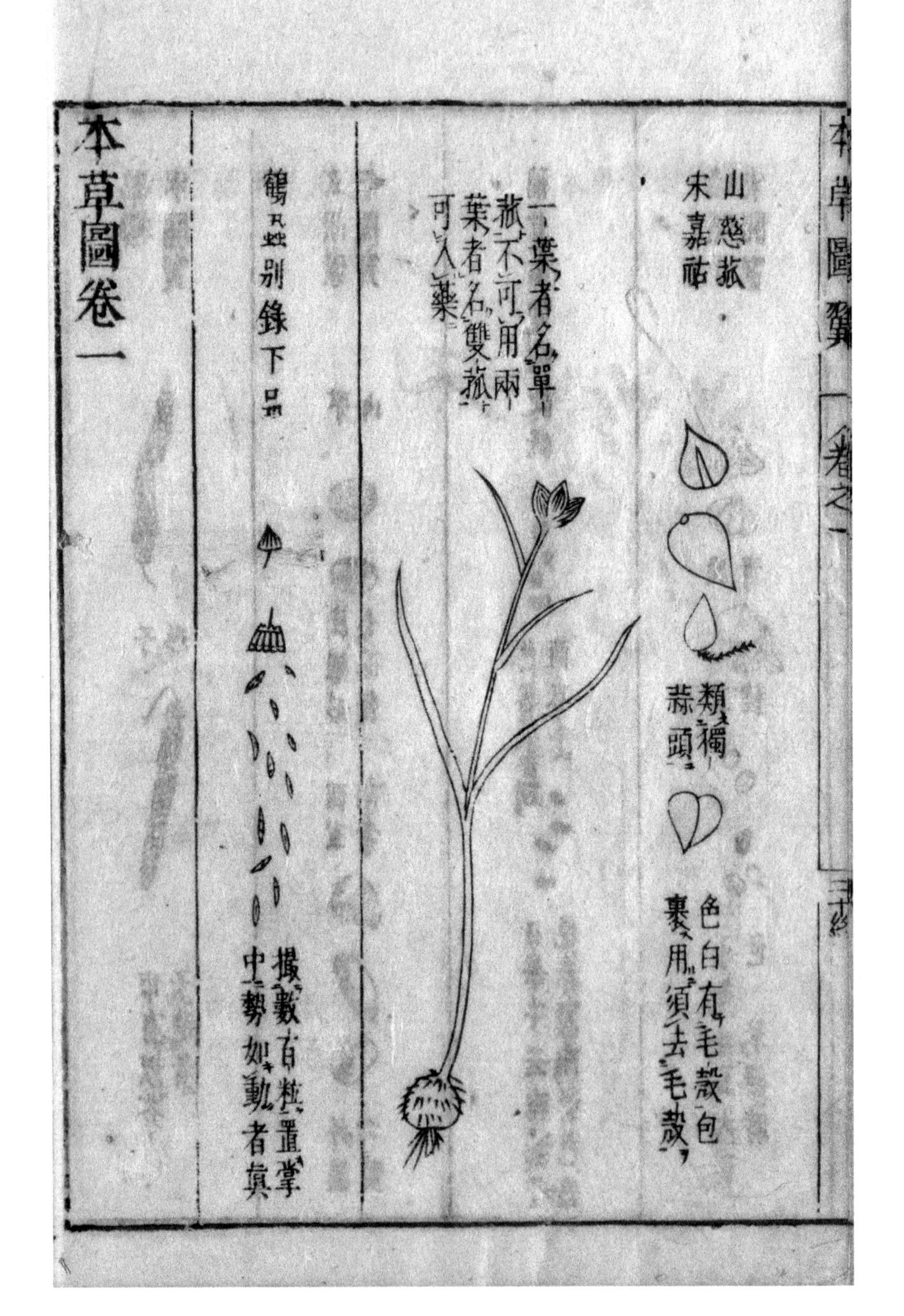

山慈菰　宋嘉祐

類褊蒜頭

色白有毛殼包裹用須去毛殼

一葉者名單菰不可用兩葉者名雙菰可以入藥

鶴蝨　別錄下品

撮數百粒置掌中勢如動者真

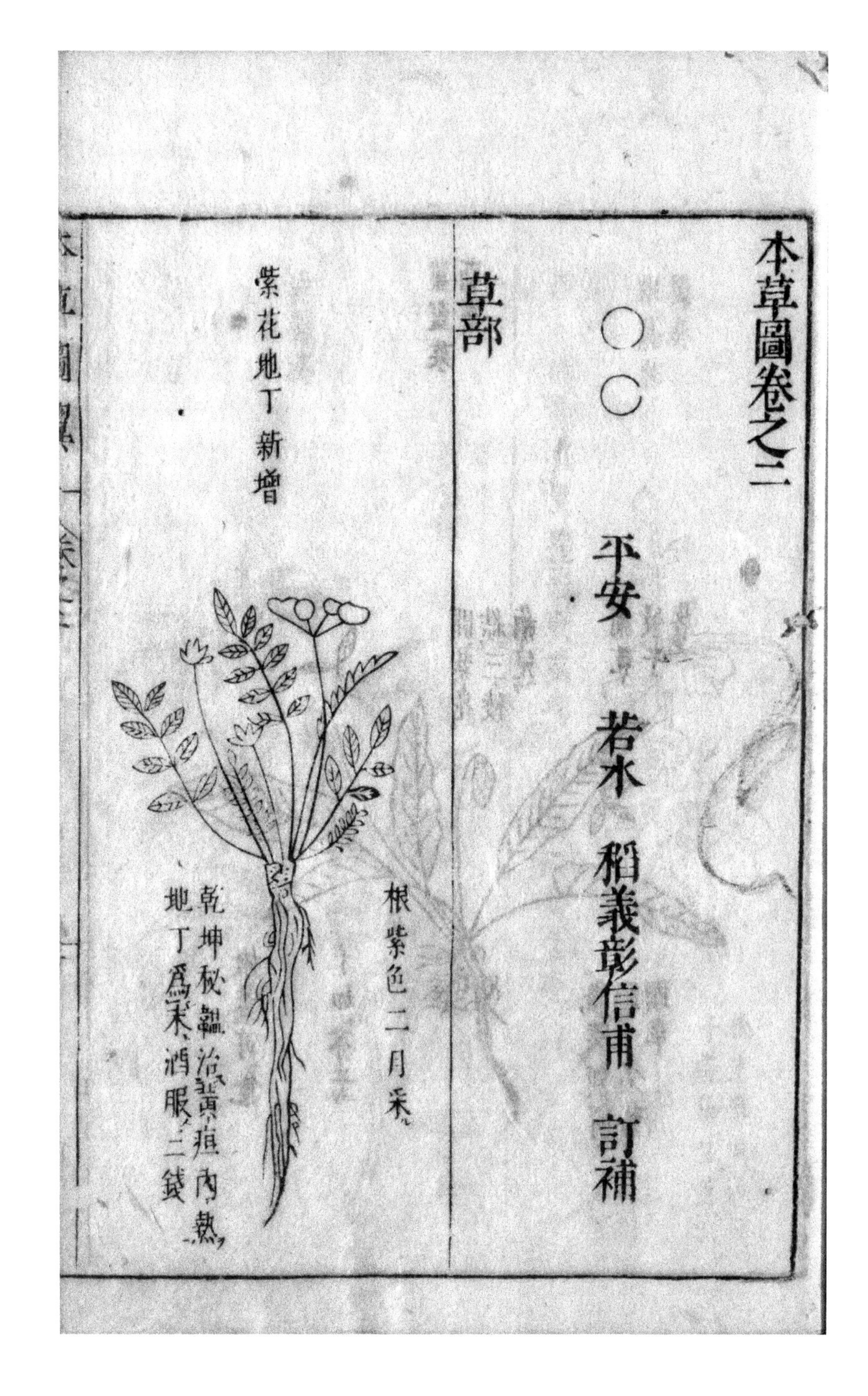

本草圖卷之二

○○平安　若水　稻義彰信甫　訂補

草部

紫花地丁　新增

根紫色二月采

乾坤秘韞治黃疸內熱

地丁爲末酒服三錢

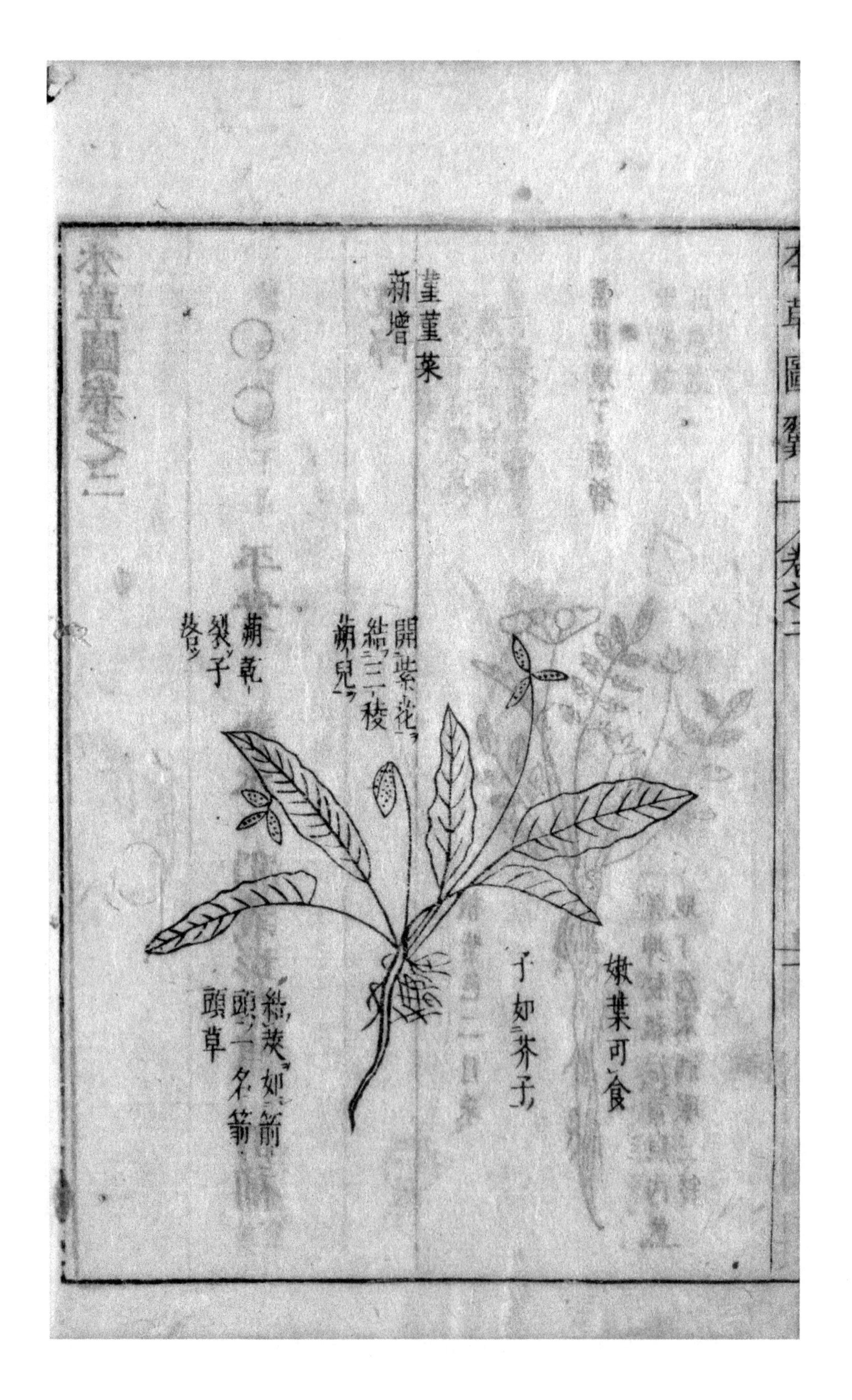
本草圖經　卷之二
堇菫菜
新增
開紫花結三稜蒴兒
蒴乾裂子落
嫩葉可食
子如芥子
結莢如箭頭一名箭頭草
本草圖經卷之二

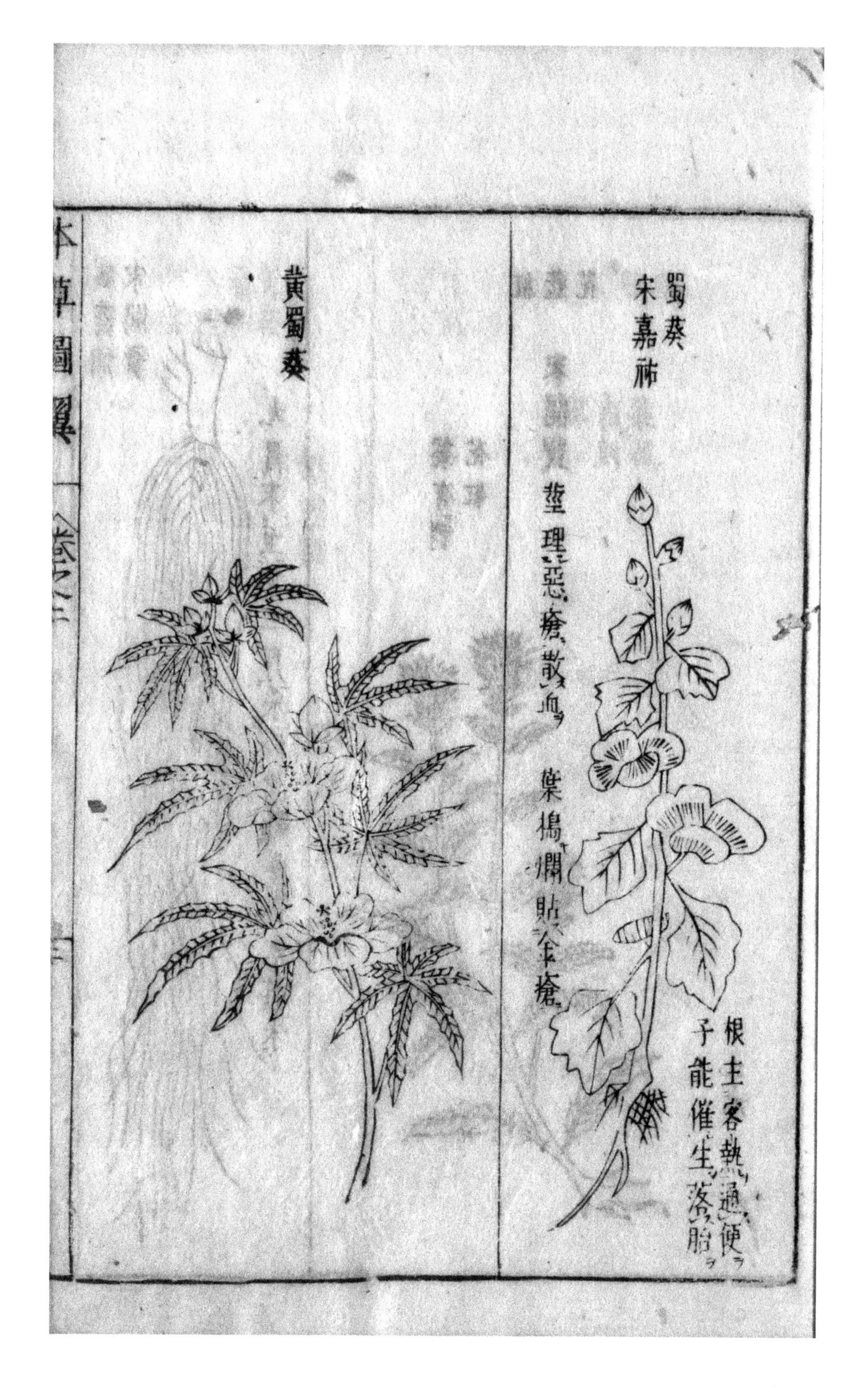
蜀葵 宋嘉祐
莖理惡瘡散血
葉搗爛貼塗瘡
根主客熱通便
子能催生落胎
黃蜀葵

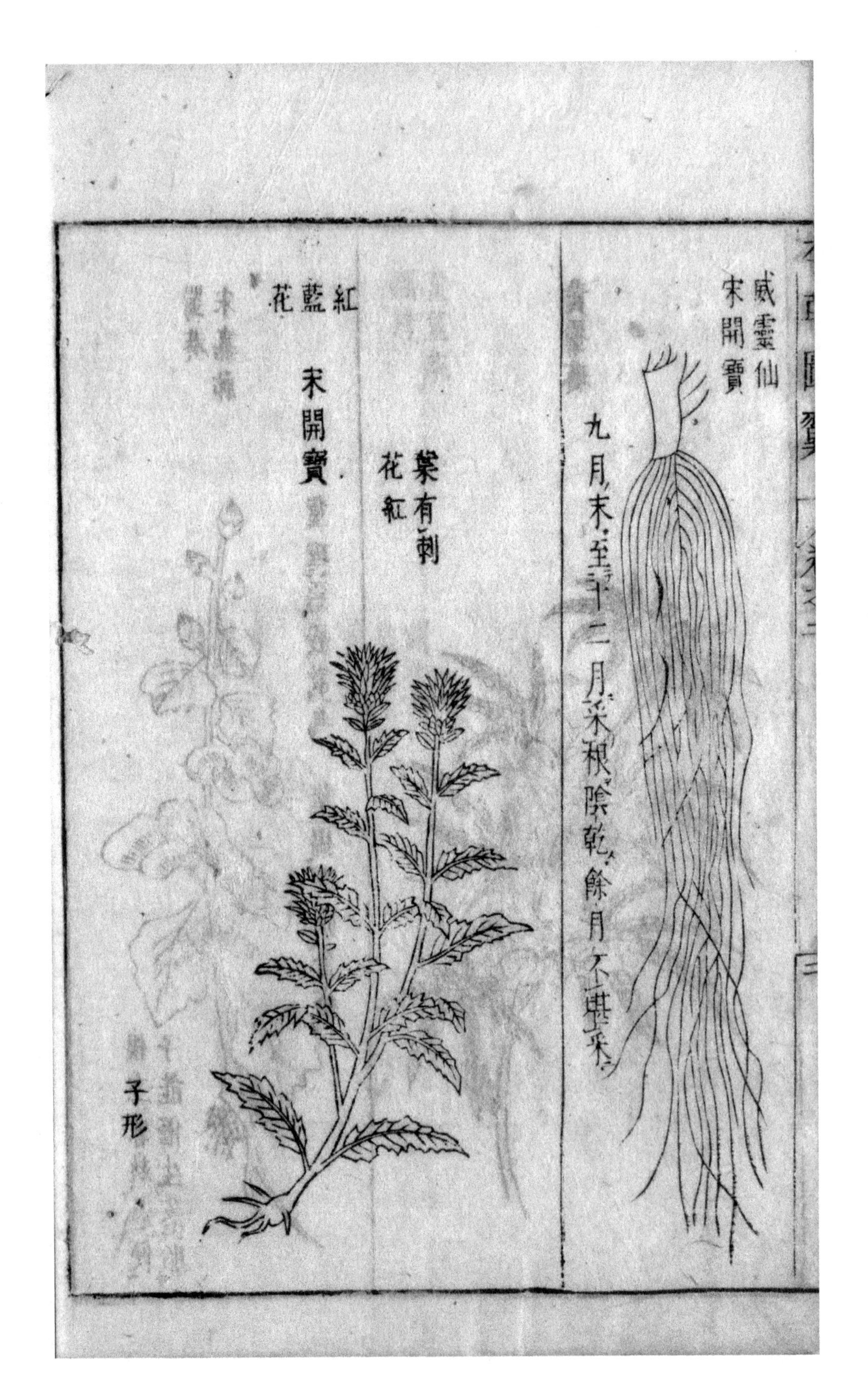
威靈仙
宋開寶
九月末至十二月采根陰乾餘月不堪采
紅藍花
宋開寶
葉有刺
花紅
子形

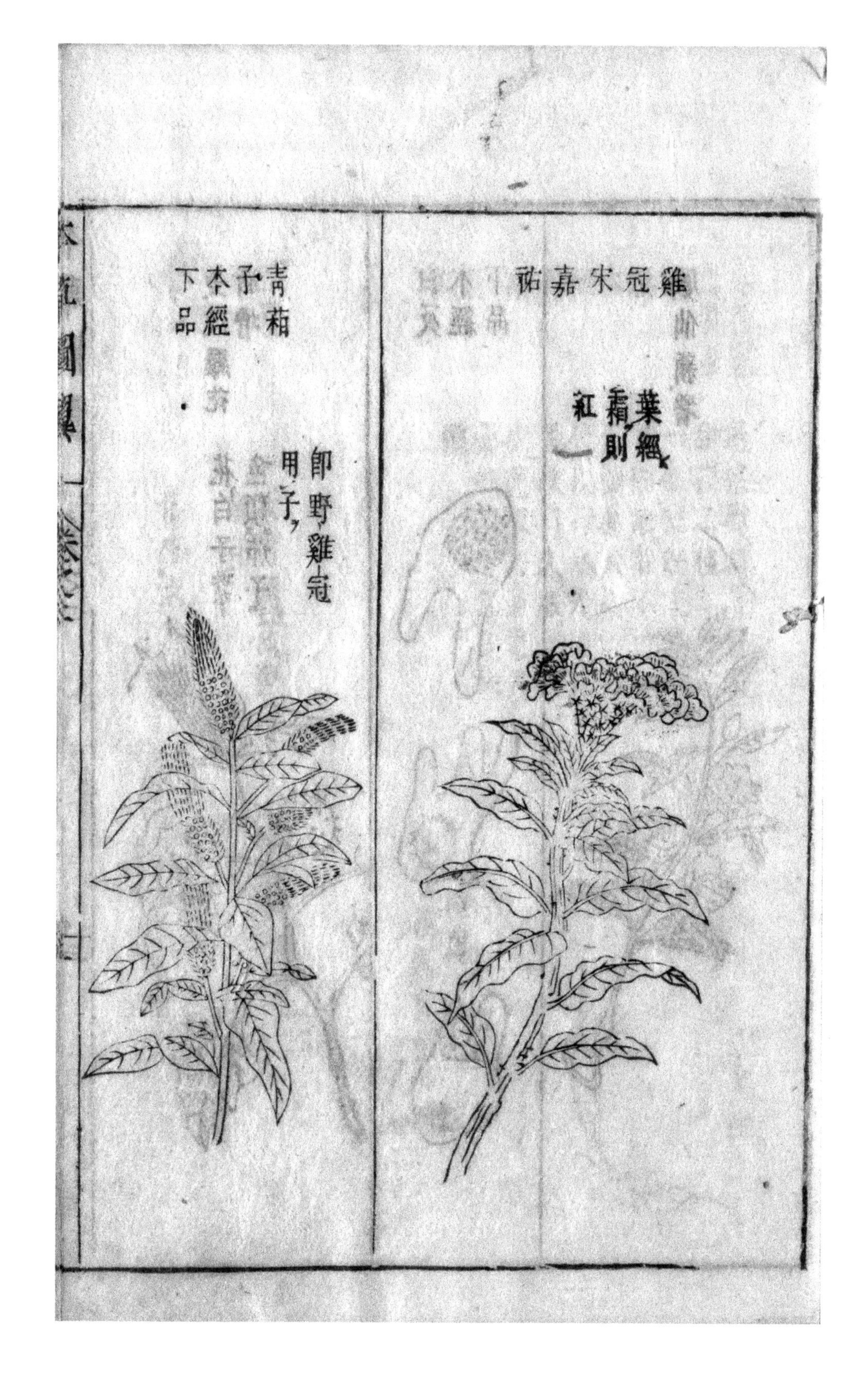
雞冠宋嘉祐
葉細
稍則
紅
青葙子
本經
下品
即野雞冠
用子

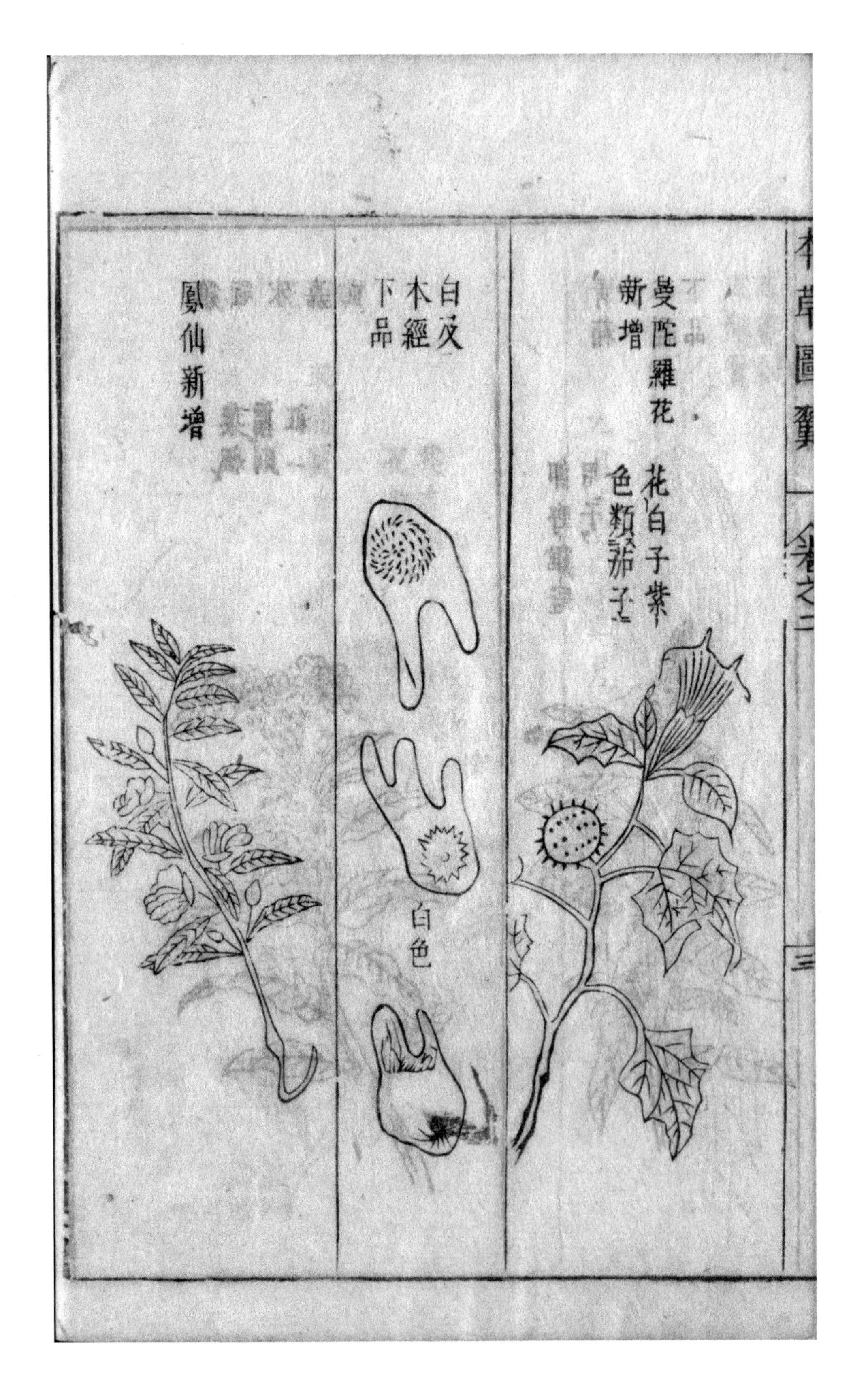
曼陀羅花
新增
花白子紫
色類茄子
白及
本經
下品
白色
鳳仙新增

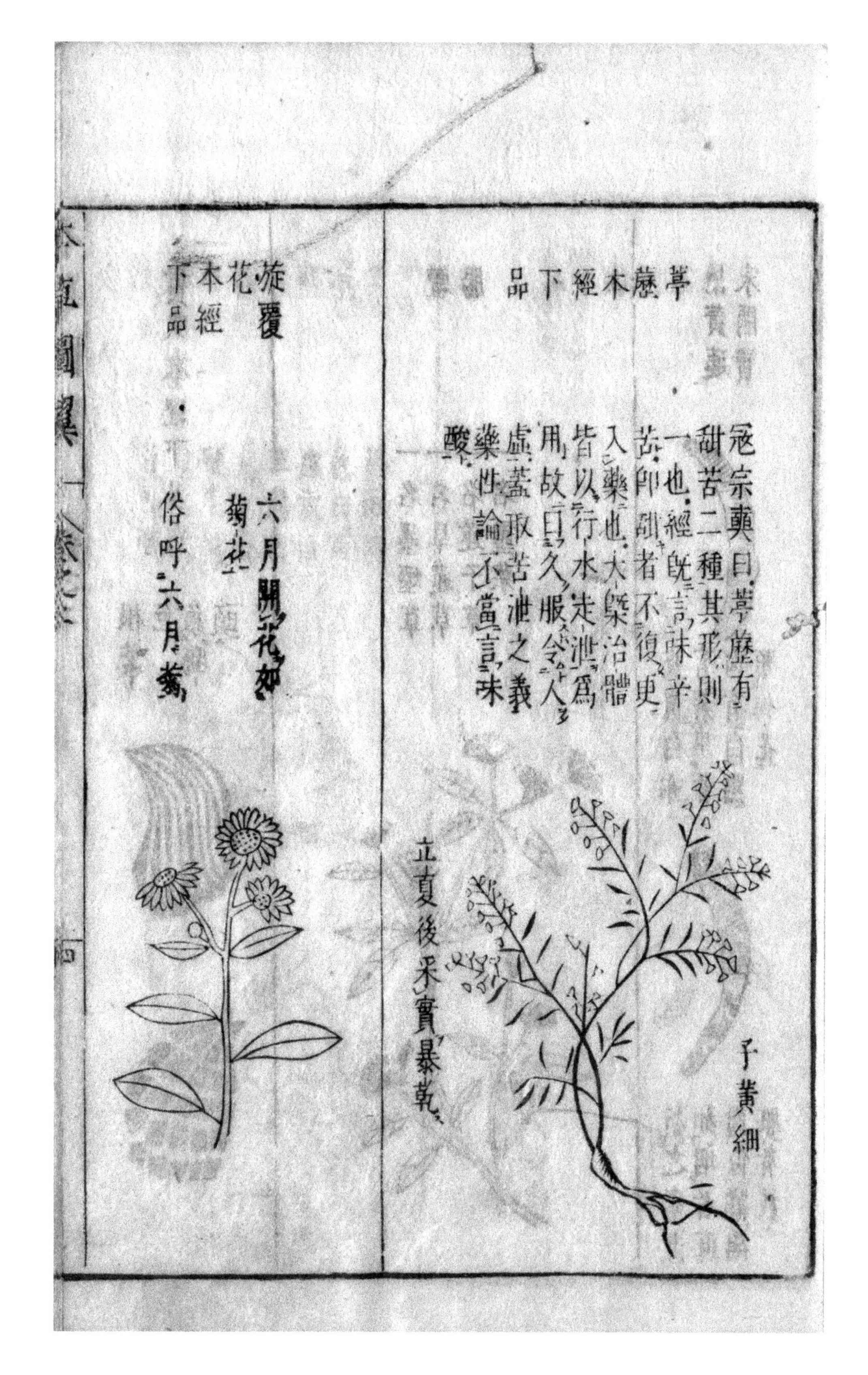

葶藶 木經下品

寇宗奭曰：葶藶有甜苦二種，其形則一也。經既言味辛苦，即甜者不復更入藥也。大槩治體皆以行水走泄爲用，故曰久服令人虛，蓋取苦泄之義。藥性論不當言味酸。

子黃細

立夏後采實暴乾

旋覆花 本經下品

六月開花如菊花

俗呼六月菊

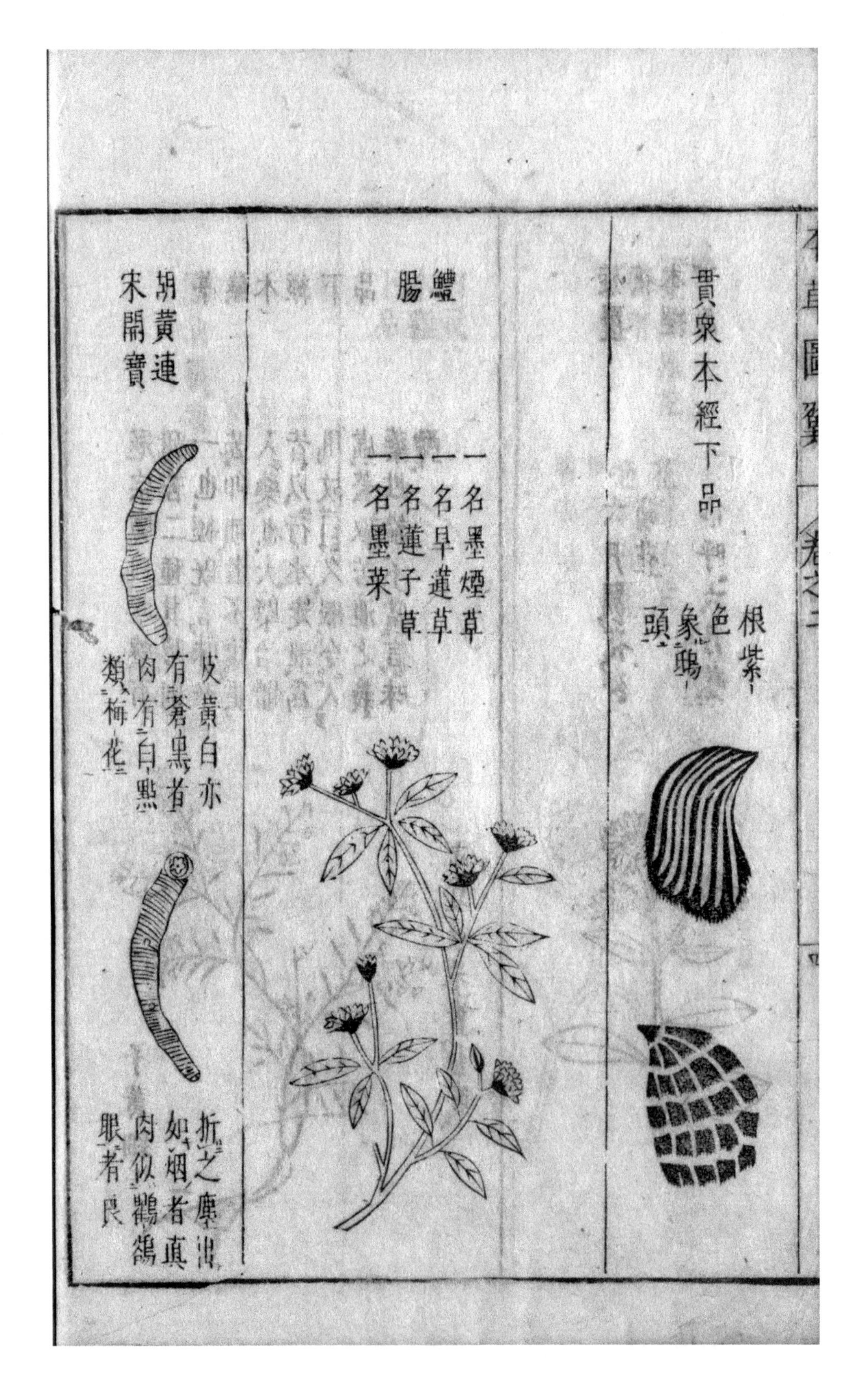

貫衆本經下品

根紫色象鴟頭

鱧腸

一名墨煙草
一名旱蓮草
一名蓮子草
一名墨菜

胡黃連宋開寶

皮黃白亦有蒼黑者肉有白黑類梅花

折之塵出如烟者真肉似鸜鵒眼者良

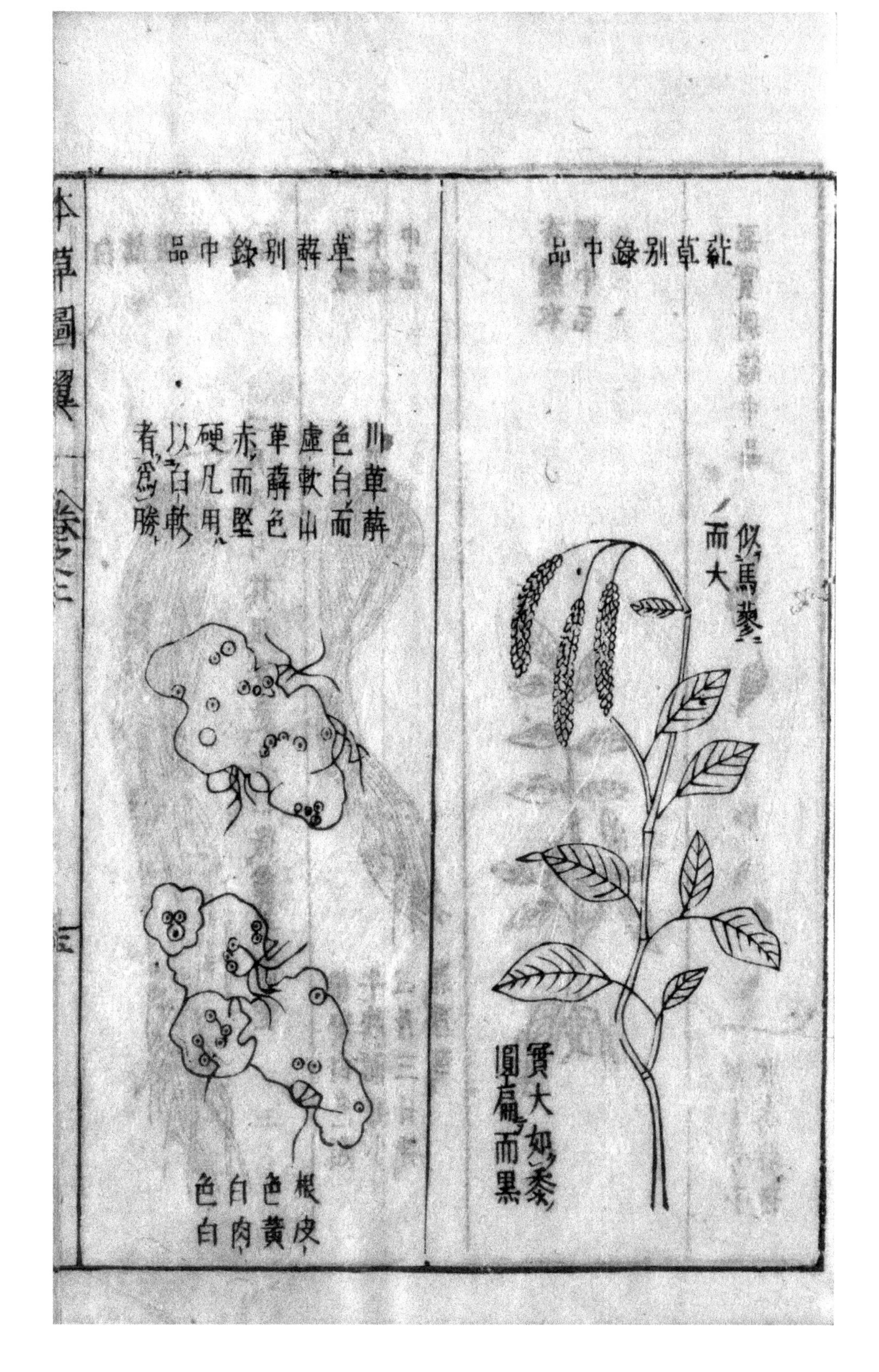

紅草別錄中品

似馬蓼而大

實大如黍圓扁而黑

萆薢別錄中品

川萆薢色白而虛軟山萆薢色赤而堅硬凡用以白軟者爲勝

根皮色黃白肉色白

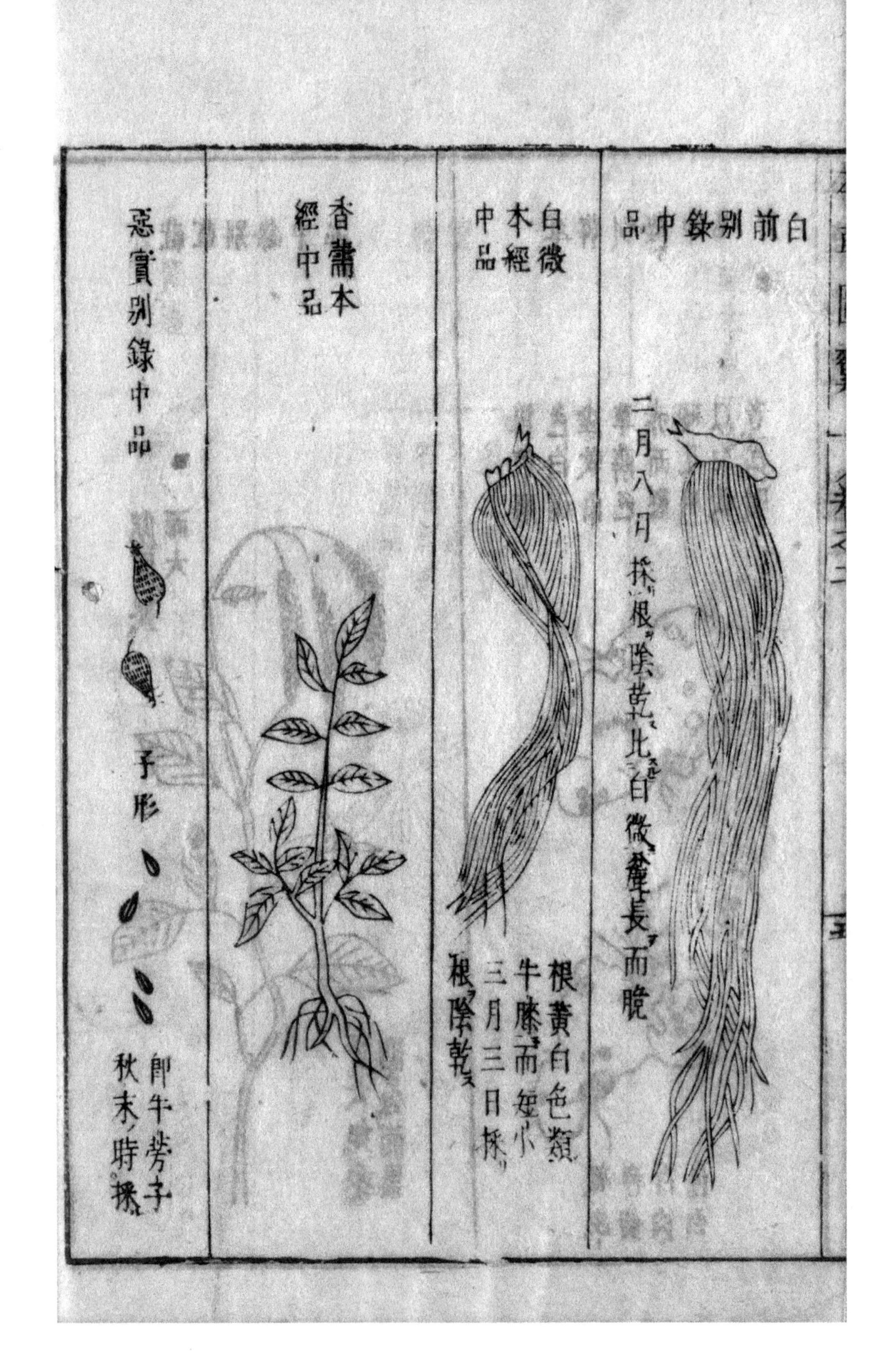
白前別錄中品
二月八月採根陰乾比白微稍長而脆
白微本經中品
根黃白色類牛膝而短小
三月三日採根陰乾
香薷本經中品
惡實別錄中品
子形
即牛蒡子
秋末時採

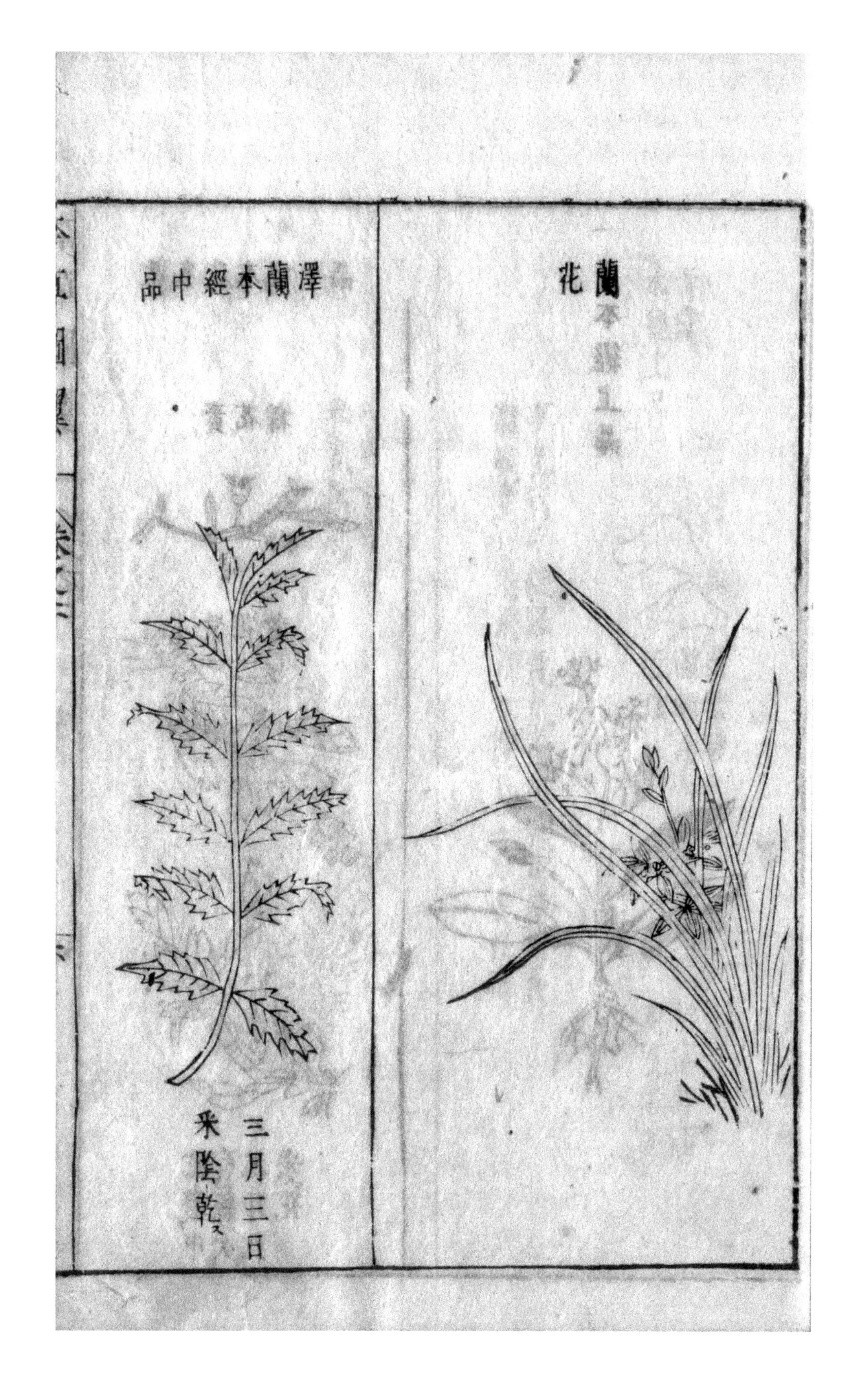
澤蘭本經中品
三月三日
采陰乾
蘭花

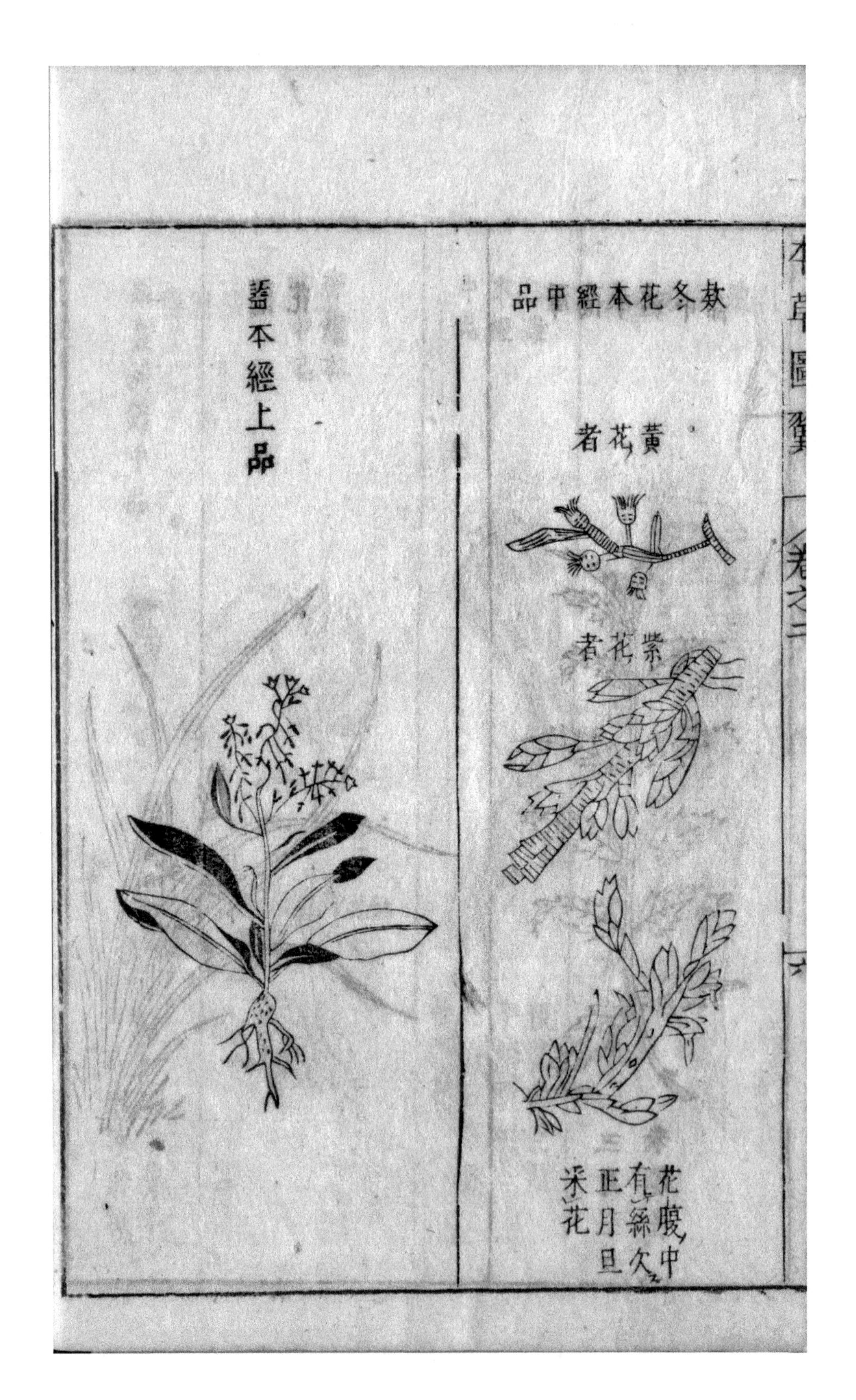
款冬花本經中品
黃花者
紫花者
花腹中有絲欠正月旦采花
盍本經上品

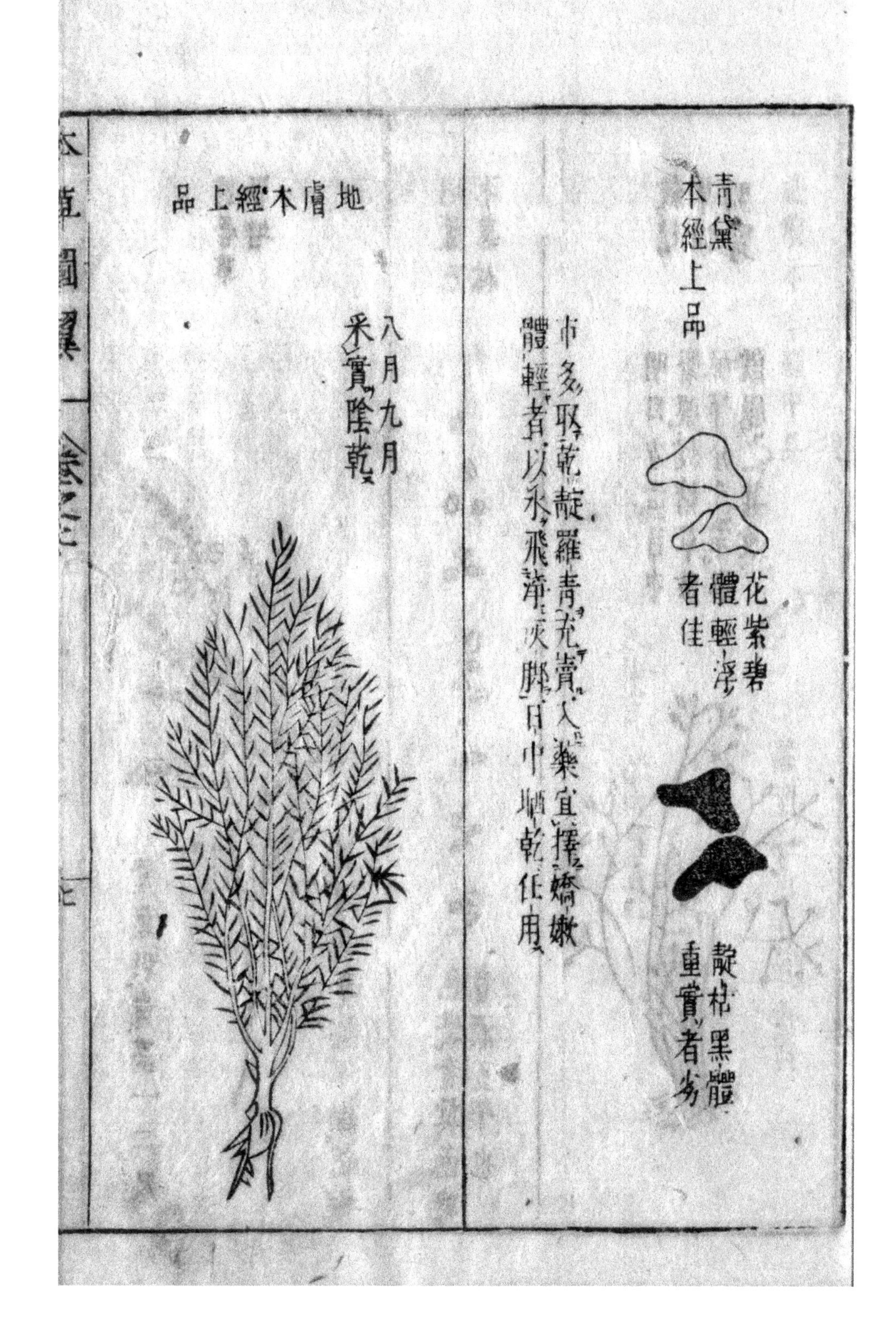
青黛 本經上品

花紫碧體輕浮者佳

市多取乾靛羅青充貨入藥宜擇嬌嫩體輕者以水飛篩灰腳日中曬乾任用

靛棉黑體重實者劣

地膚 本經上品

八月九月采實陰乾

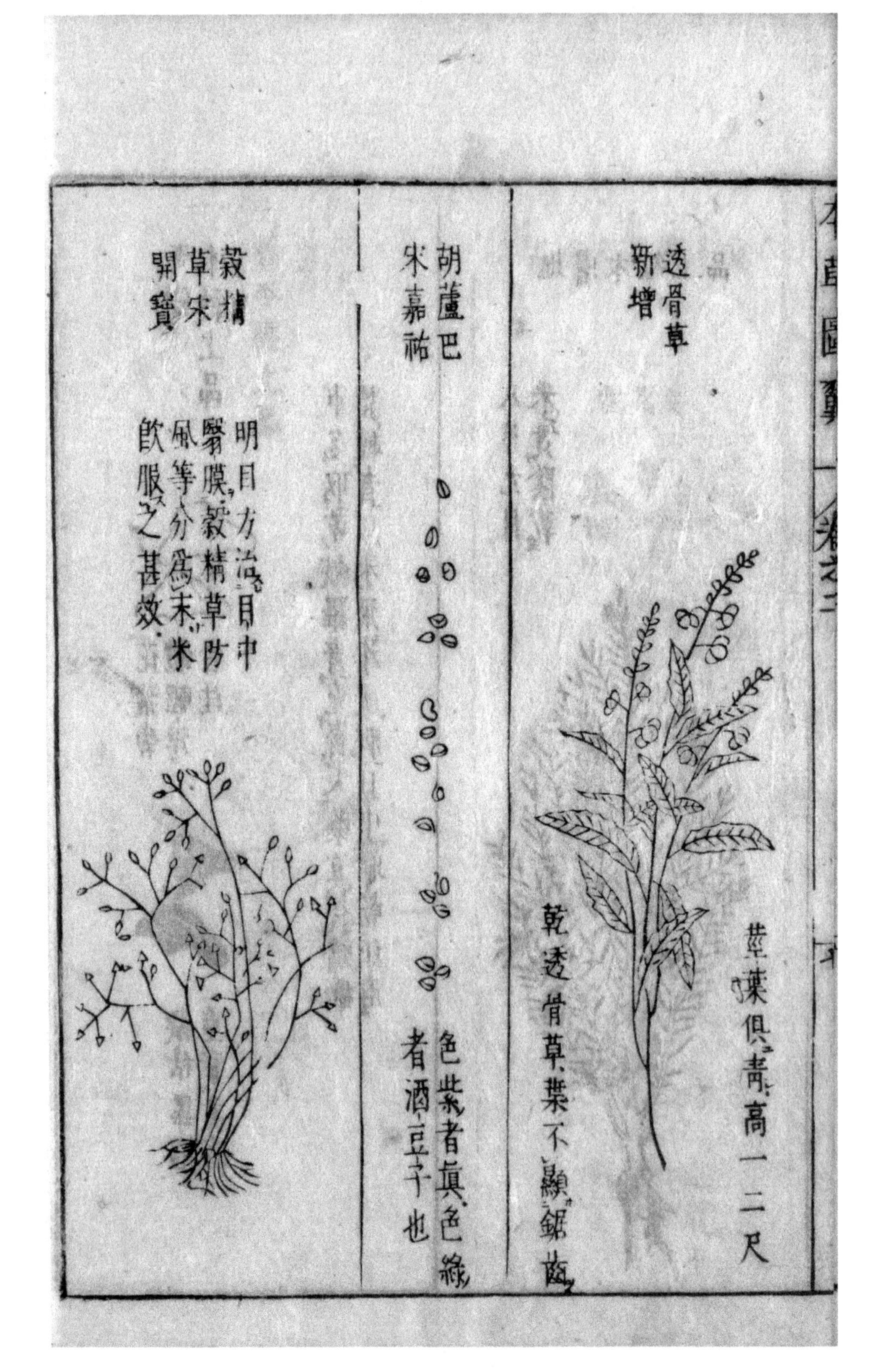
透骨草 新增

莖葉俱青，高一二尺

乾透骨草，葉不顯鋸齒

胡蘆巴 宋嘉祐

色紫者真，色綠者酒豆子也

穀精草 宋開寶

明目方：治目中翳膜，穀精草、防風等分為末，米飲服之甚效。

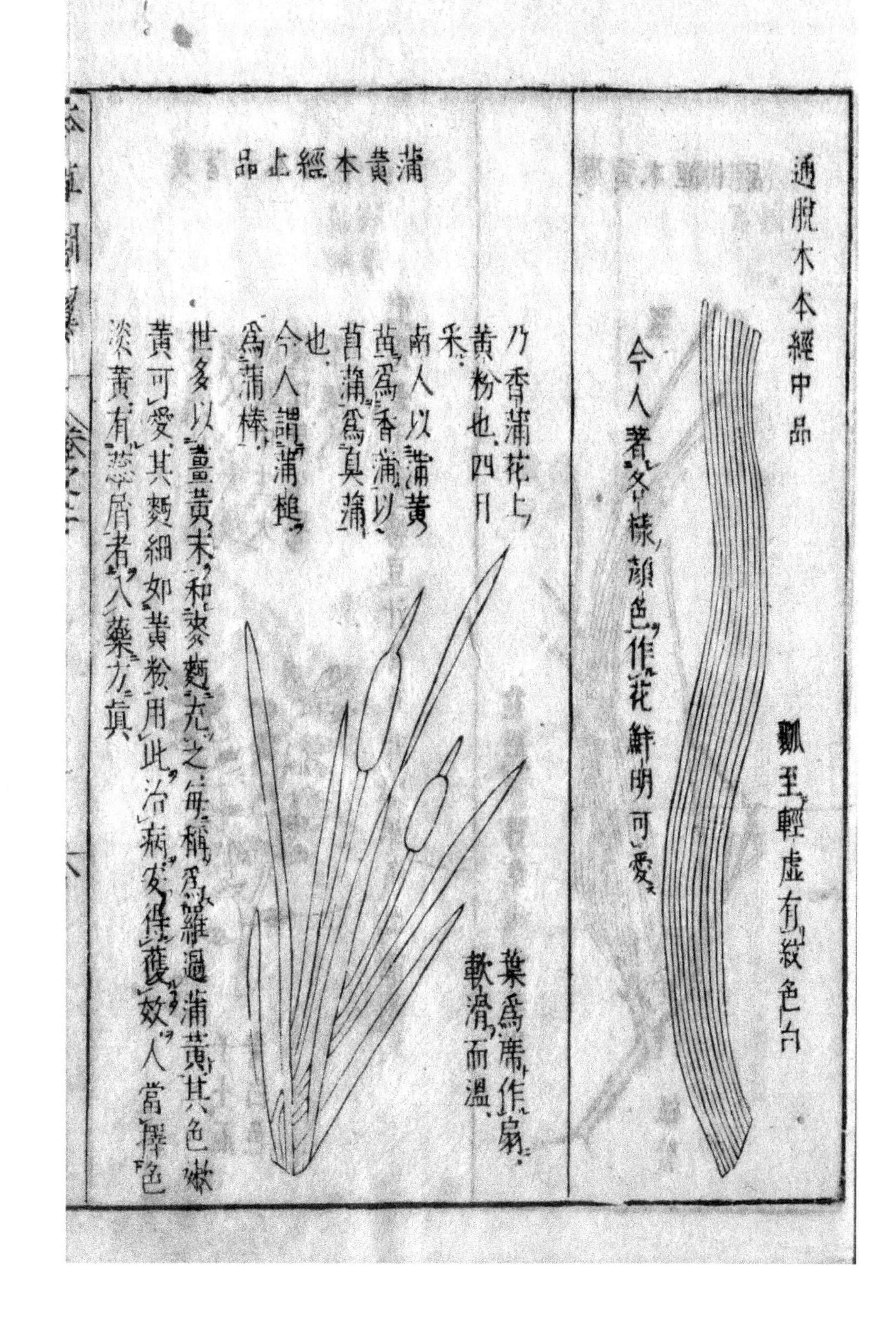
通脫木本經中品

瓤至輕虛有紋色白

今人煮各樣顏色作花鮮明可愛

葉爲席作扇軟滑而溫

蒲黃本經上品

乃香蒲花上黃粉也四月采

南人以蒲黃苗爲香蒲以菖蒲爲真蒲也

今人謂蒲槌爲蒲棒

世多以薑黃末和麥麪丸之每稱爲羅過蒲黃其色嫩黃可愛其麪細如黃粉用此治病安得獲效人當擇色淡黃有蕊屑者入藥方眞

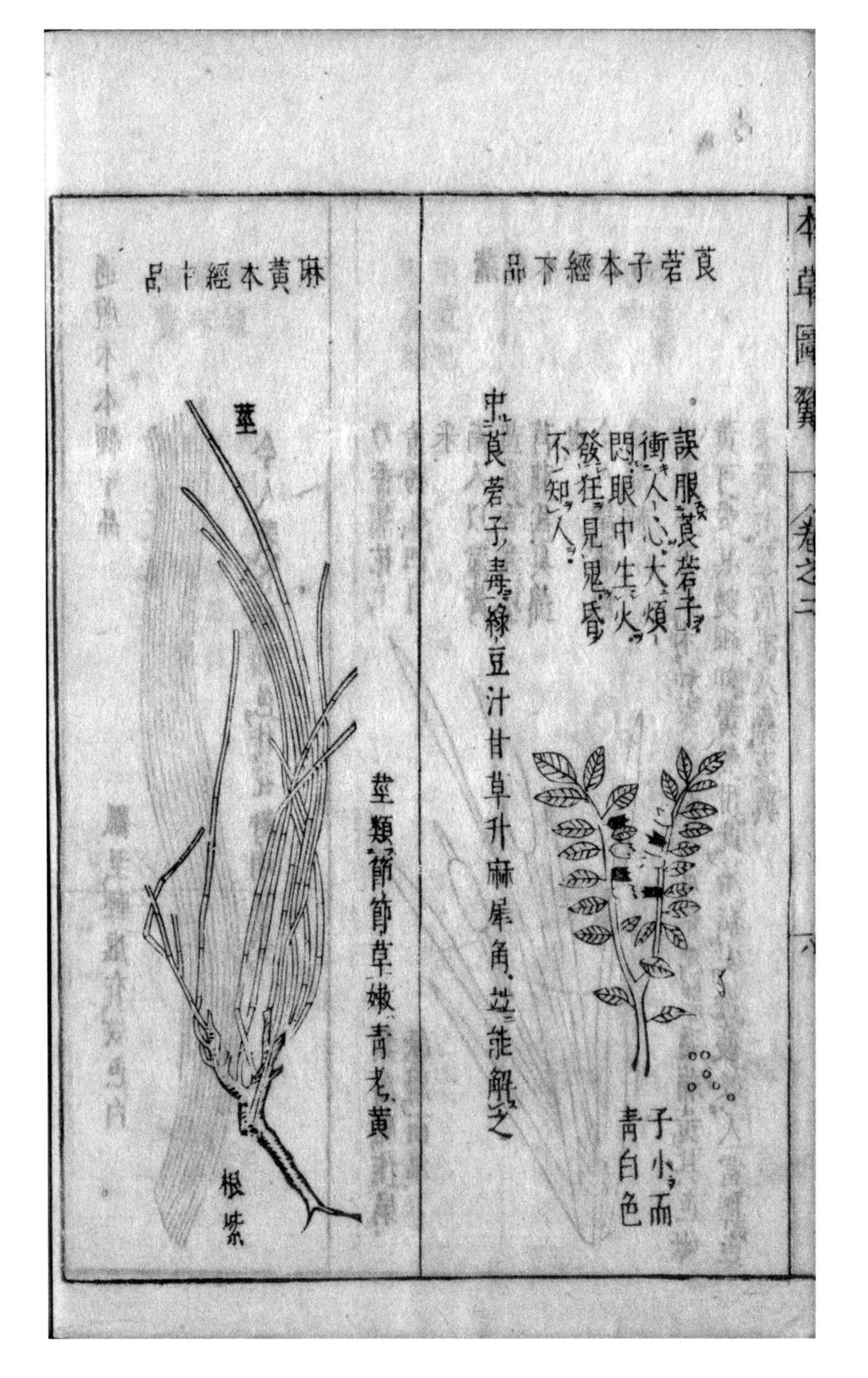

本草圖翼　卷之二

莨菪子本經下品

誤服莨菪子衝人心大煩悶眼中生火發狂見鬼昏不知人

中莨菪子毒綠豆汁甘草升麻犀角並能解之

麻黃本經中品

莖類節節草嫩青老黃

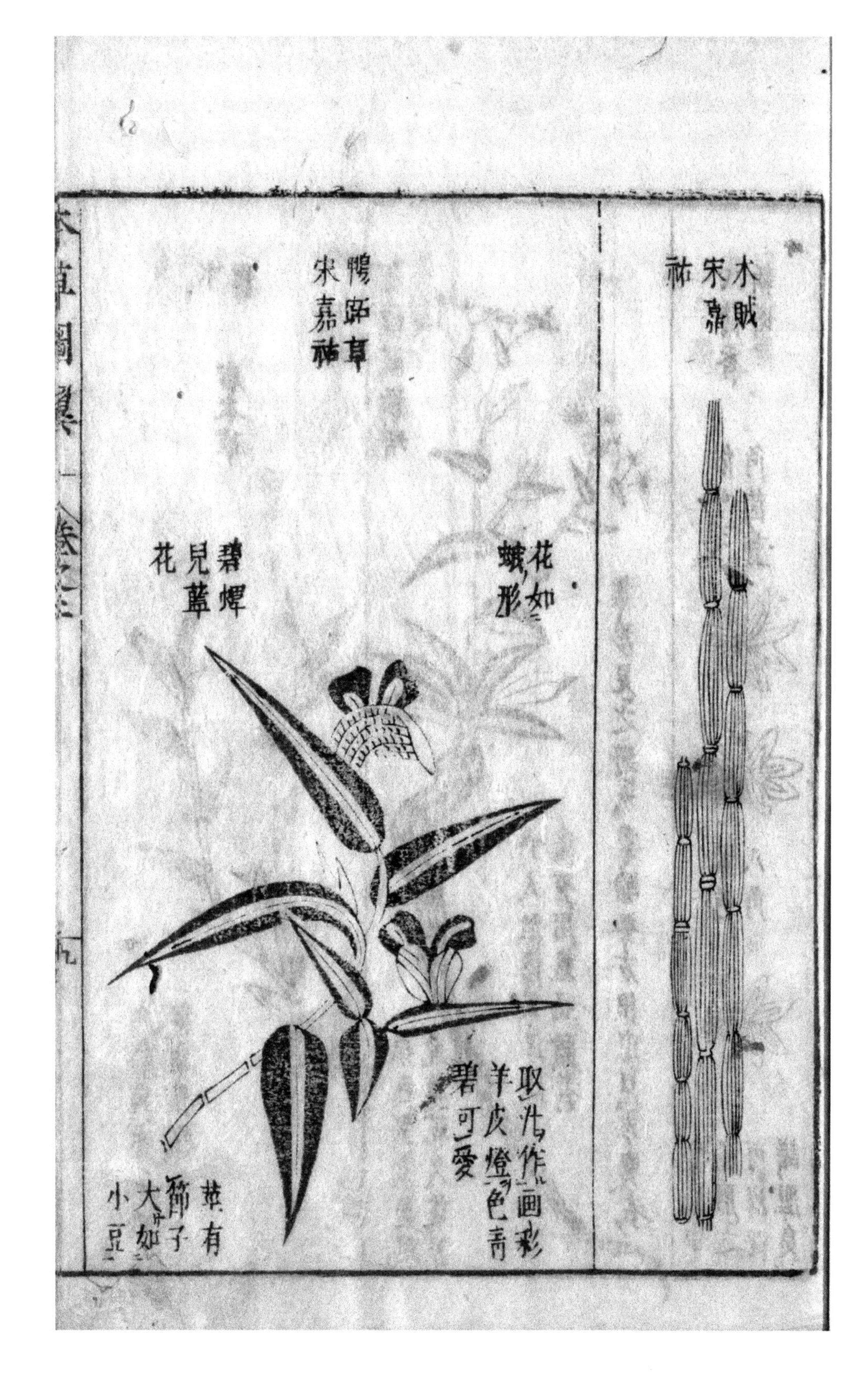
木賊
宋嘉祐
鴨跖草
宋嘉祐
花如
蛾形
碧蟬
兒藍
花
取汁作画彩
羊皮燈色青
碧可愛
莖有
節子
大如
小豆

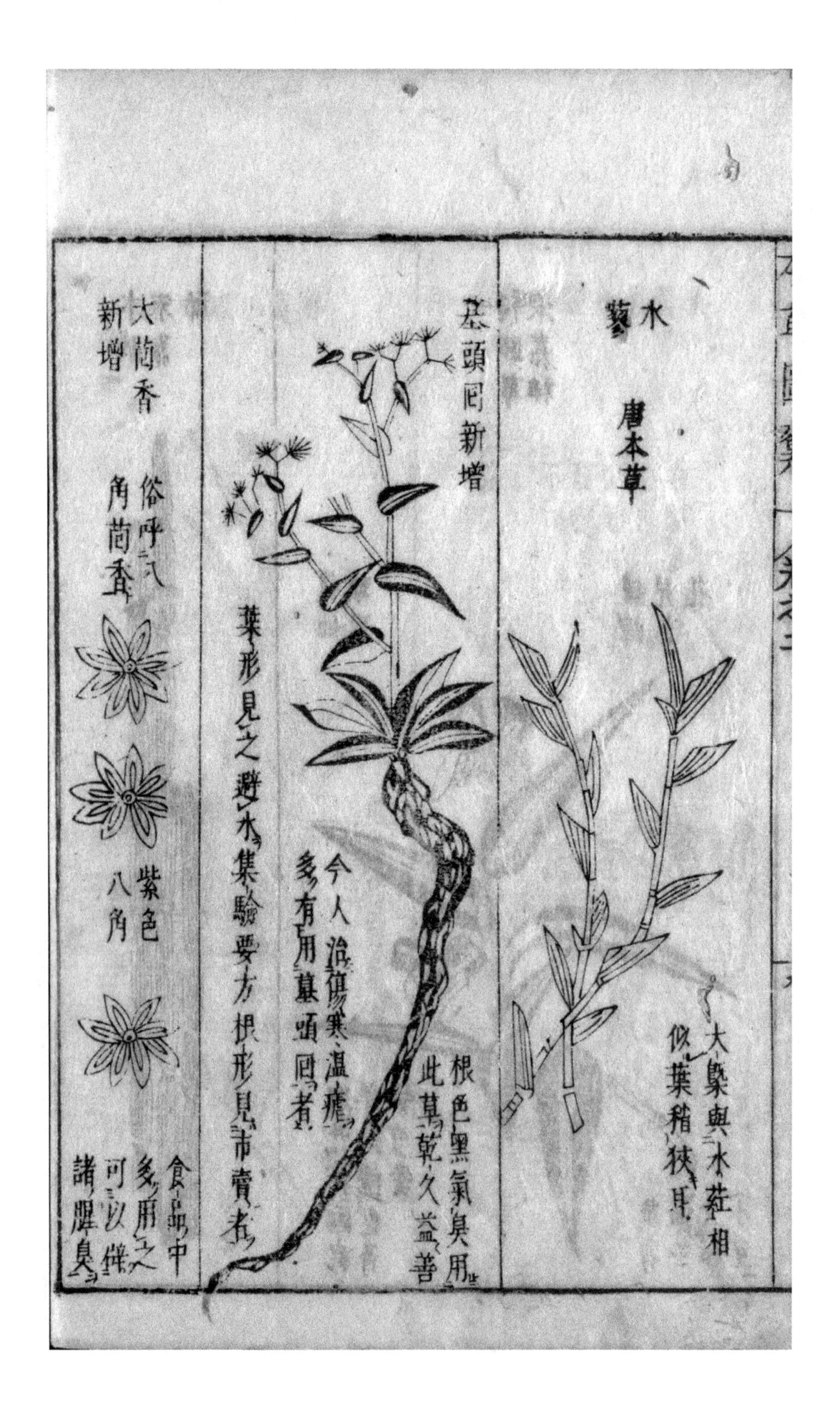
水蓼　唐本草
大槩與水莕相似葉稍狹耳
墓頭回　新增
根色黑氣臭用之此墓頭回久益善
今人治傷寒溫瘧多有用墓頭回者
葉形見之避水集驗要方根形見市賣者
大茴香　新增
俗呼八角茴香
紫色八角
食品中多用之可以辟諸腥臭

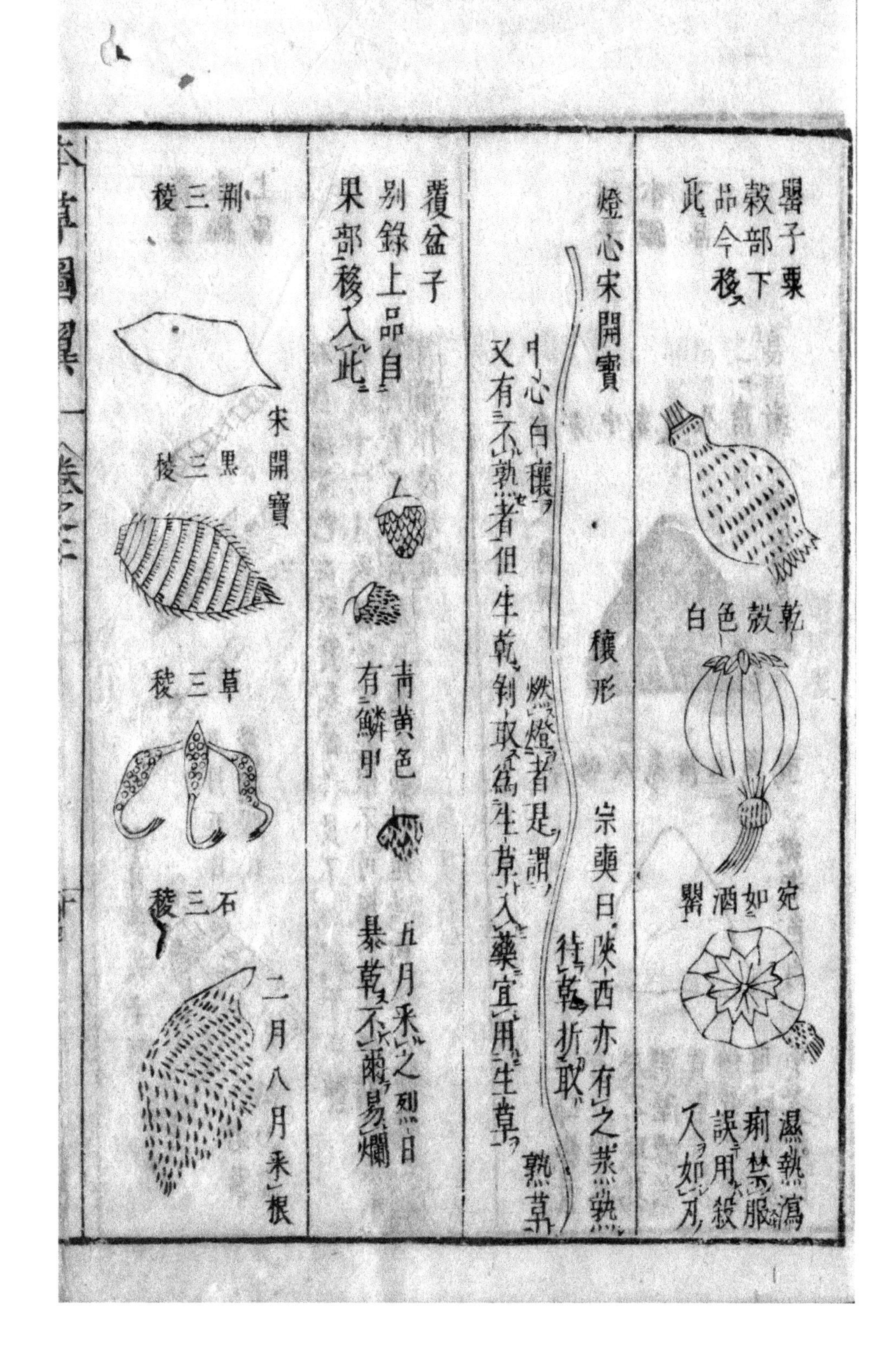

罌子粟
穀部下品今移此

乾殼色白

宛如酒罌

濕熱瀉痢禁服誤用殺人如刃

燈心 宋開寶

中心白穰

又有不熟者但生乾剝取為生草入藥宜用生草

燃燈者是謂熟草

穰形

宗奭曰陝西亦有之蒸熟待乾折取

覆盆子
別錄上品自果部移入此

青黃色有鱗甲

五月采之烈日暴乾不爾易爛

荊三稜

宋開寶

黑三稜

草三稜

石三稜

二月八月采根

菖蒲
本經
上品

五月五日
浸酒服佳

水菖蒲氣辛烈
一名菖陽肉虛

石菖蒲紫色肉堅實多節者良不必泥于九節菖蒲十二月采根陰乾露根不可用○生石澗中根小節密者名石菖蒲入藥方靈種池塘內根大節疎名水菖蒲作箋堪用

附子
本經
下品

古方中多用八角者

八角附子

鮮者皮黑

今時人多用九角者

乾者色白

市肆售者有以鹽水浸之取其潤澤體重買者當以體乾堅實頂圓正底平者爲良

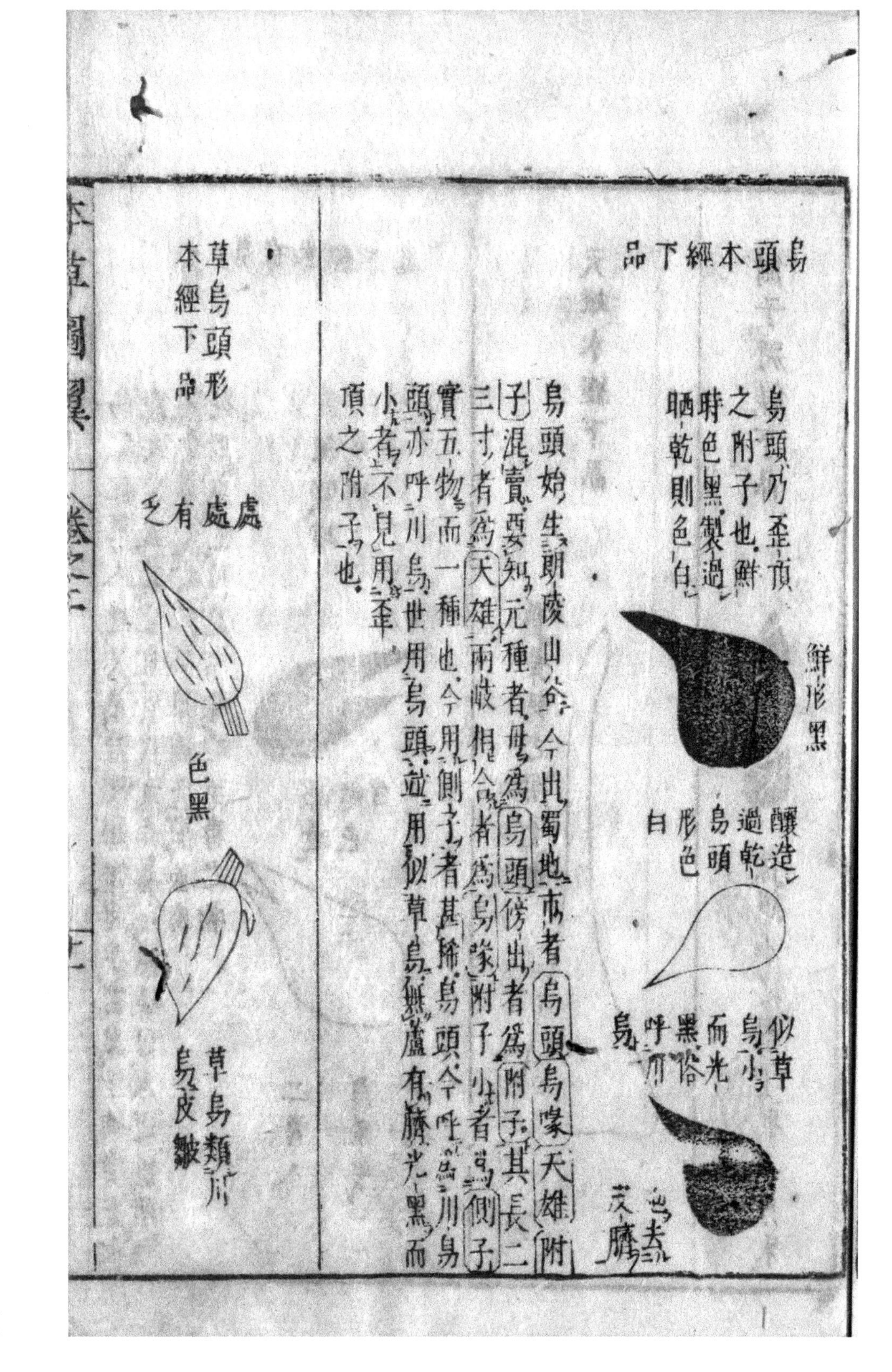
本草圖翼　卷之二

烏頭本經下品

烏頭乃歪頂之附子也鮮時色黑製過曬乾則色白

鮮形黑

釀造過乾烏頭形色白

似草烏小而光黑俗呼爲烏

去皮麻

烏頭始生朗陵山谷今出蜀地市者烏頭烏喙天雄附子混賣要知元種者毋爲烏頭傍出者爲附子其長二三寸者爲天雄兩岐相合者爲烏喙附子小者爲側子實五物而一種也今用側子者甚稀烏頭今呼爲川烏頭亦呼川烏世用烏頭或用似草烏無蘆有麻光黑而小者不見用歪頂之附子也

草烏頭形本經下品

處處有之

色黑

草烏類川烏皮皺

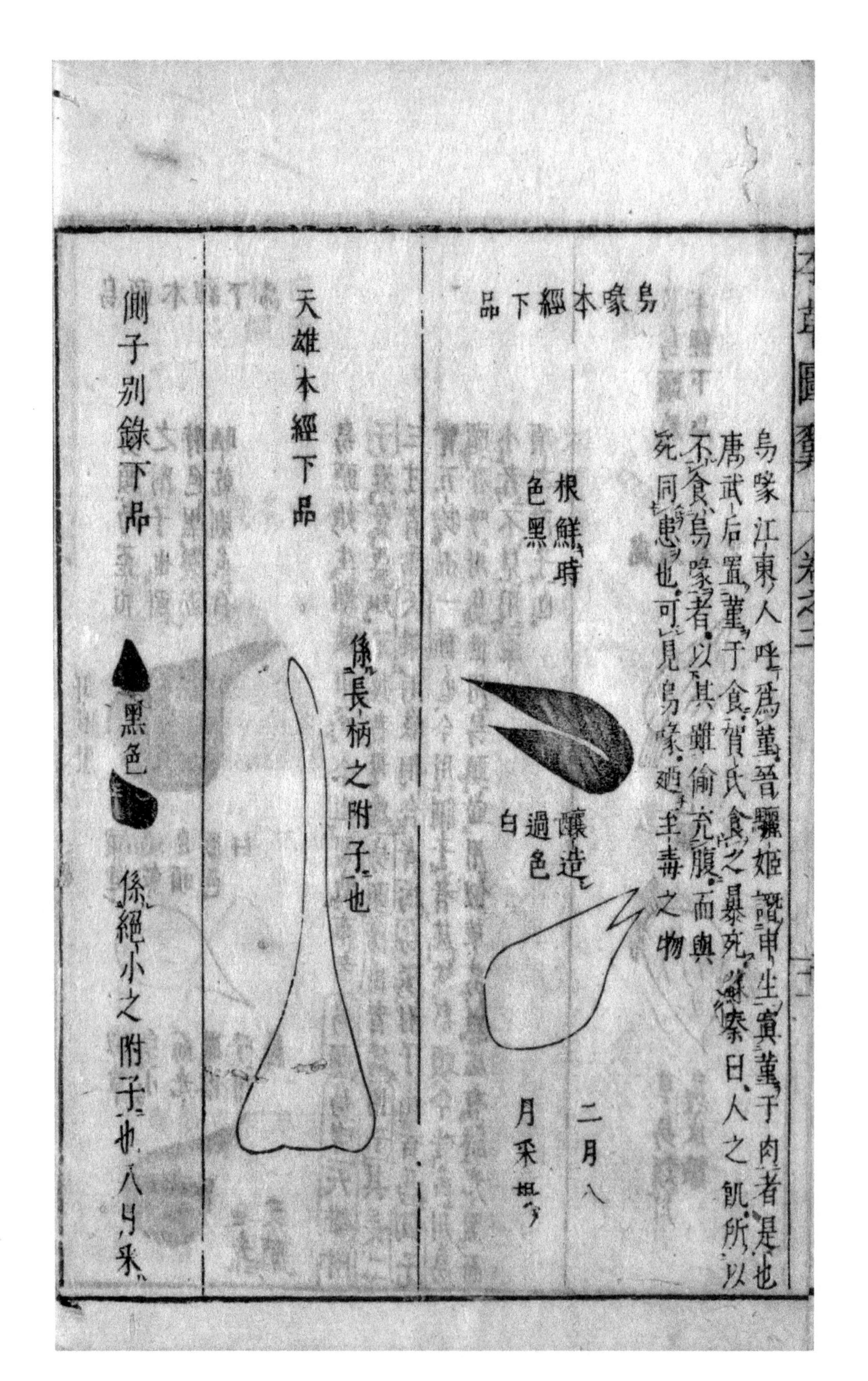
烏喙本經下品

烏喙江東人呼爲堇。晉驪姬譖申生，寘堇于肉者是也。唐武后置堇于食，賀氏食之暴死。蘇秦曰：人之飢所以不食烏喙者，以其雖偷充腹，而與死同患也。可以見烏喙迺至毒之物。

根鮮時色黑

釀造過色白

二月八月采根

天雄本經下品

係長柄之附子也

側子別錄下品

黑色

係絕小之附子也八月采

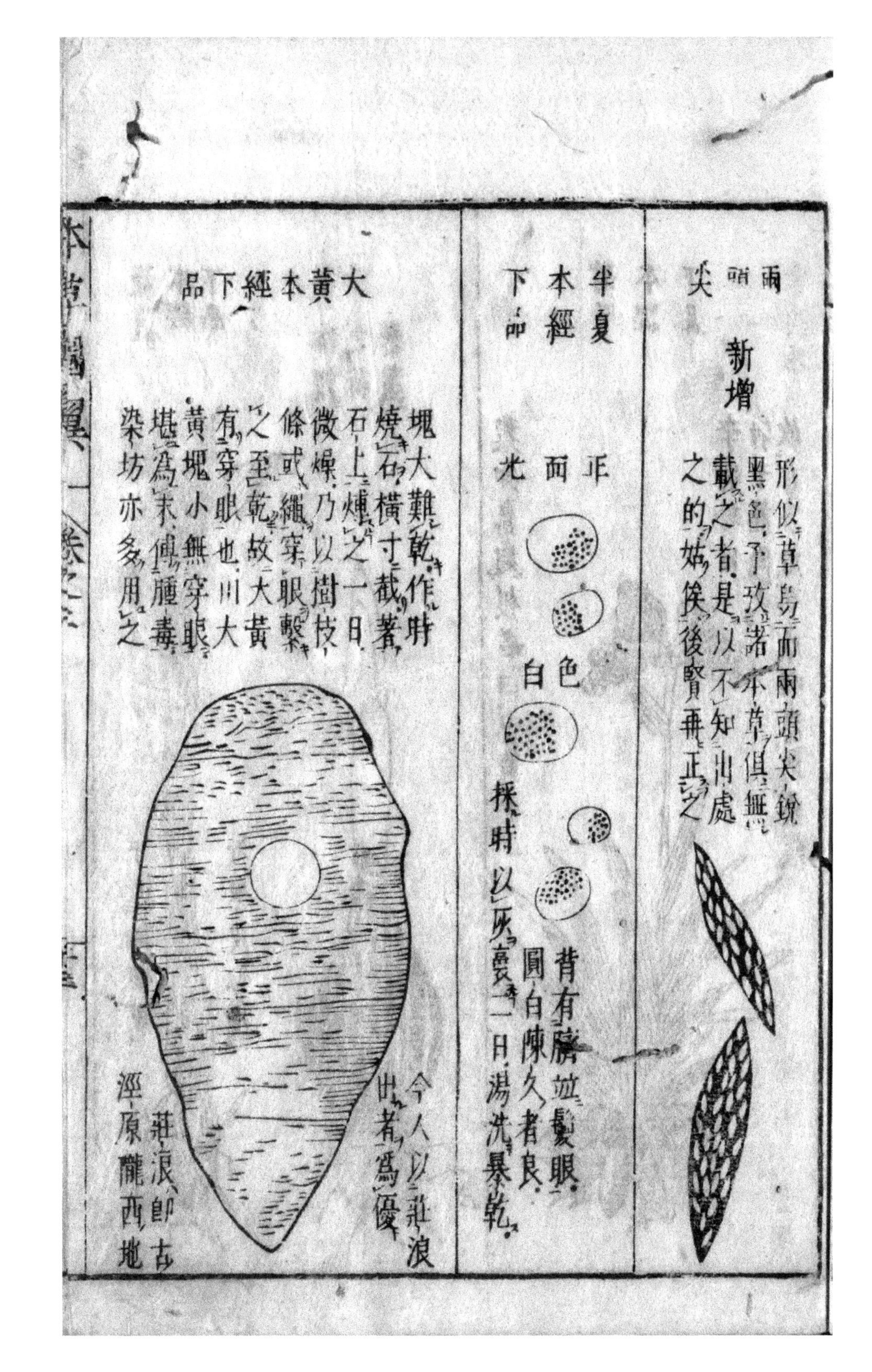

兩頭尖

新增

形似草烏而兩頭尖鋭黒色予攷諸本草俱無載之者是以不知出處之的姑俟後賢再正之

半夏 本經下品

正面光

色白

背有臍並鬢眼圓白陳久者良

採時以灰裛二日湯洗暴乾

大黄 本經下品

塊大難乾作時燒石横寸截著石上燻之一日微燥乃以樹枝條或繩穿眼繫之至乾故大黄有穿眼也川大黄塊小無穿眼堪爲末傅腫毒染坊亦多用之

今人以莊浪出者爲優

莊浪卽古涇原隴西地

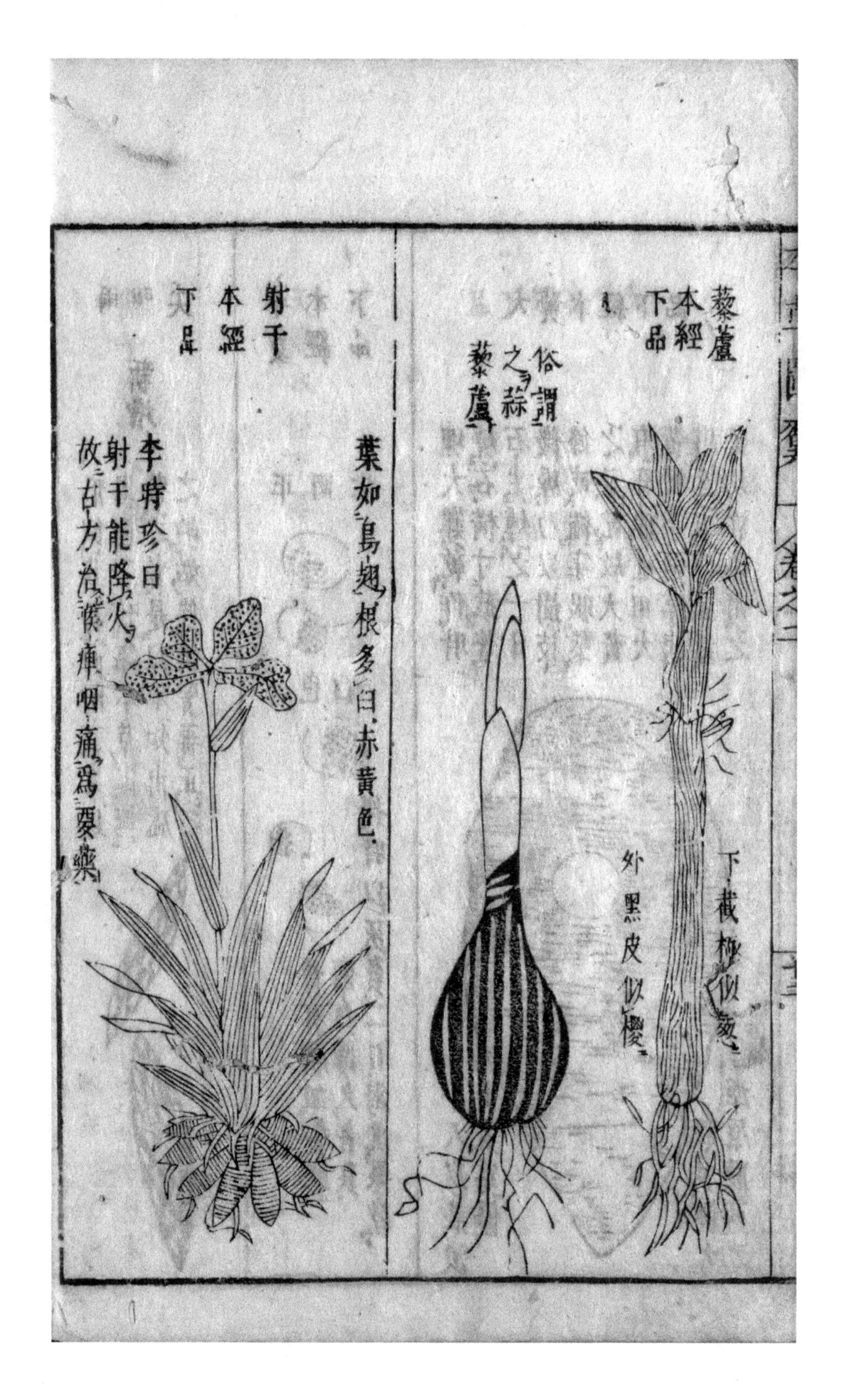

藜蘆 本經下品

俗謂之蒜藜蘆

下截極似葱

外黑皮似椶

射干 本經下品

葉如烏翅根多白赤黃色

李時珍曰射干能降火故古方治喉痺咽痛爲要藥

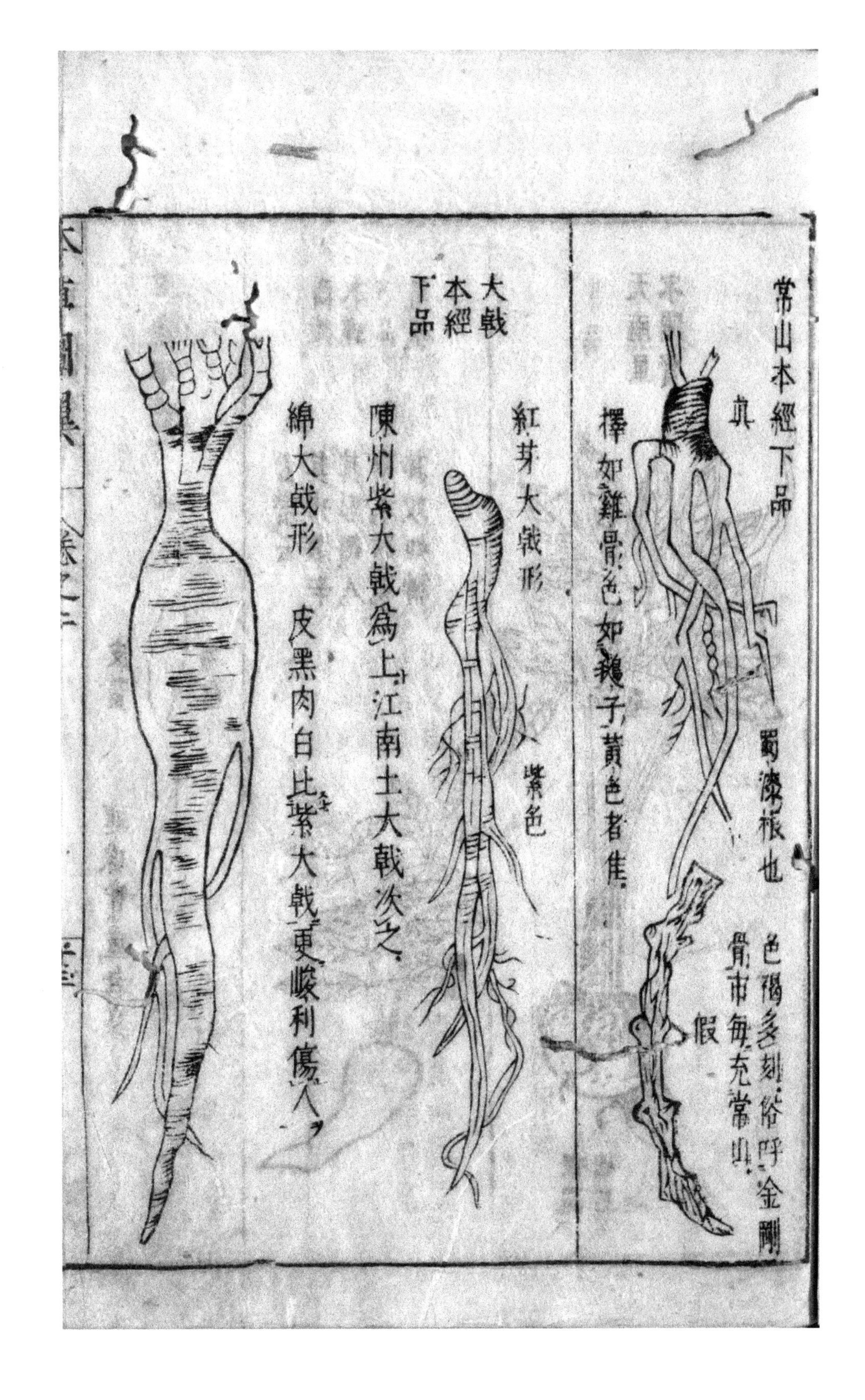
常山本經下品
真
擇如雞骨色如鵝子黃色者佳
蜀漆根也
色褐多刻俗呼金剛
骨市每充常山
假
大戟本經下品
紅芽大戟形
紫色
陳州紫大戟爲上江南土大戟次之
綿大戟形
皮黑肉白比紫大戟更峻利傷人

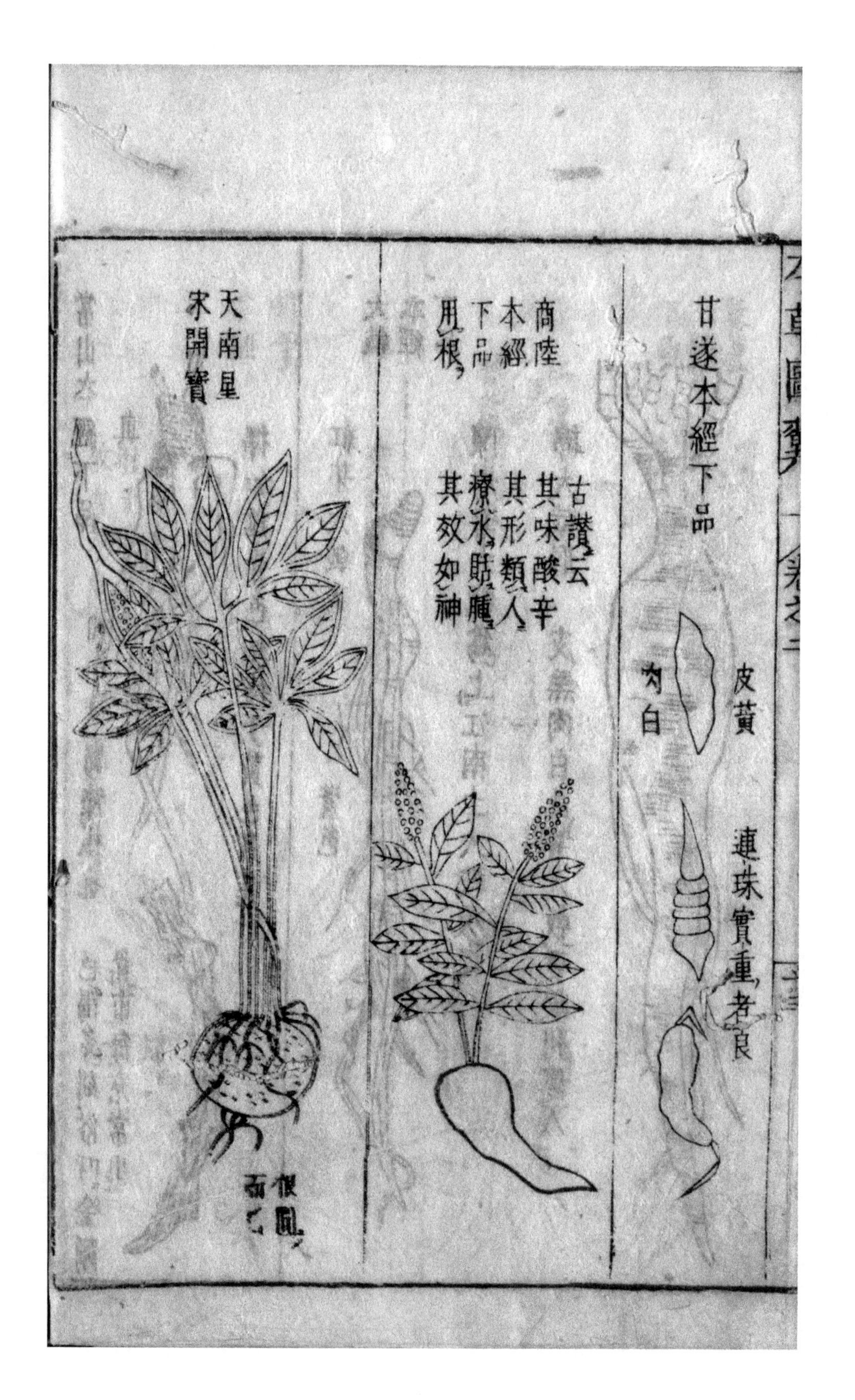
甘遂本經下品
皮黄
肉白
連珠實重者良
商陸
本經
下品
用根
古讚云
其味酸辛
其形類人
療水貼腫
其效如神
天南星
宋開寶
根圓

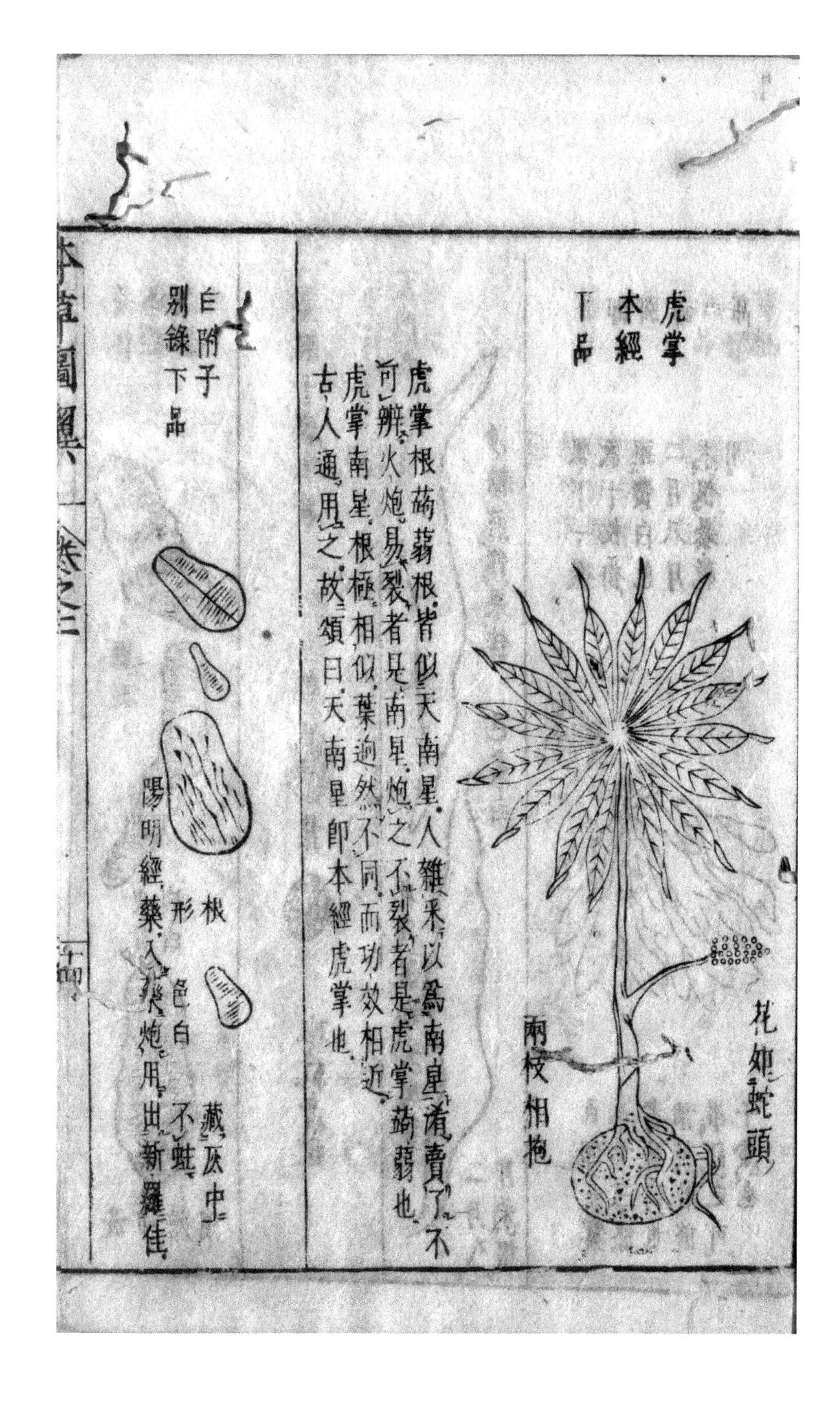

虎掌 本經 下品

虎掌根蒟蒻根皆似天南星人雜采以爲南星混賣了不可辨火炮易裂者是南星炮之不裂者是虎掌蒟蒻也

虎掌南星根極相似葉迥然不同而功效相近

古人通用之故頌曰天南星即本經虎掌也

白附子 別錄下品

根

形 色白

藏瓦中不蛀

陽明經藥入煨炮用出新羅佳

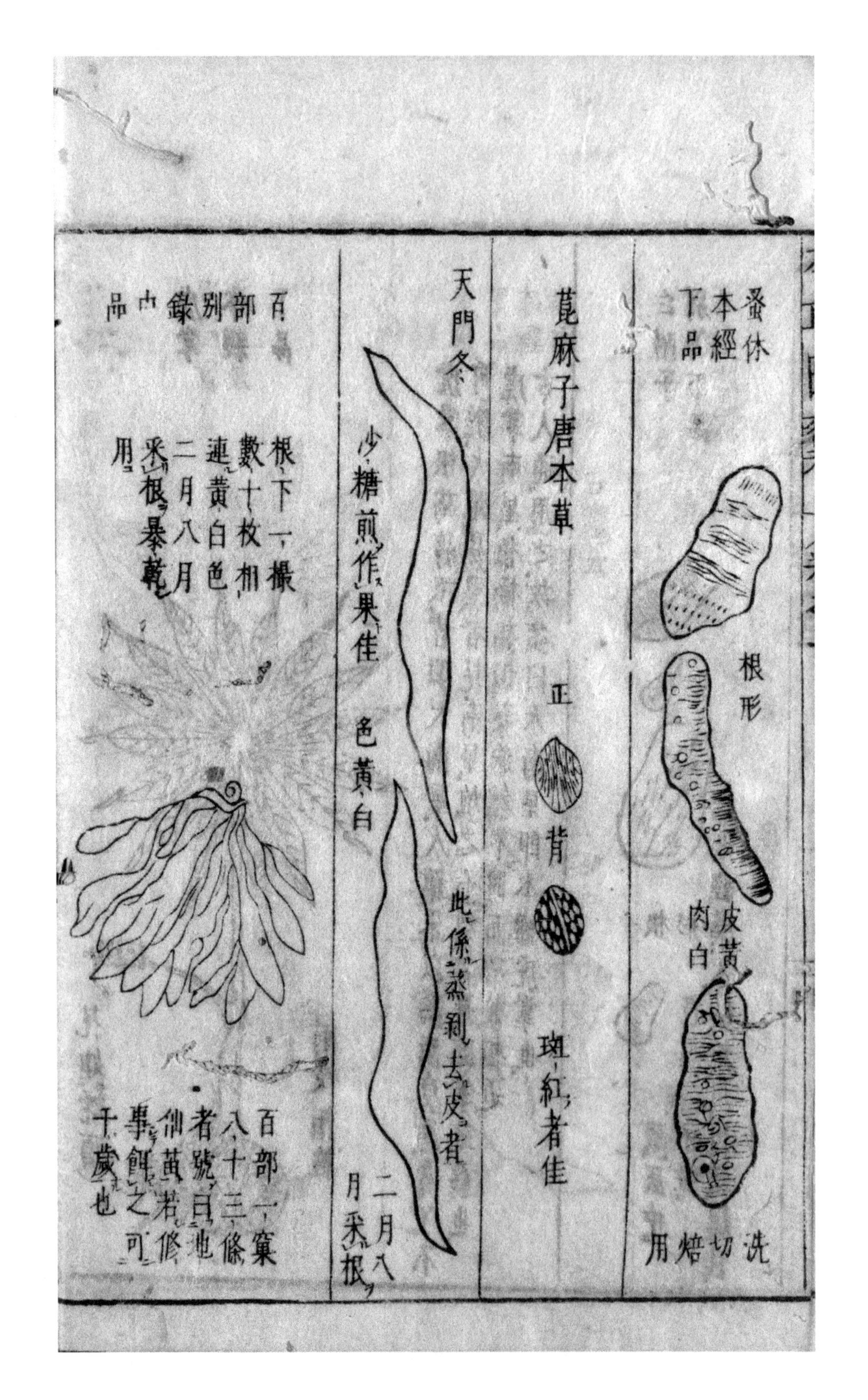

蚤休
本經
下品
根形
皮黄
肉白
洗切焙用
蓖麻子唐本草
正
背
斑紅者佳
天門冬
沙糖煎作果佳
色黄白
此係蒸剝去皮者
二月八月采根
百部
別錄
中品
根下一撮數十枚相連黄白色二月八月采根暴乾用
百部一窠八十三條者號曰地仙苗若修事餌之可千歲也

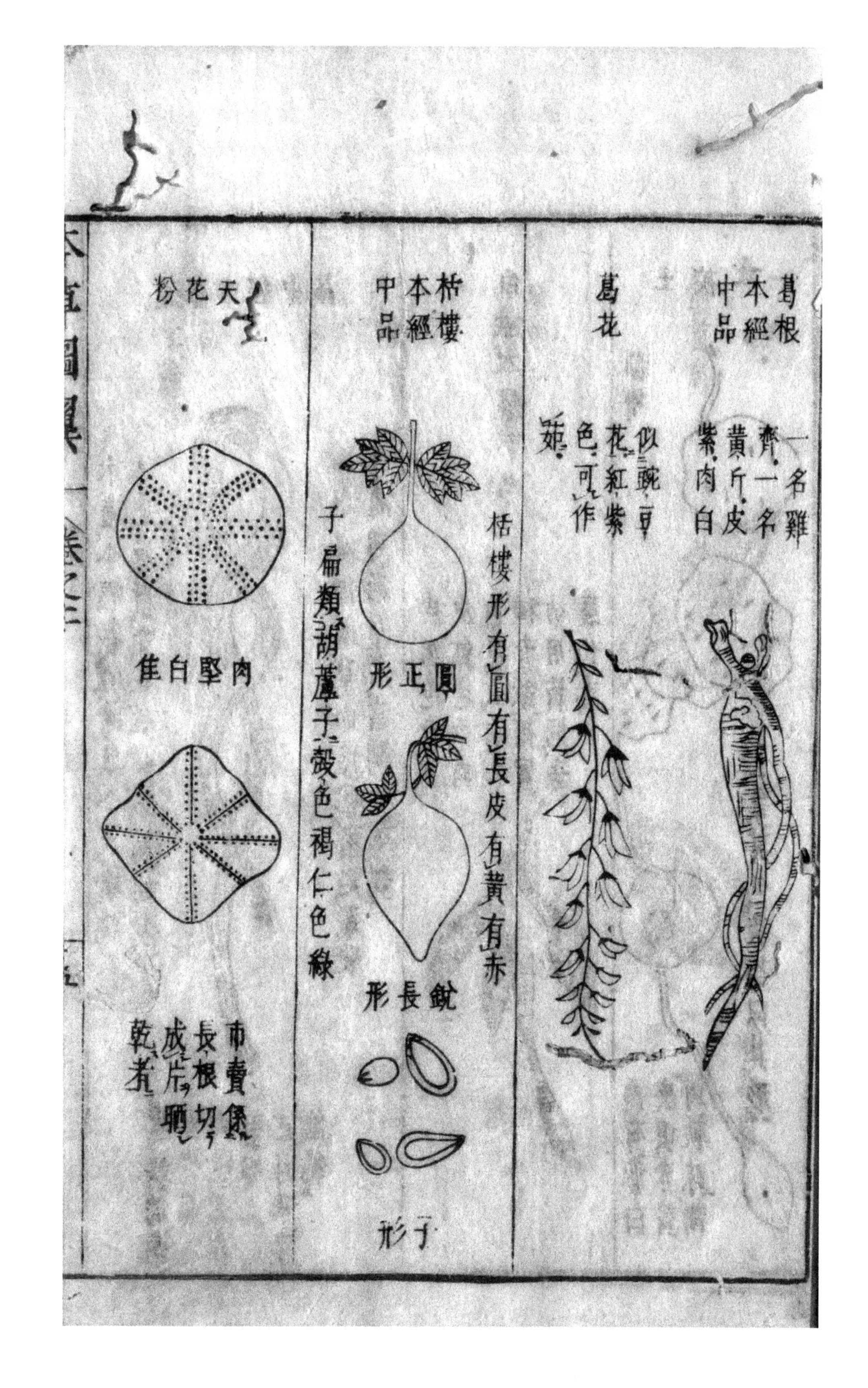
葛根
本經
中品
一名雞齊一名黃斤皮紫肉白
葛花
似豌豆花紅紫色可作蔬
栝樓
本經
中品
栝樓形有圓有長皮有黃有赤
子扁類胡蘆子殼色褐仁色綠
圓正形
銳長形
子形
天花粉
肉堅白佳
市賣條長根切成片晒乾者

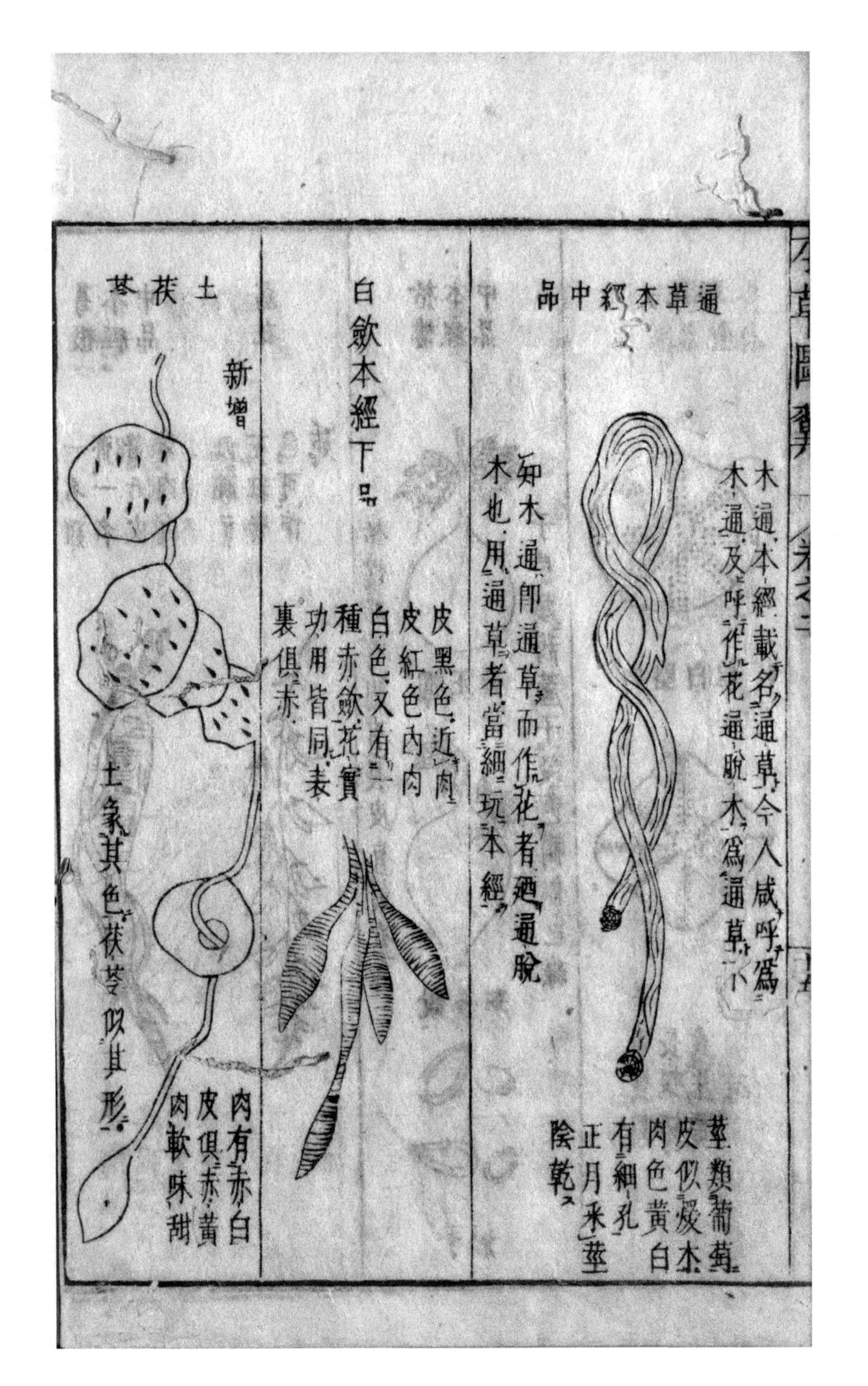

通草 本經中品

木通本經載名通草今人咸呼為木通及呼作花通脫木為通草不知木通即通草而作花者通脫木也用通草者當細玩本經

莖類葡萄皮似凝木肉色黃白有細孔正月采莖陰乾

白歛 本經下品

皮黑色近肉皮紅色內肉白色又有一種赤歛花實功用皆同表裏俱赤

土茯苓 新增

土象其色茯苓似其形

肉有赤白皮俱赤黃肉軟味甜

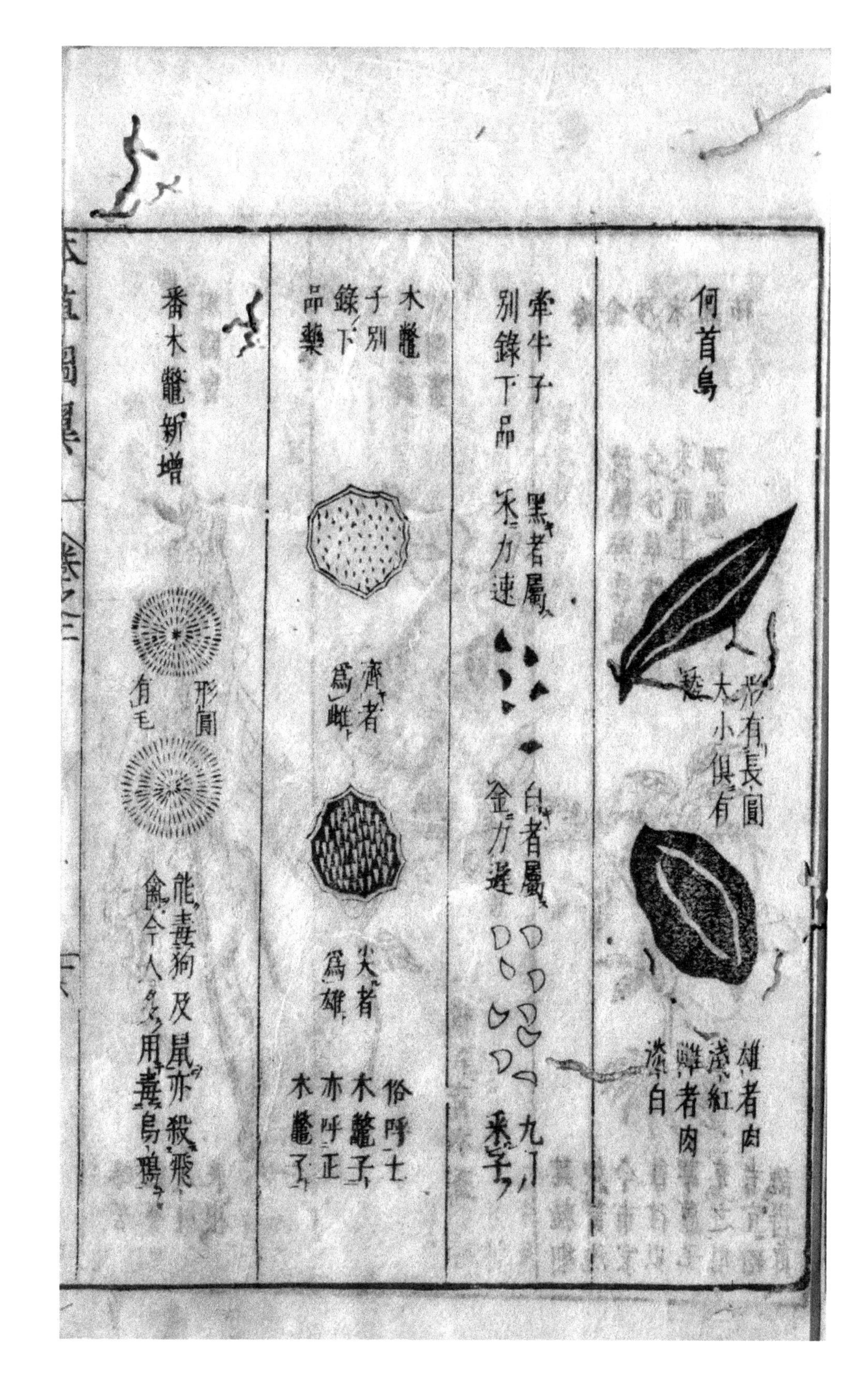
何首烏
形有長圓
大小俱有種
雄者肉
淺紅
雌者肉
滚白
牽牛子
別錄下品
黑者屬水
力速
白者屬金
力遲
九月
采子
木鼈
子別
錄下
品藥
齊者
爲雌
尖者
爲雄
俗呼土
木鼈子
亦呼正
木鼈子
番木鼈新增
形圓
有毛
能毒狗及鼠亦殺飛
禽今人多用毒烏鴉

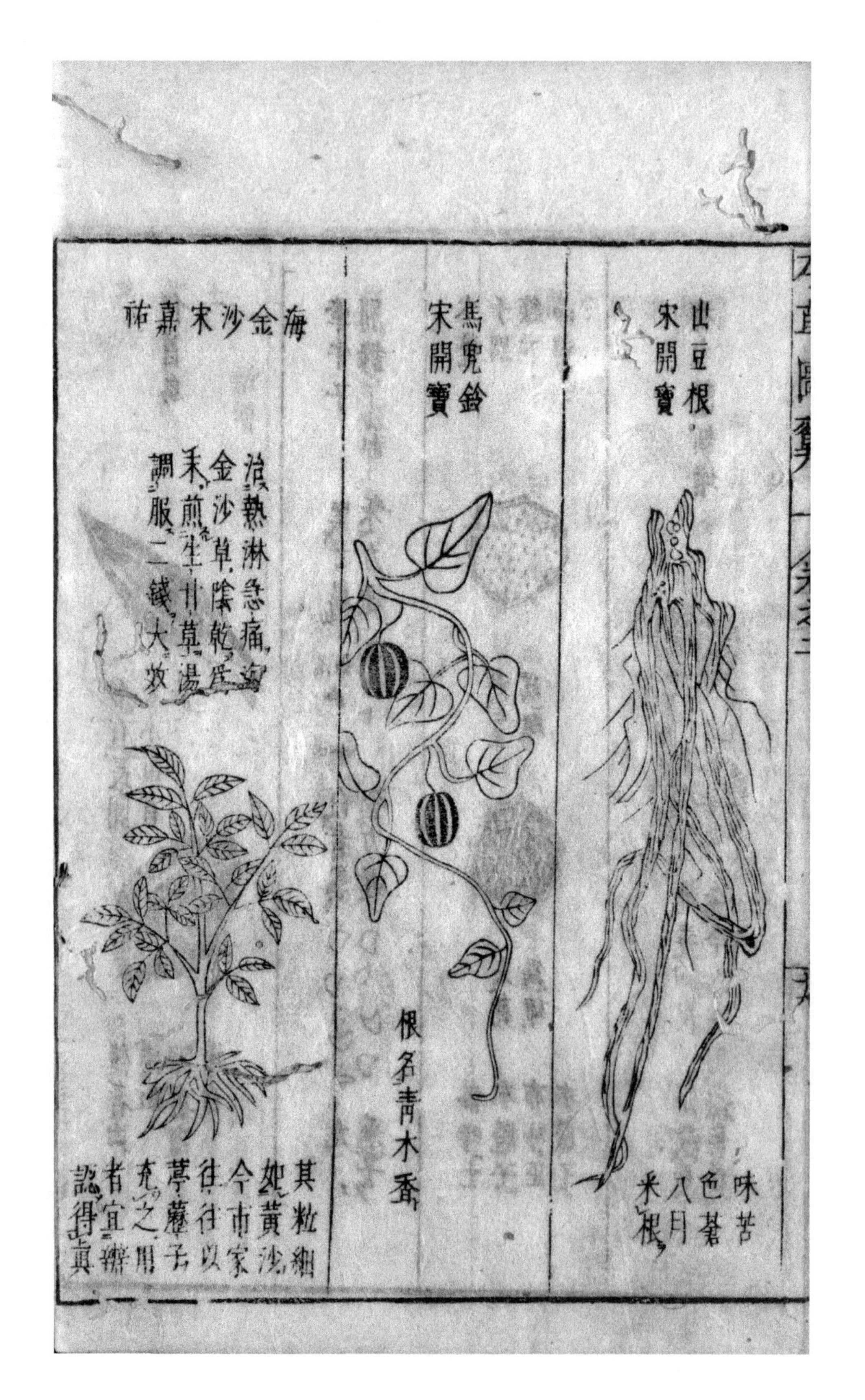
山豆根
宋開寶
味苦
色著
八月
采根
馬兜鈴
宋開寶
根名青木香
海金沙
宋嘉祐
治熱淋急痛海
金沙草陰乾爲
末煎生甘草湯
調服二錢大效
其粒細
如黃沙
今市家
往往以
葶藶子
充之用
者宜辨
認得真

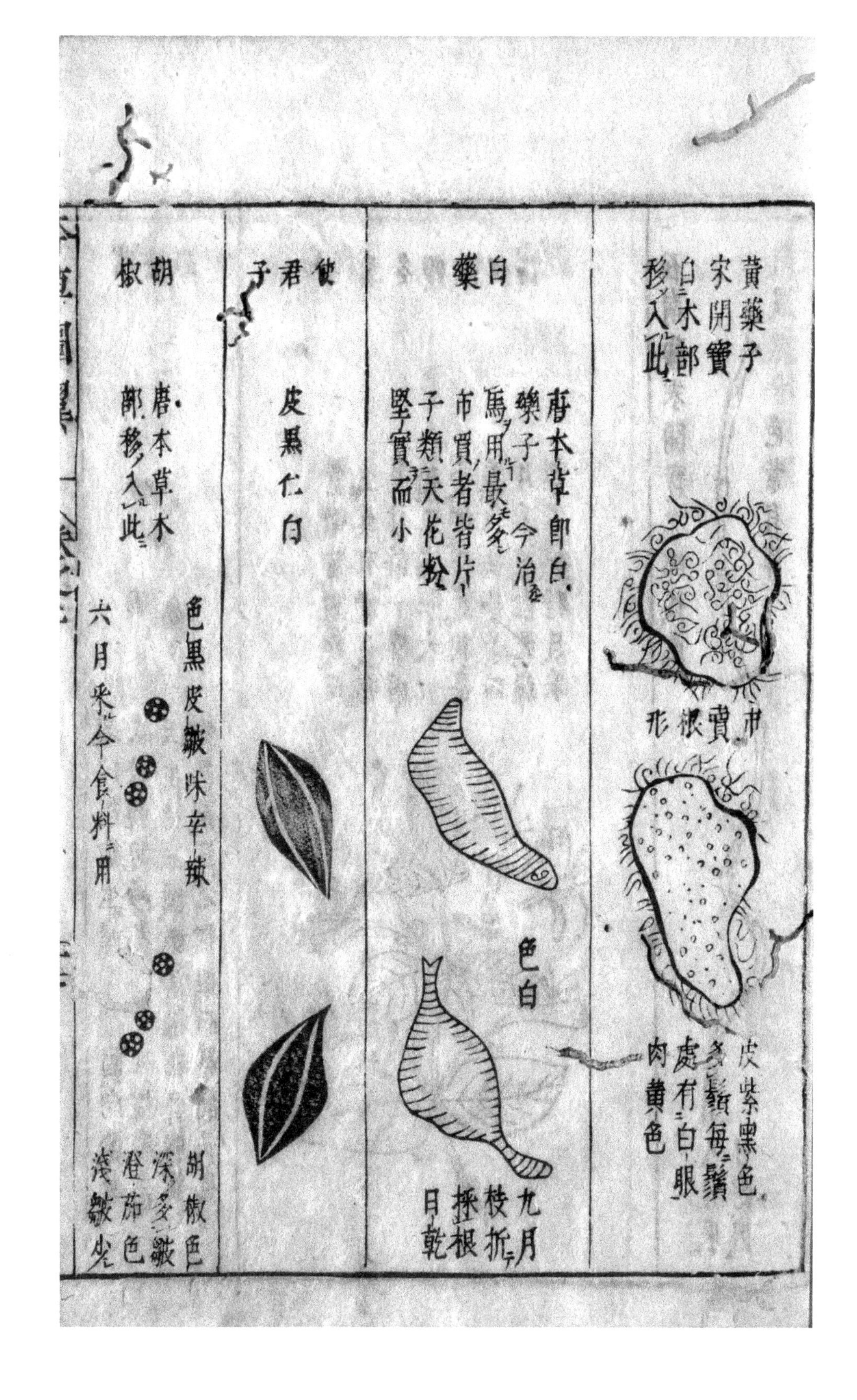
黄藥子
宋開寶白木部移入此
市賣根形
皮紫黑色多鬚每鬚處有白眼肉黄色
白藥
唐本草卽白藥子今治馬用最多市買者皆片子類天花粉堅實而小
色白
九月枝折採根日乾
使君子
皮黑仁白
胡椒
唐本草木部移入此
色黑皮皺味辛辣
六月采今食料用
胡椒色深多皺
澄茄色淺皺少

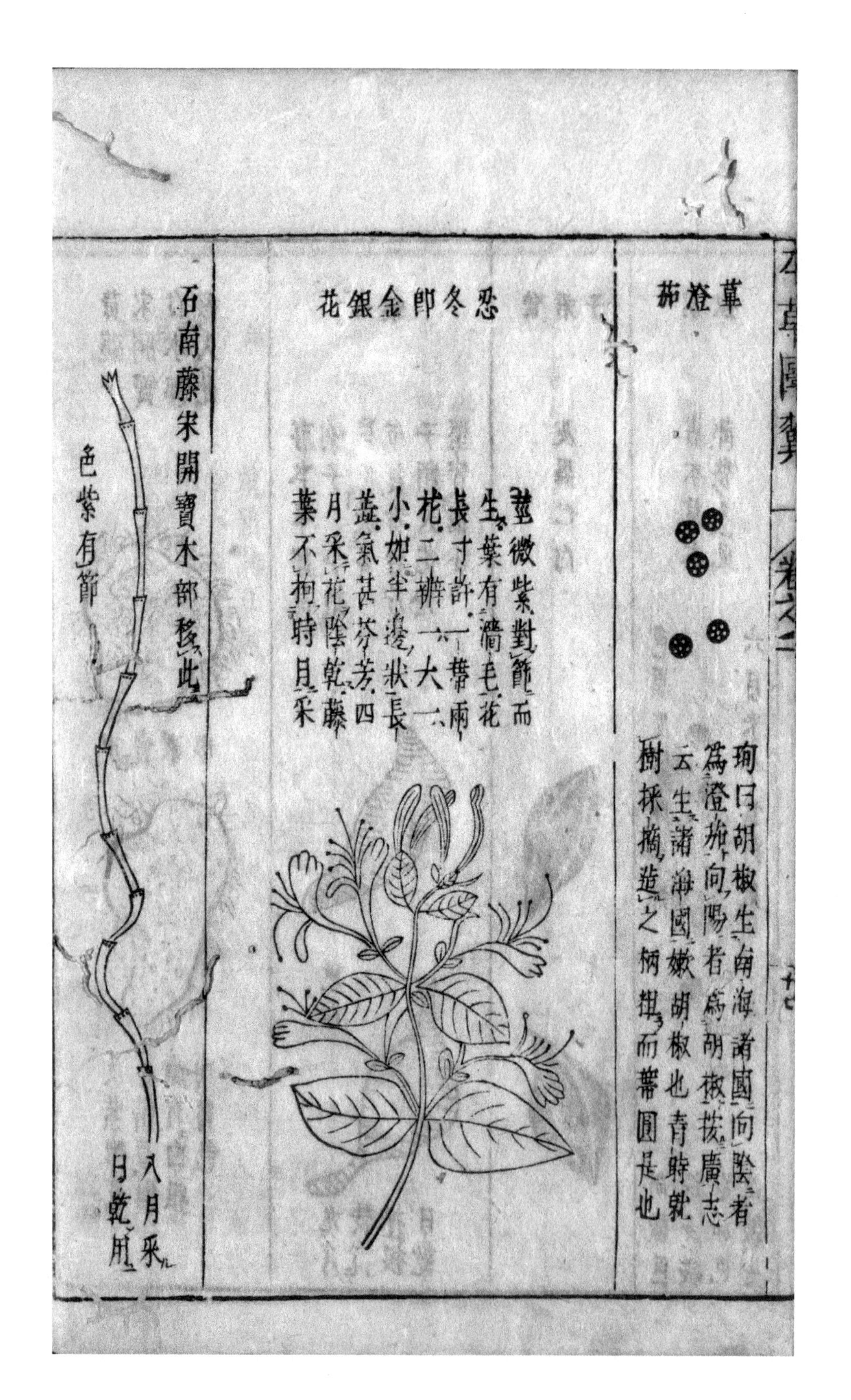

蓽澄茄

珣曰胡椒生南海諸國向陰者爲澄茄向陽者爲胡椒按廣志云生諸海國嫩胡椒也青時就樹採摘造之柄粗而蒂圓是也

忍冬即金銀花

莖微紫對節而生葉有濇毛花長寸許一蒂兩花二瓣一大一小如半邊狀長蕋氣甚芬芳四月采花陰乾藤葉不拘時月采

石南藤宋開寶木部移此

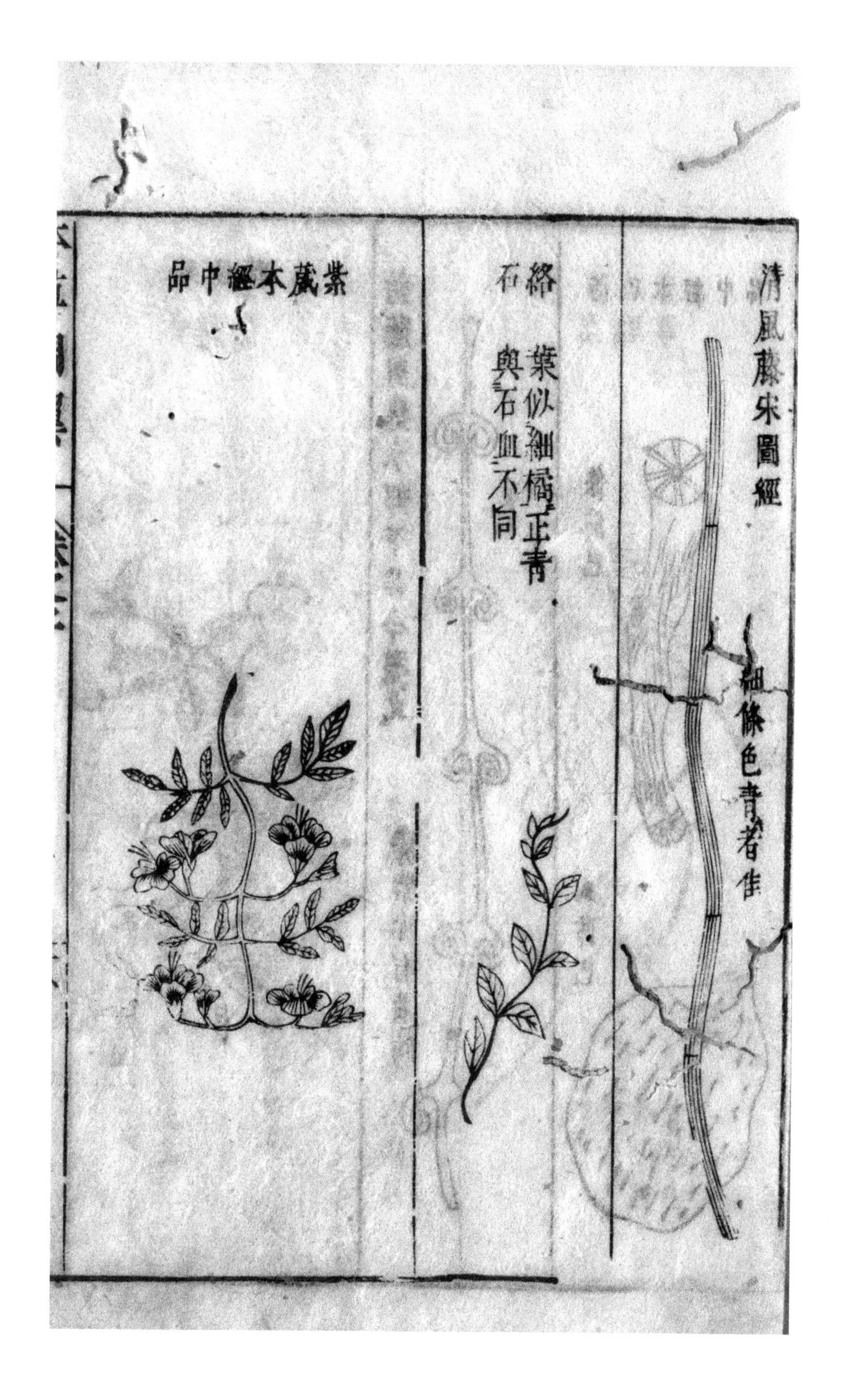
清風藤宋圖經
細條色青者佳
絡石
葉似細橘正青
與石血不同
紫葳本經中品

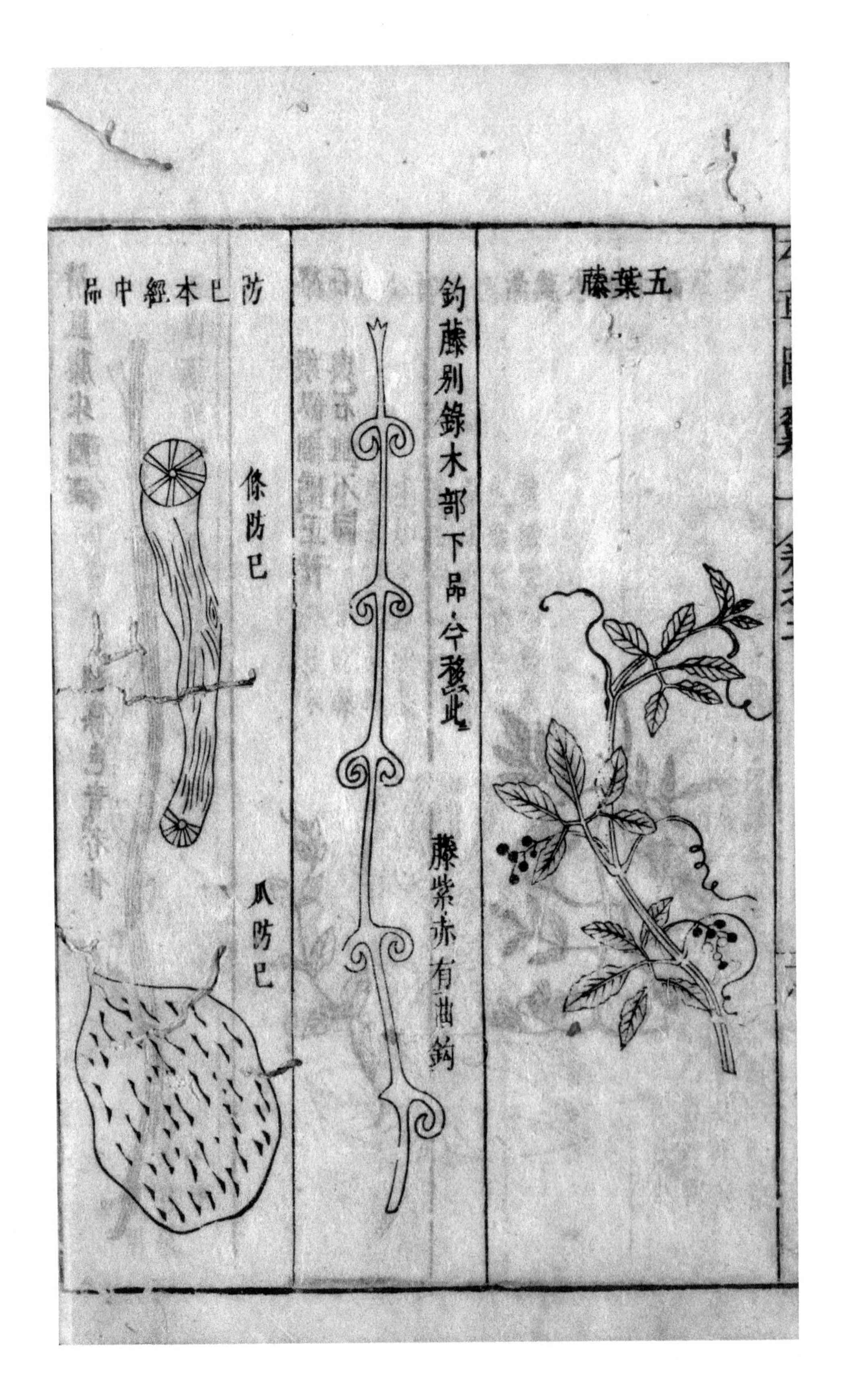
五葉藤
釣藤別錄木部下品・今移此
藤紫赤有曲鈎
防巳本經中品
條防巳
瓜防巳

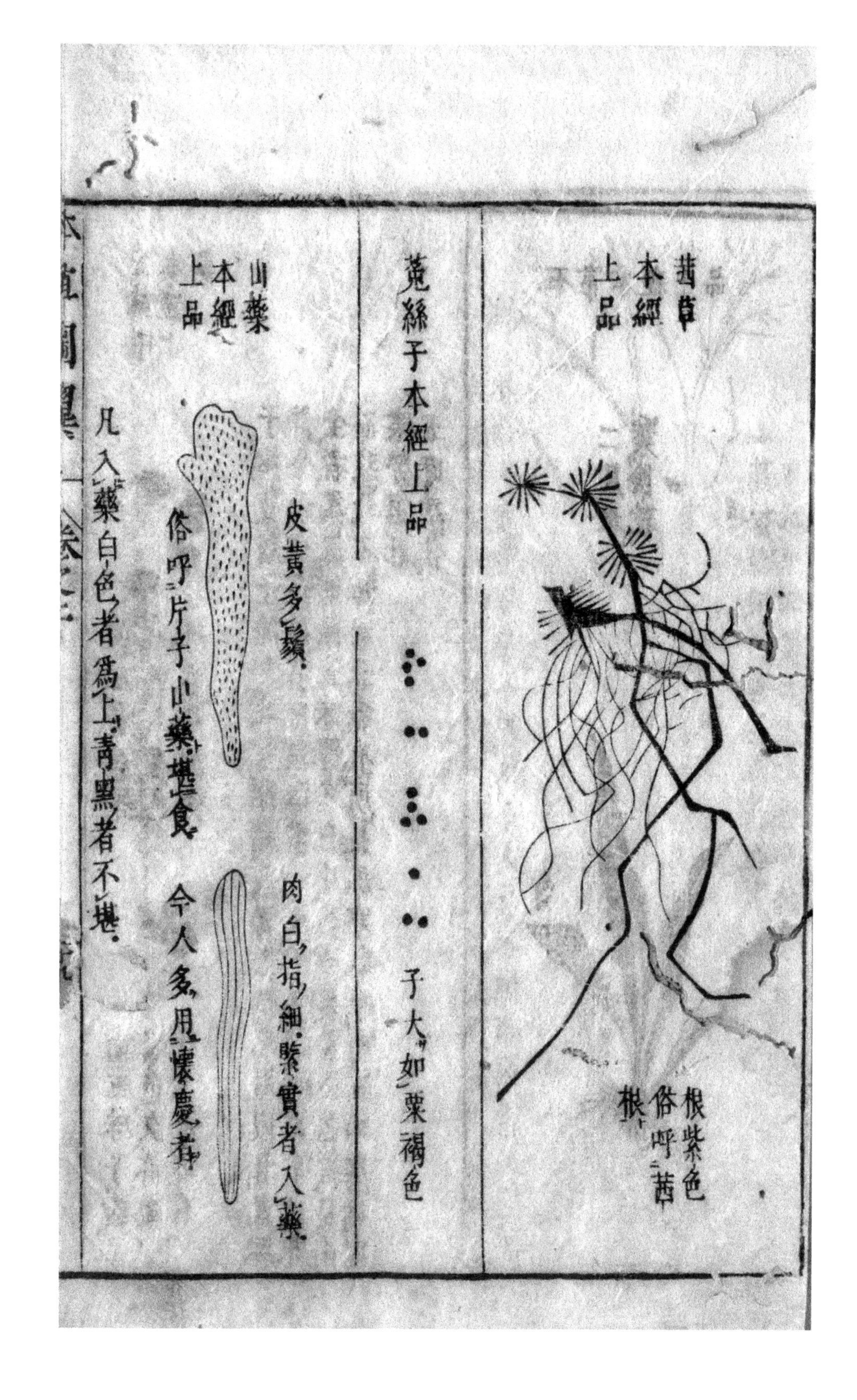
茜草
本經
上品
根紫色
俗呼茜根
菟絲子本經上品
子大如粟褐色
山藥
本經
上品
皮黃多鬚
俗呼片子山藥堪食
肉白指細緊實者入藥
令人多用懷慶者
凡入藥白色者爲上青黑者不堪

五味子 本經上品

遼五味子，鮮紅色，久黑色，俱多膏潤澤。

子

核

南五味子，新紫色，久赤黑，但少膏乾燥。

子比蔓荊子而大。北者澤潤，南者乾枯。凡用以北為勝。雷公云：小顆皺有白撲鹽霜一重，其味酸鹹苦辛甘，味全者為眞。則南五味陳久自生白撲，是雷公之言，是南而非北。不知南北各有所長。風寒欬嗽南五味為奇，虚寒勞傷北五味為佳。

石韋 本經中品

二月采葉陰乾。

背

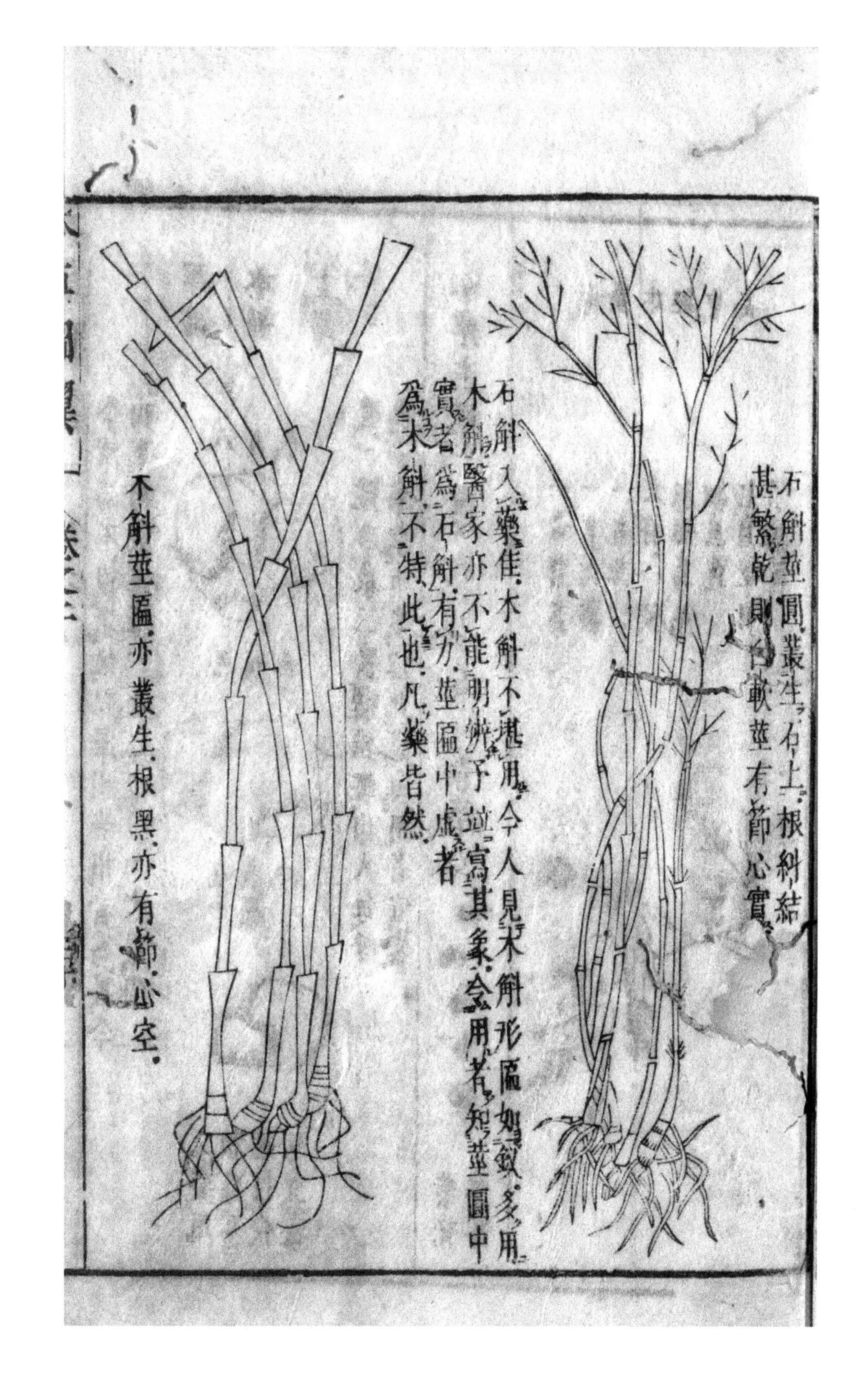
石斛莖圓叢生石上根糾結甚繁乾則白軟莖有節心實

石斛入藥佳木斛不堪用今人見木斛形扁如釵多用木斛醫家亦不能明辨予並寫其象今用者知莖圓中實者爲石斛有力莖扁中虛者爲木斛不特此也凡藥皆然

木斛莖扁亦叢生根黑亦有節心空

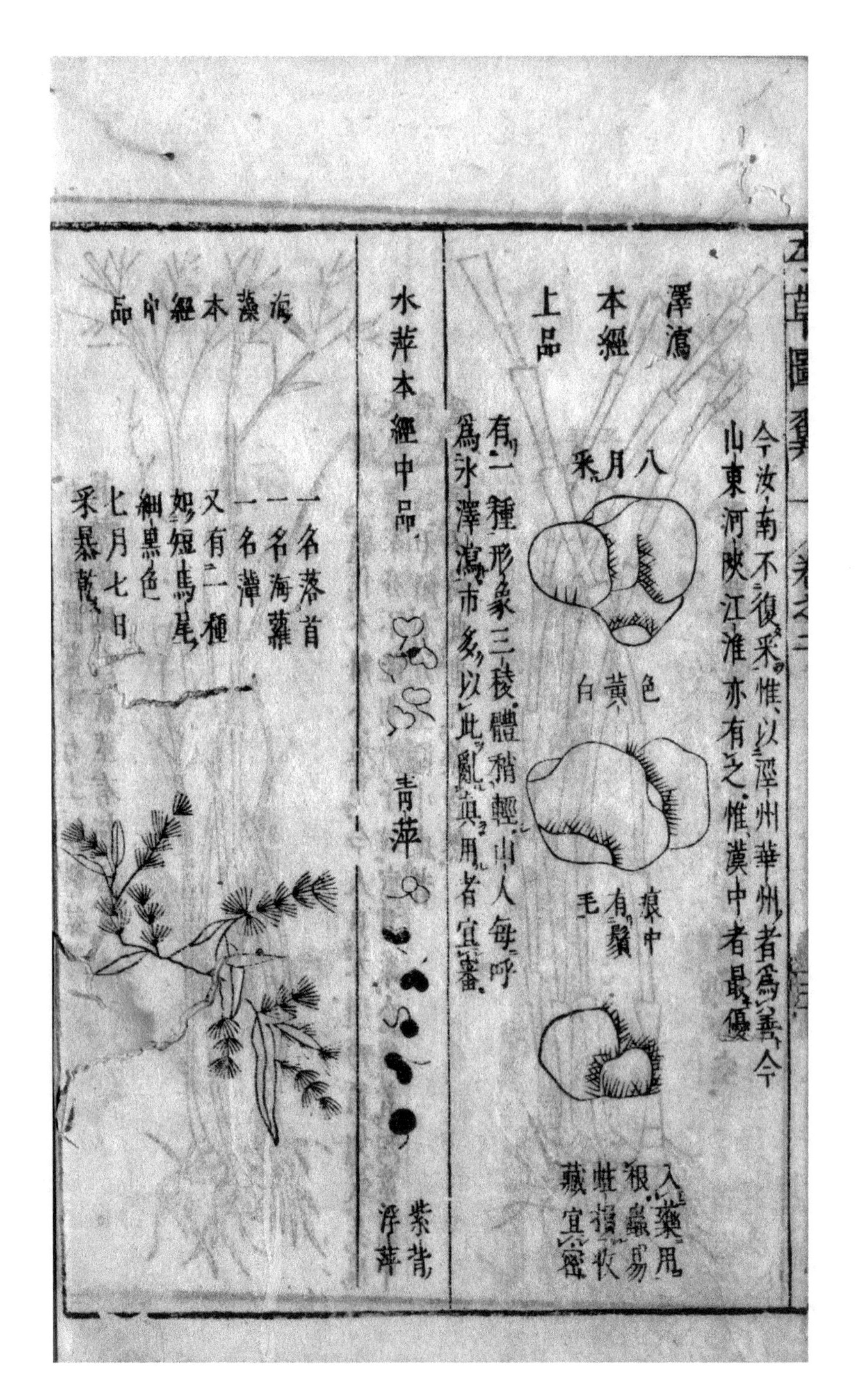
本草圖翼　卷之二

今汝南不復采。惟以涇州華州者爲善。今山東河陝江淮亦有之。惟漢中者最優。

澤瀉　本經上品

八月采

色黄白

環中有鬚毛

入藥用根。蟲易蛀損。收藏宜密。

水萍　本經中品

有二種。形象三稜。體稍輕。山人每呼爲氷澤瀉。市多以此亂眞。用者宜審。

青萍

紫背浮萍

海藻　本經中品

一名落首

一名海蘿

一名藫

又有二種

如短馬尾

細黒色

七月七日

采暴乾

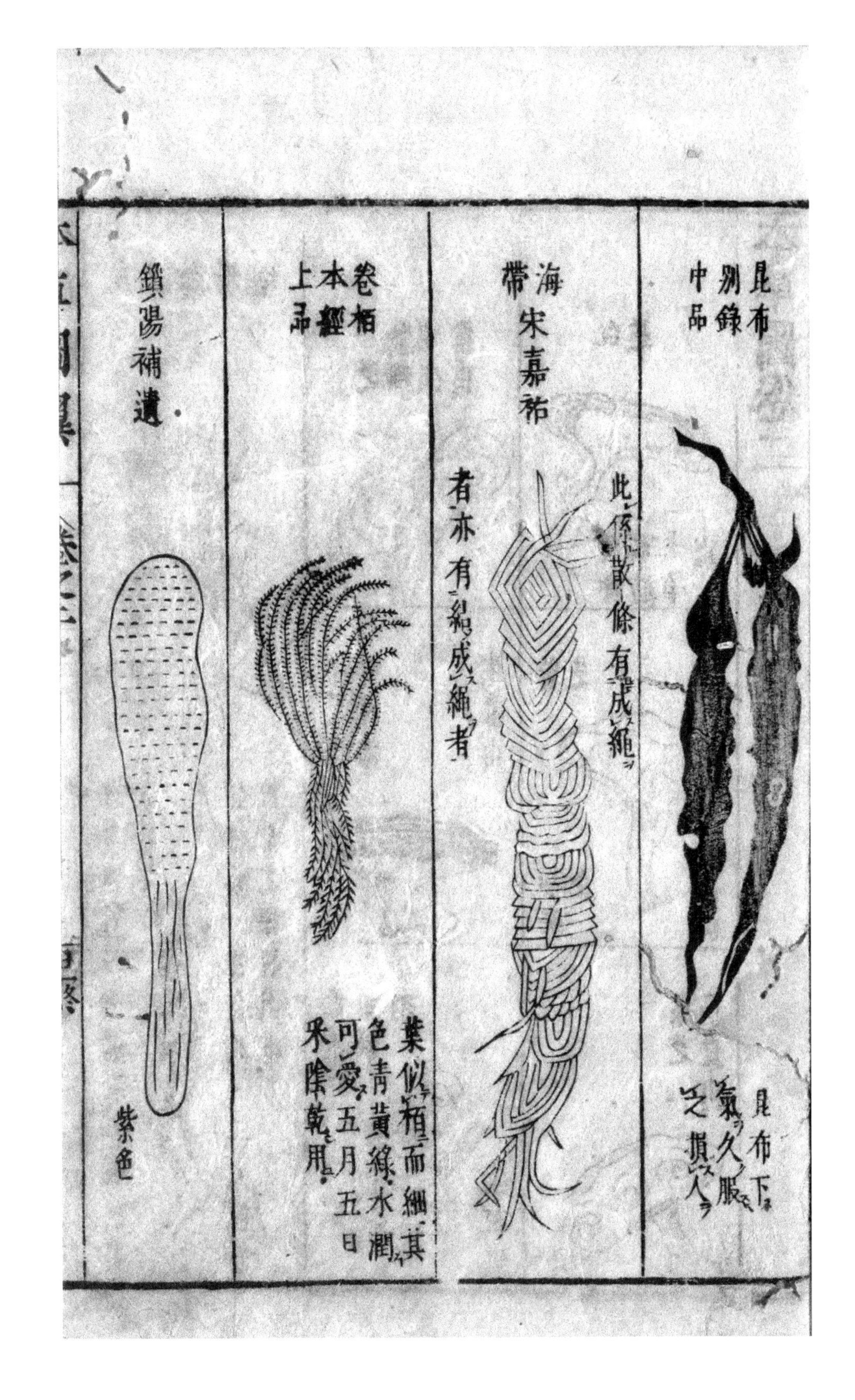
昆布
別錄中品
此係散條有成繩
者亦有絞成繩者
昆布下氣久服之損人
海帶
宋嘉祐
卷柏
本經上品
葉似柏而細其色青黃綠水潤可愛五月五日采陰乾用
鎖陽
補遺
紫色

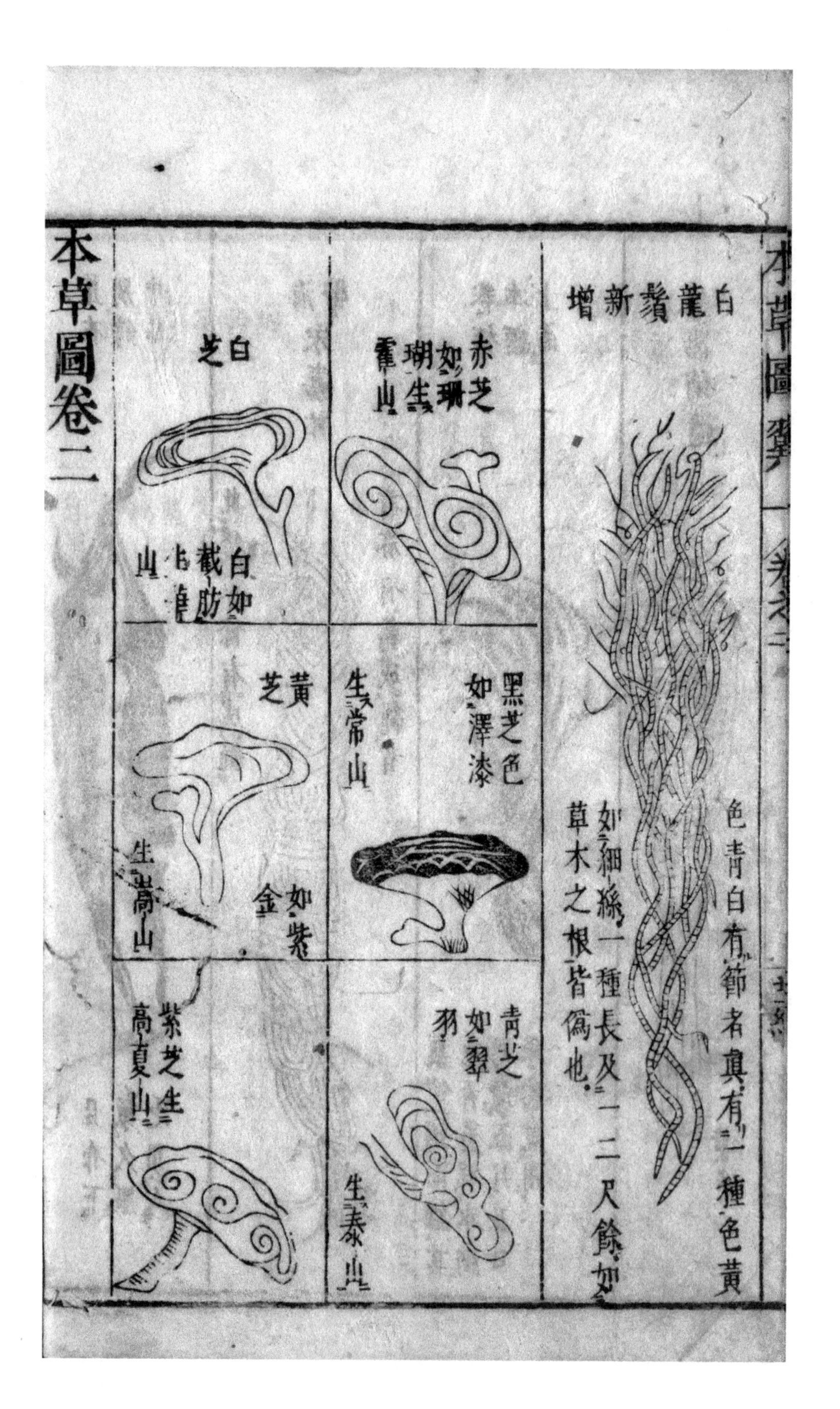
本草圖卷二
白龍鬚新增
色青白有節者真有一種色黄如細絲一種長及一二尺餘如草木之根皆僞也
赤芝
如珊瑚生霍山
白芝
白如截肪生華山
黑芝色如澤漆
生常山
黄芝
如紫金
生嵩山
青芝
如翠羽
生泰山
紫芝生高夏山

特1
1715

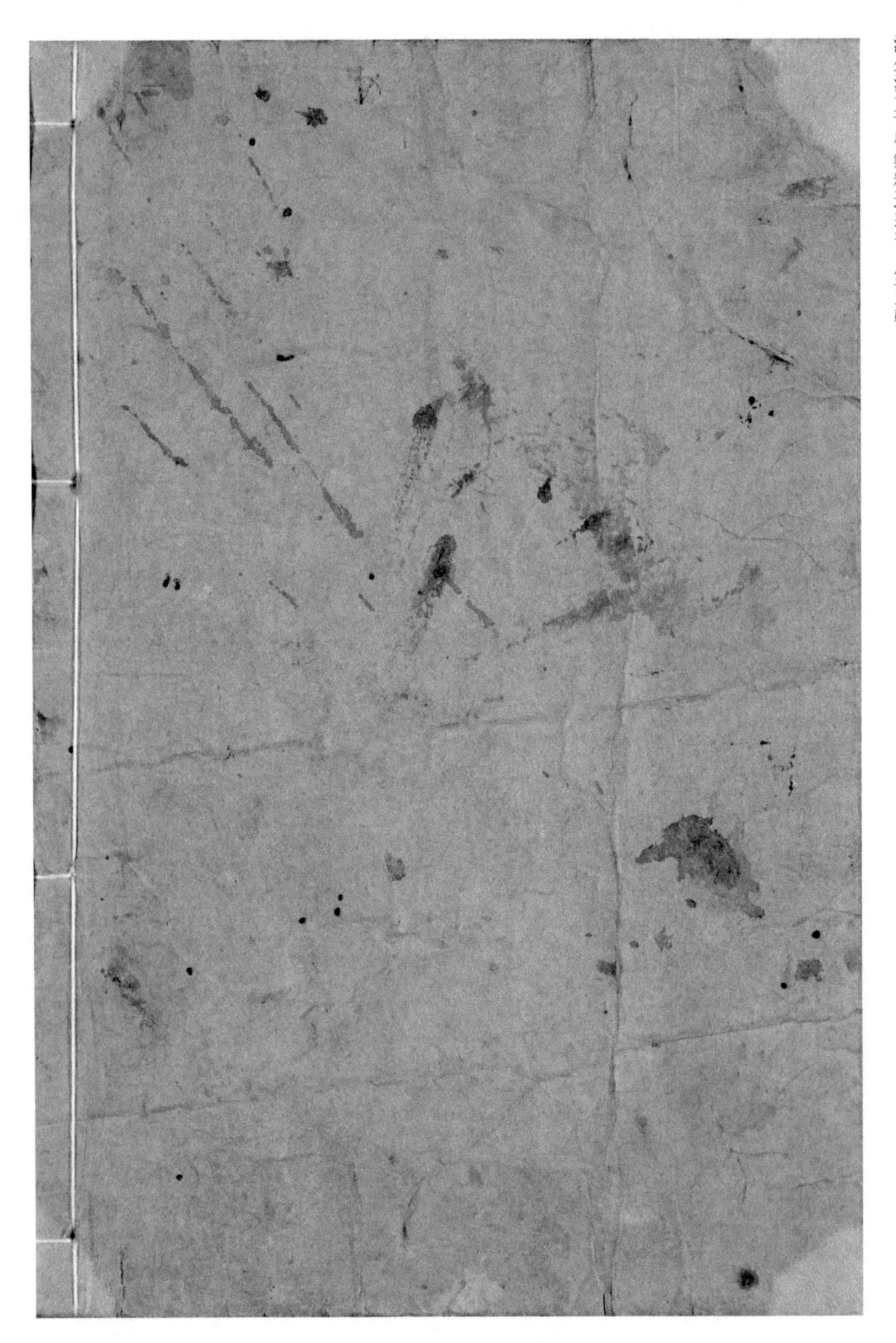

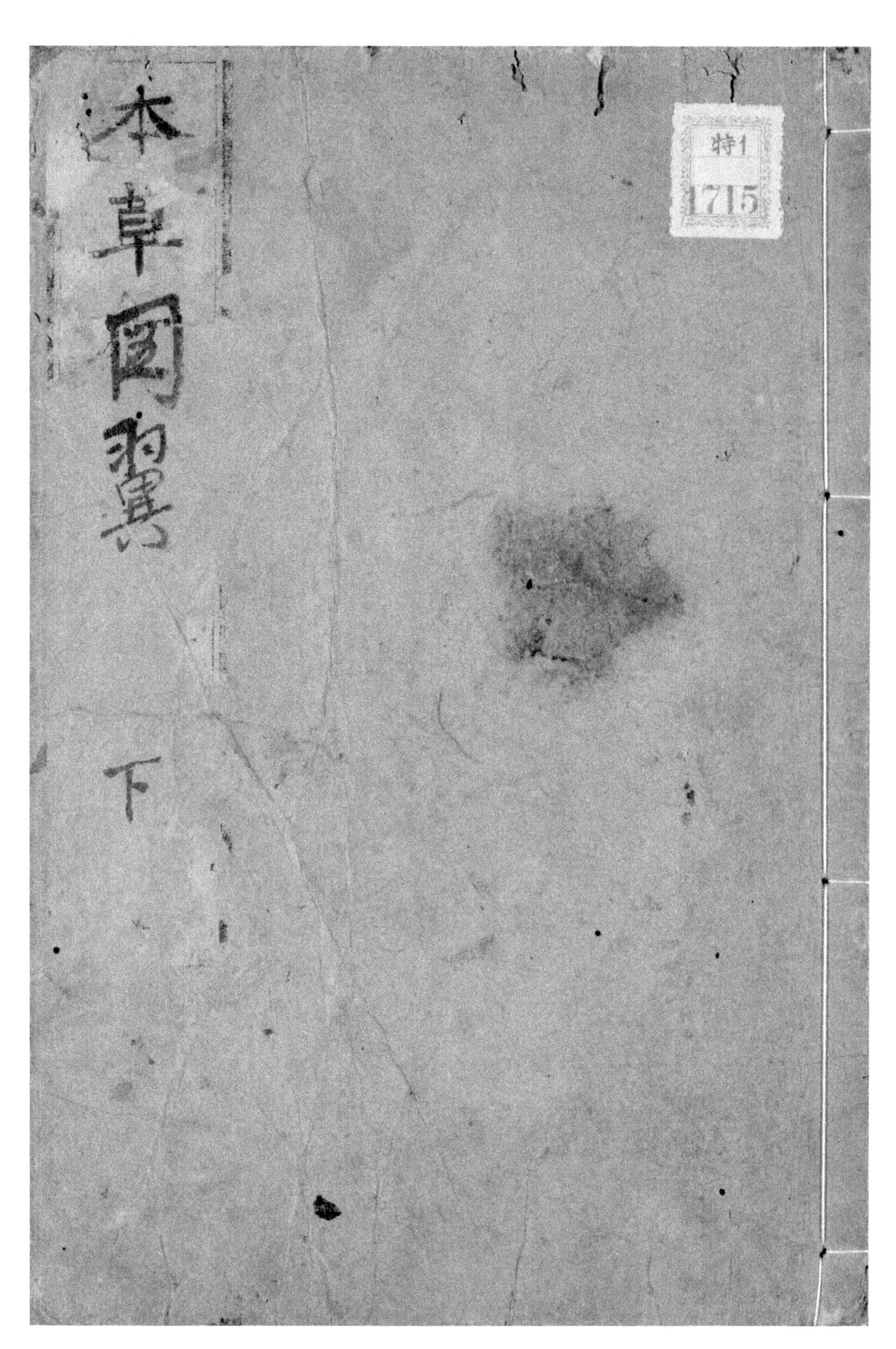
本草圖翼
下
特1
1715

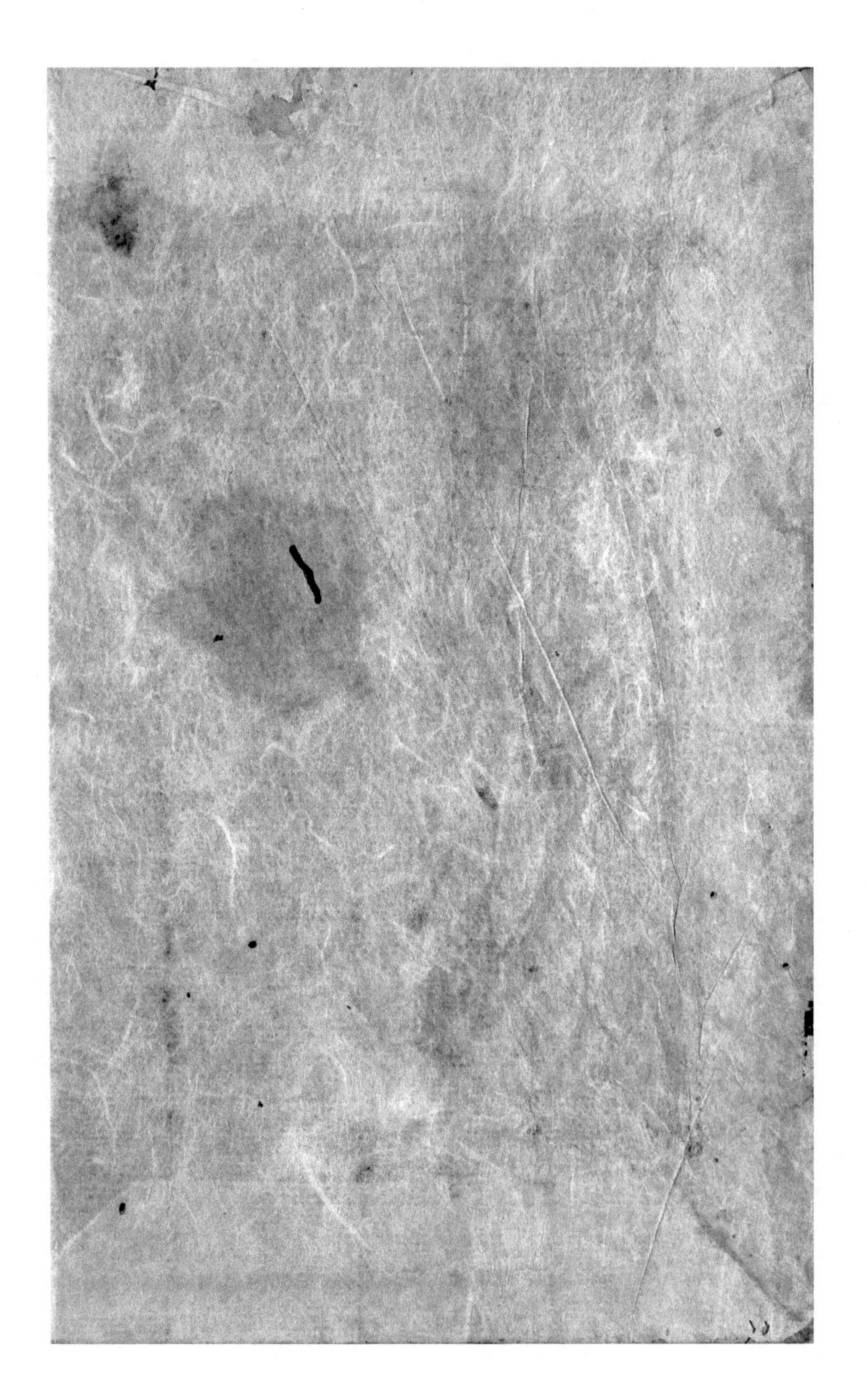

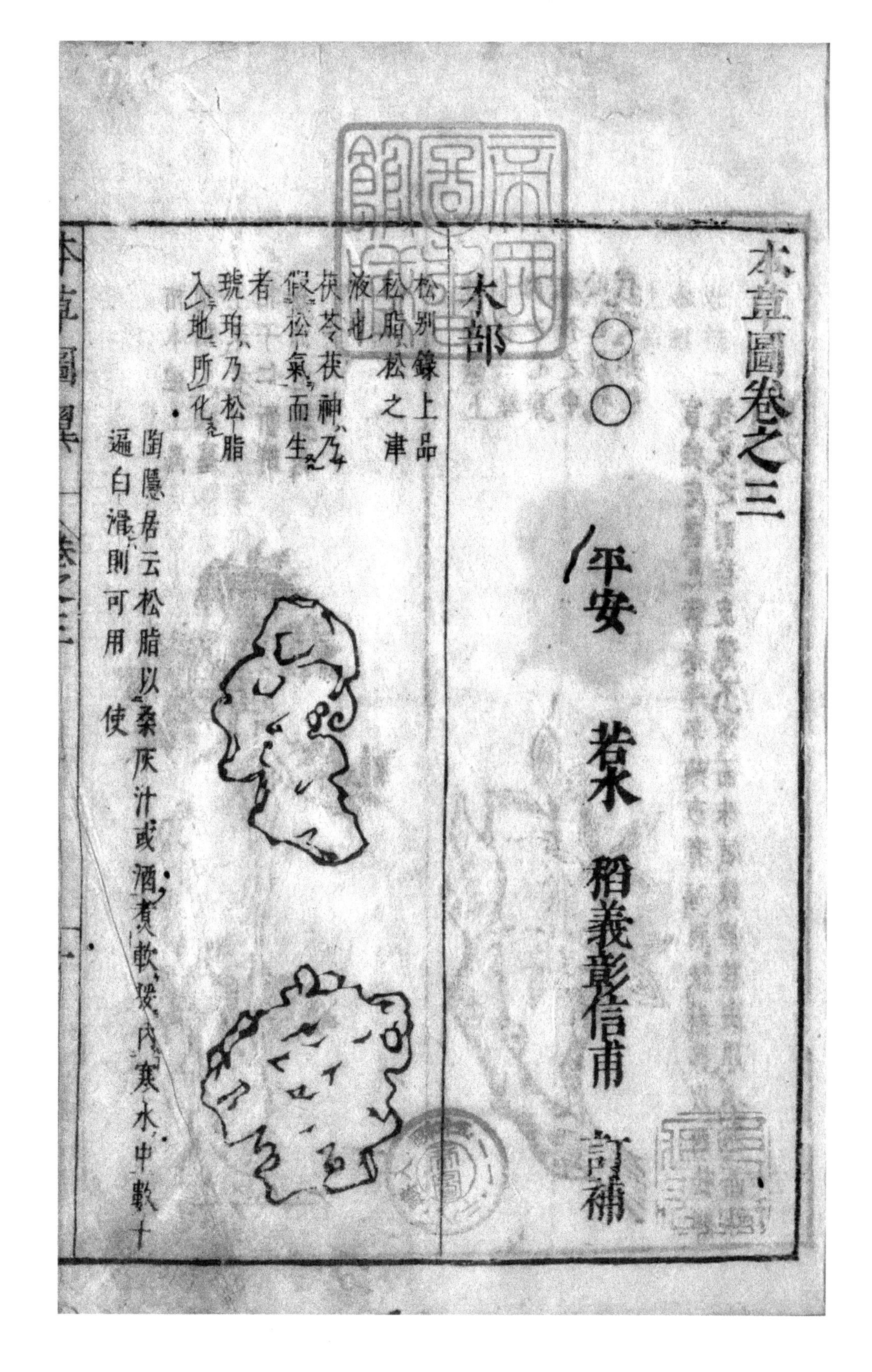

本草圖卷之三

○○

平安　若水　稻義彰信甫　訂補

木部

松脂　別錄上品

松脂松之津液也

茯苓茯神乃假松氣而生者

琥珀乃松脂入地所化

陶隱居云松脂以桑灰汁或酒煮軟挼內寒水中數十遍白滑則可用　使

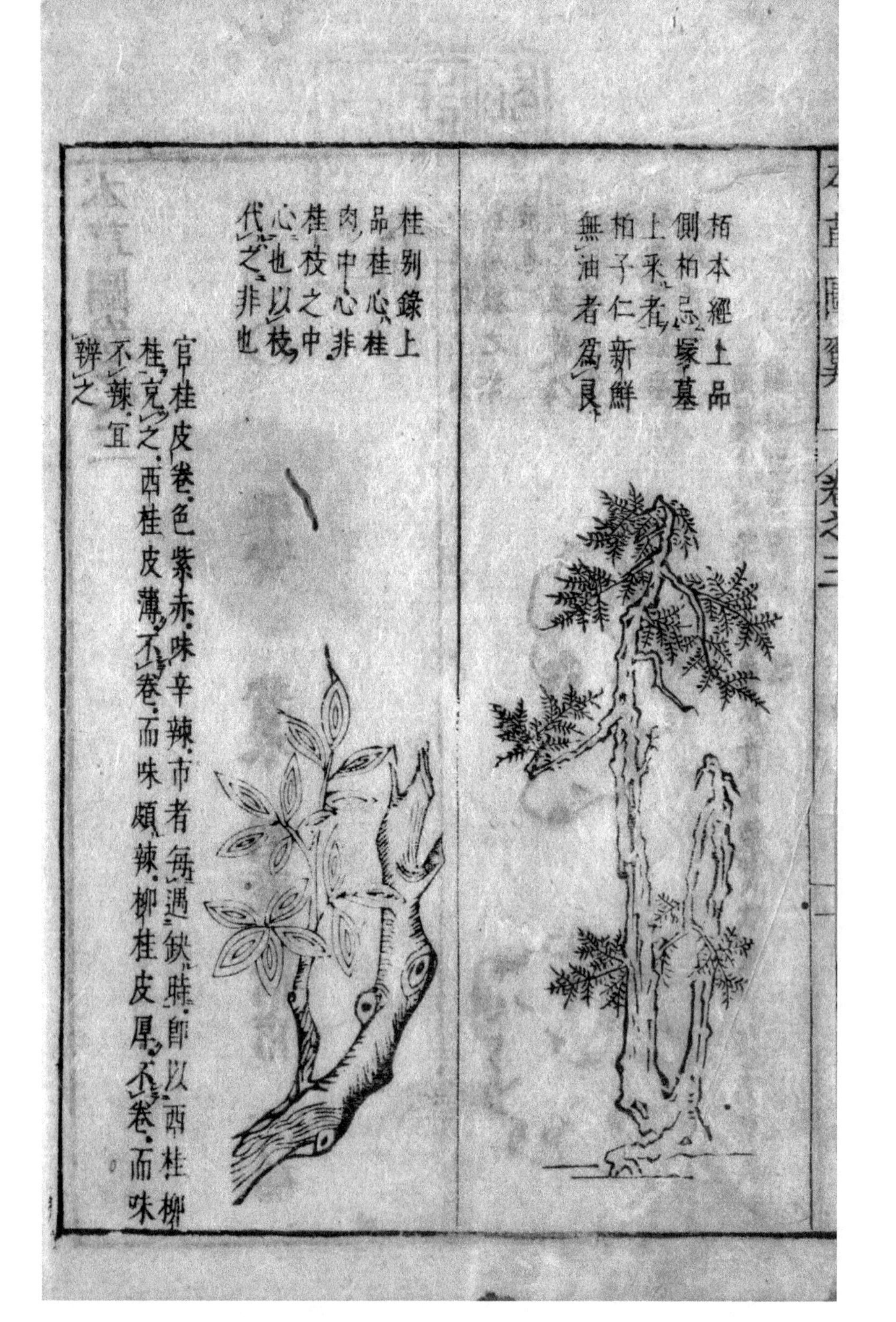

栢本經上品
側柏忌塜墓
上采者
柏子仁新鮮
無油者爲良

桂別錄上
品桂心桂
肉中心非
桂枝之中
心也以枝
代之非也

官桂皮卷色紫赤味辛辣市者每遇缺乏即以西桂柳
桂充之西桂皮薄不卷而味頗辣柳桂皮厚不卷而味
不辣宜
辨之

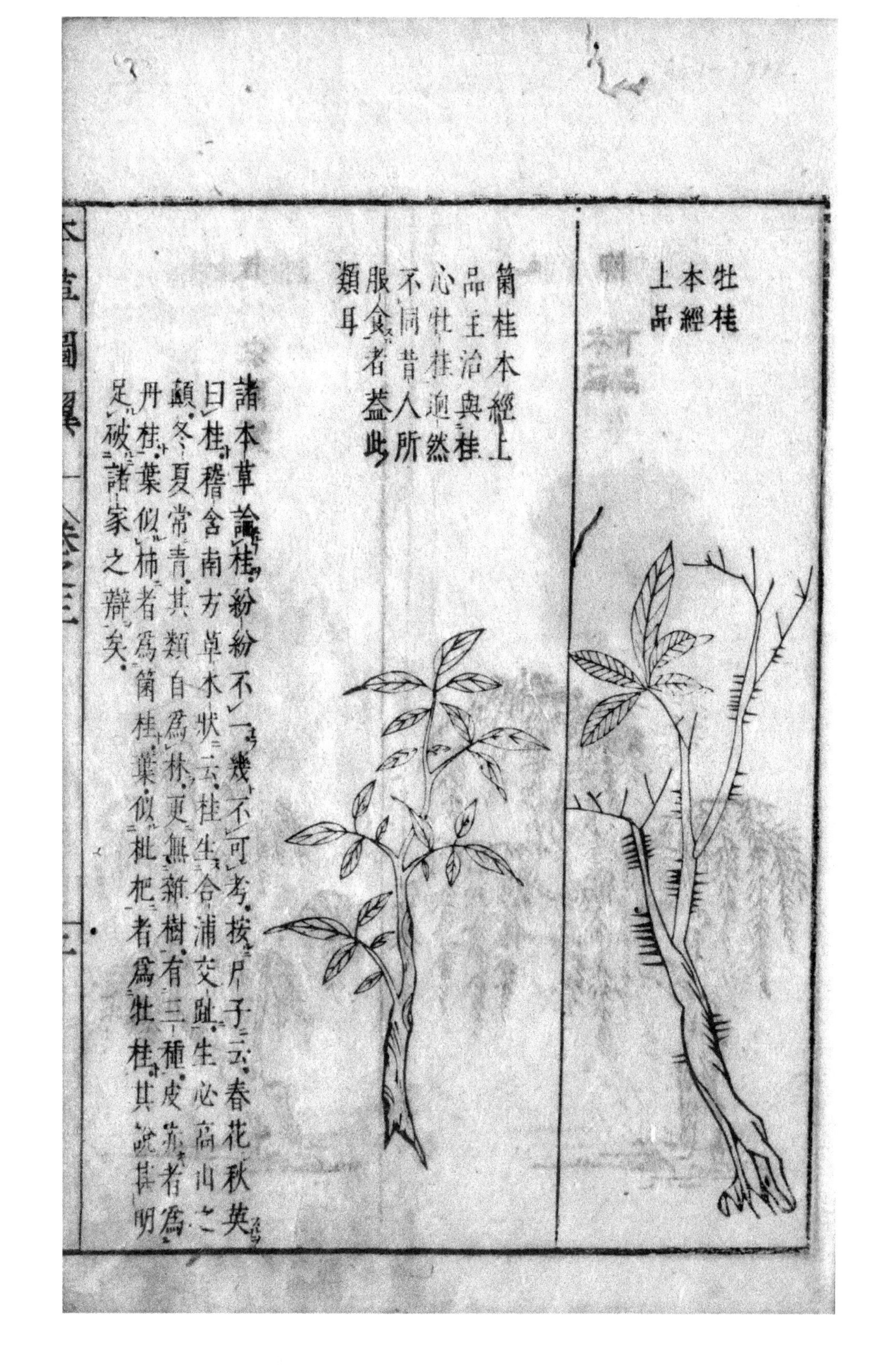

牡桂 本經上品

箘桂 本經上品 主治與牡桂迥然不同 昔人所服食者蓋此類耳

諸本草論桂紛紛不一幾不可考按尸子云春花秋英曰桂稽含南方草木狀云桂生合浦交趾生必高山之顛冬夏常青其類自爲林更無雜樹有三種皮赤者爲丹桂葉似柿者爲箘桂葉似枇杷者爲牡桂其說甚明足破諸家之辯矣

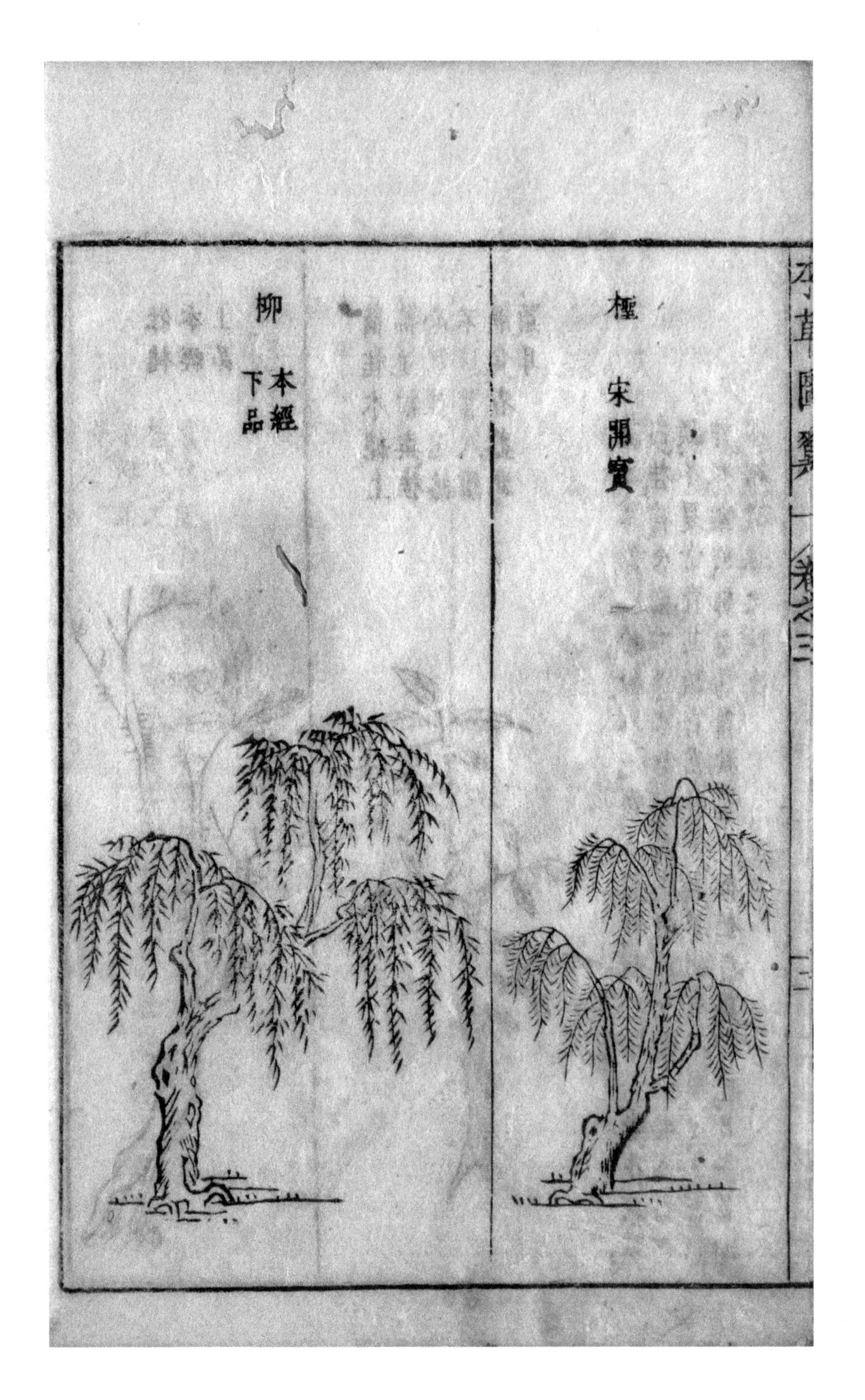
檉 宋開寶
柳 本經下品

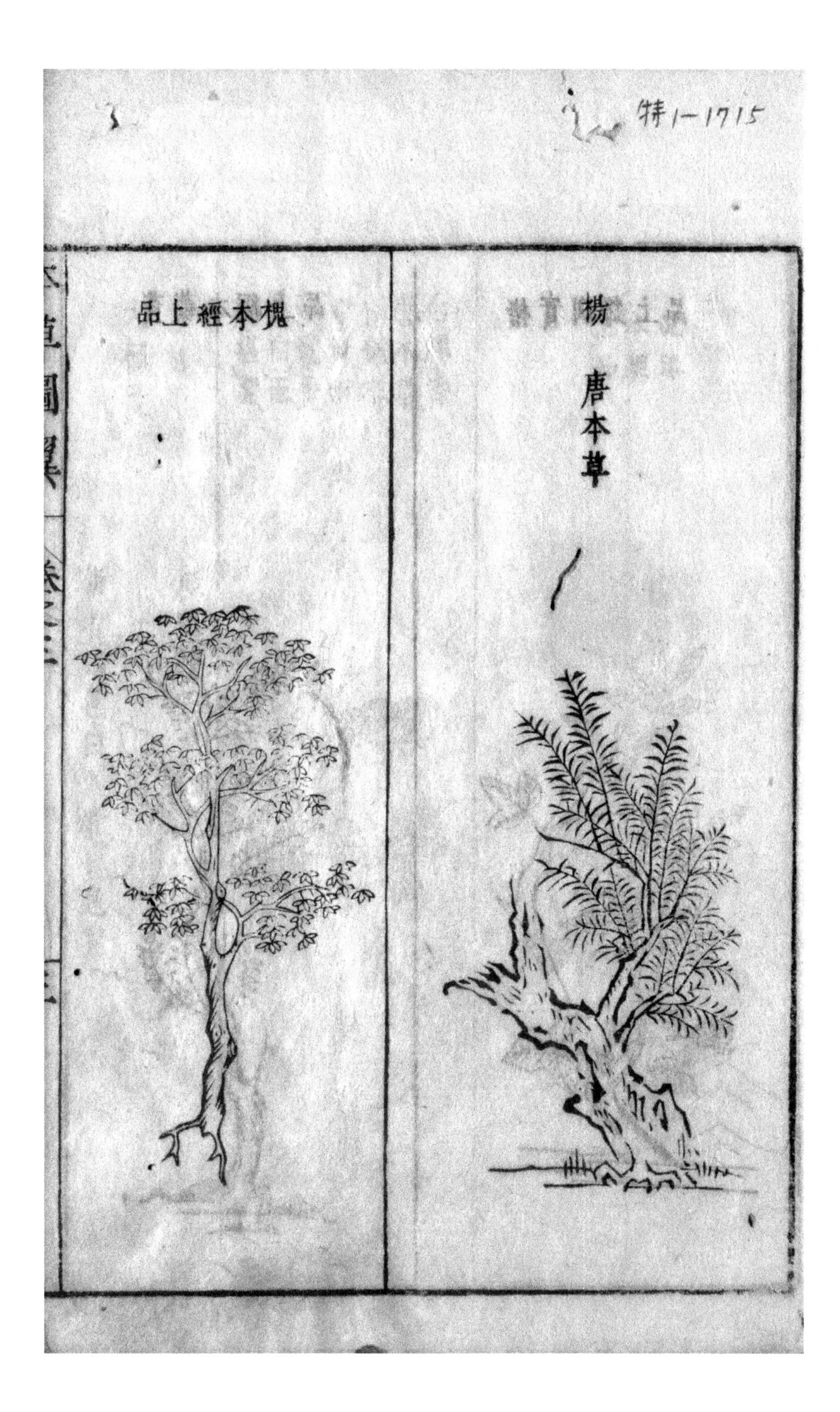
特1-1715
楊
唐本草
槐本經上品

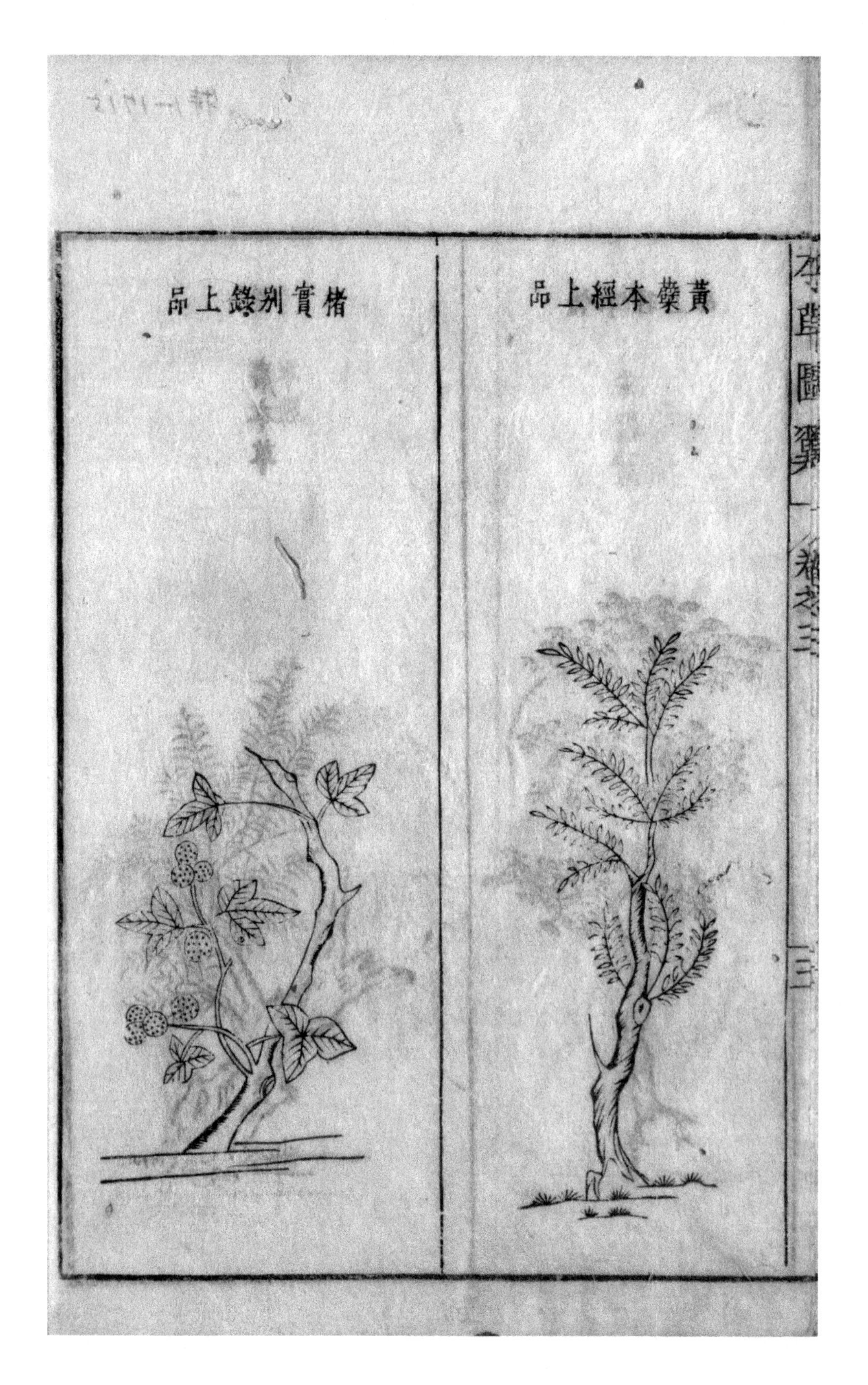
黃蘗本經上品
楮實別錄上品

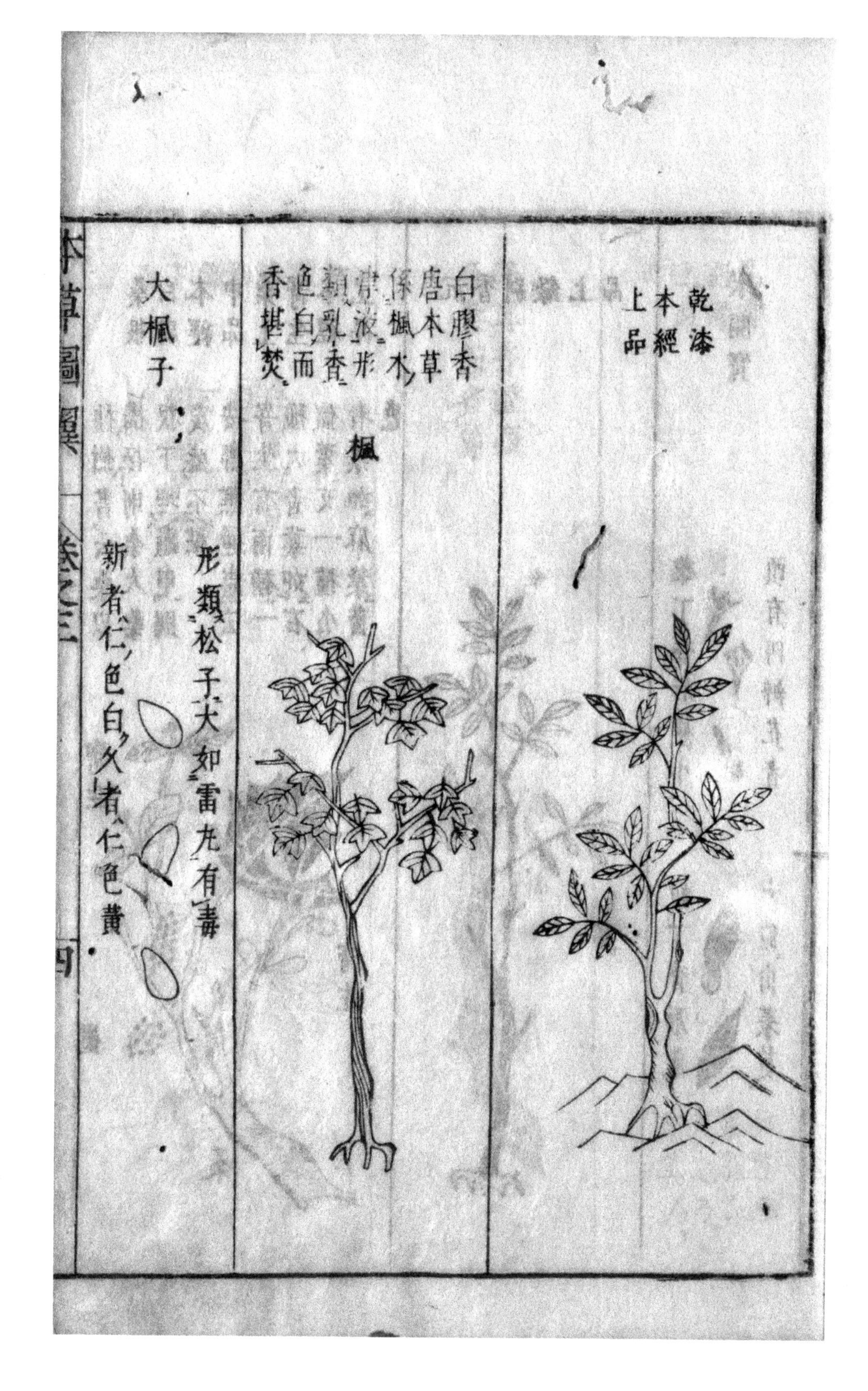
乾漆
本經
上品

白膠香
唐本草
係楓木津液形類乳香色白而香甚焚

楓

大楓子

形類松子大如雷丸有毒

新者仁色白久者仁色黄

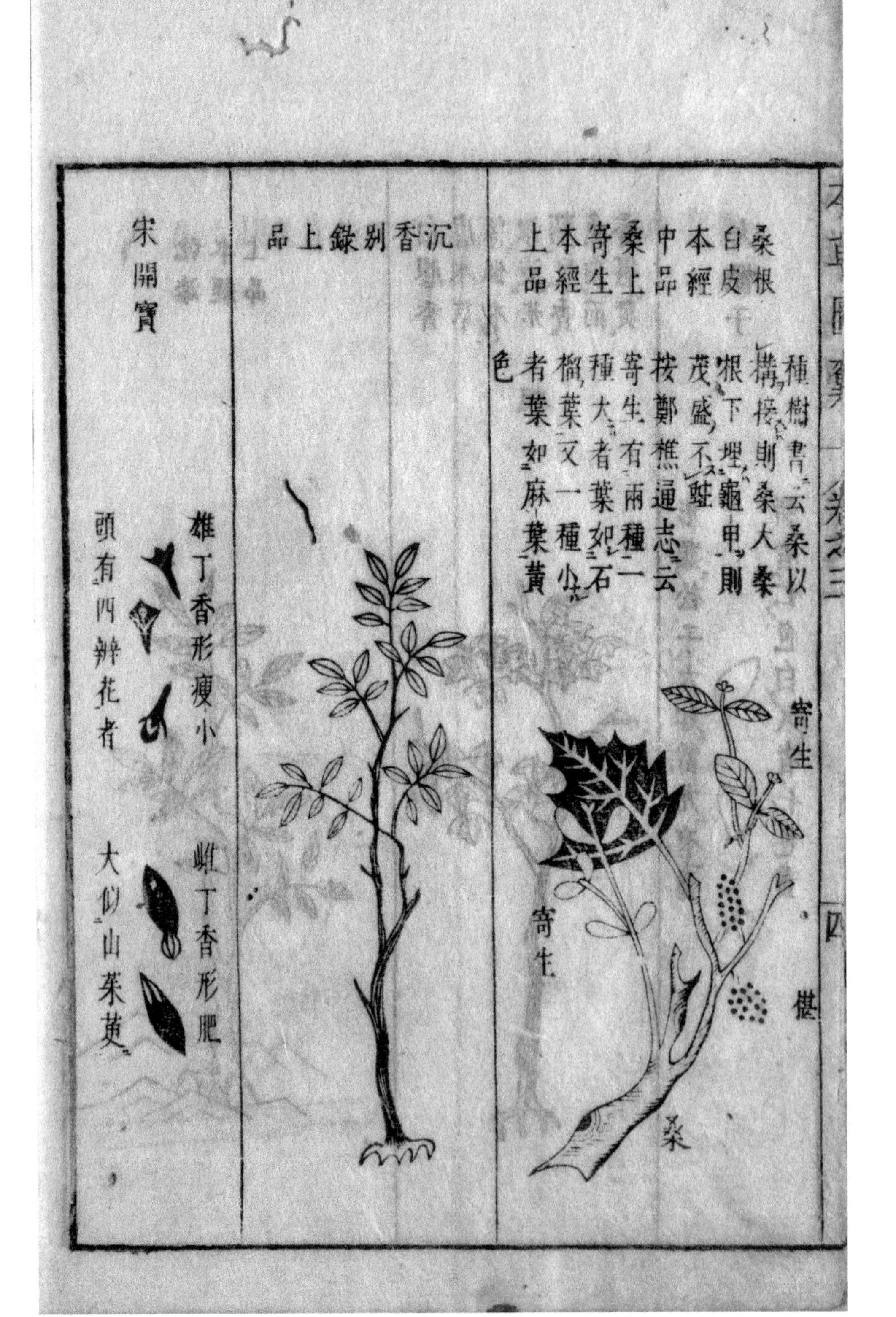

桑根白皮 本經中品

種樹書云桑以構接則桑大桑根下埋龜甲則茂盛不蛀

桑上寄生 本經上品

按鄭樵通志云寄生有兩種一種大者葉如石榴葉又一種小者葉如麻葉黃色

沉香 別錄上品

宋開寶

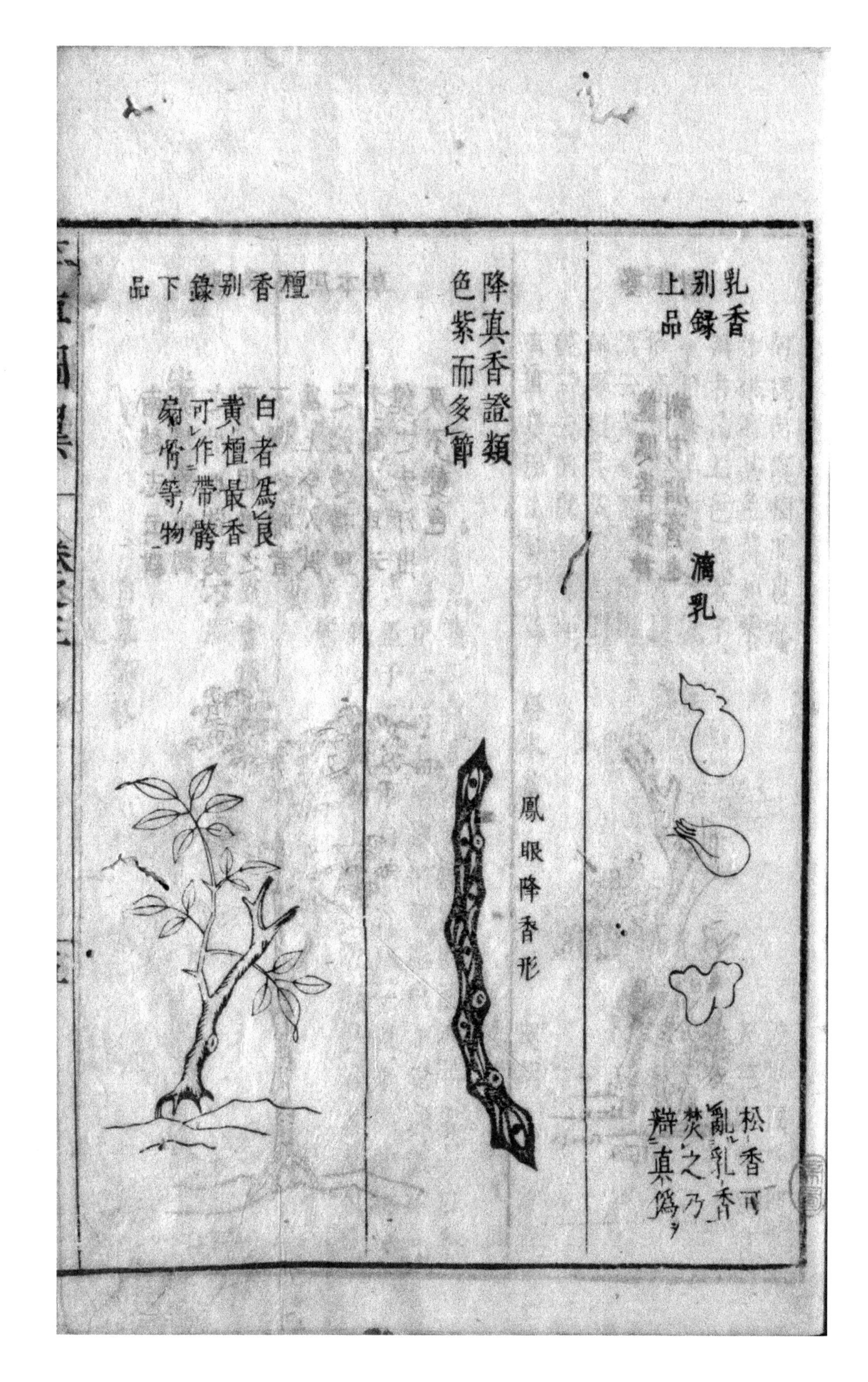
乳香
別録
上品
滴乳
松香可亂乳香焚之乃辯真僞
降真香證類
色紫而多節
鳳眼降香形
檀香別録下品
白者爲良
黄檀最香
可作帶髈
扇骨等物

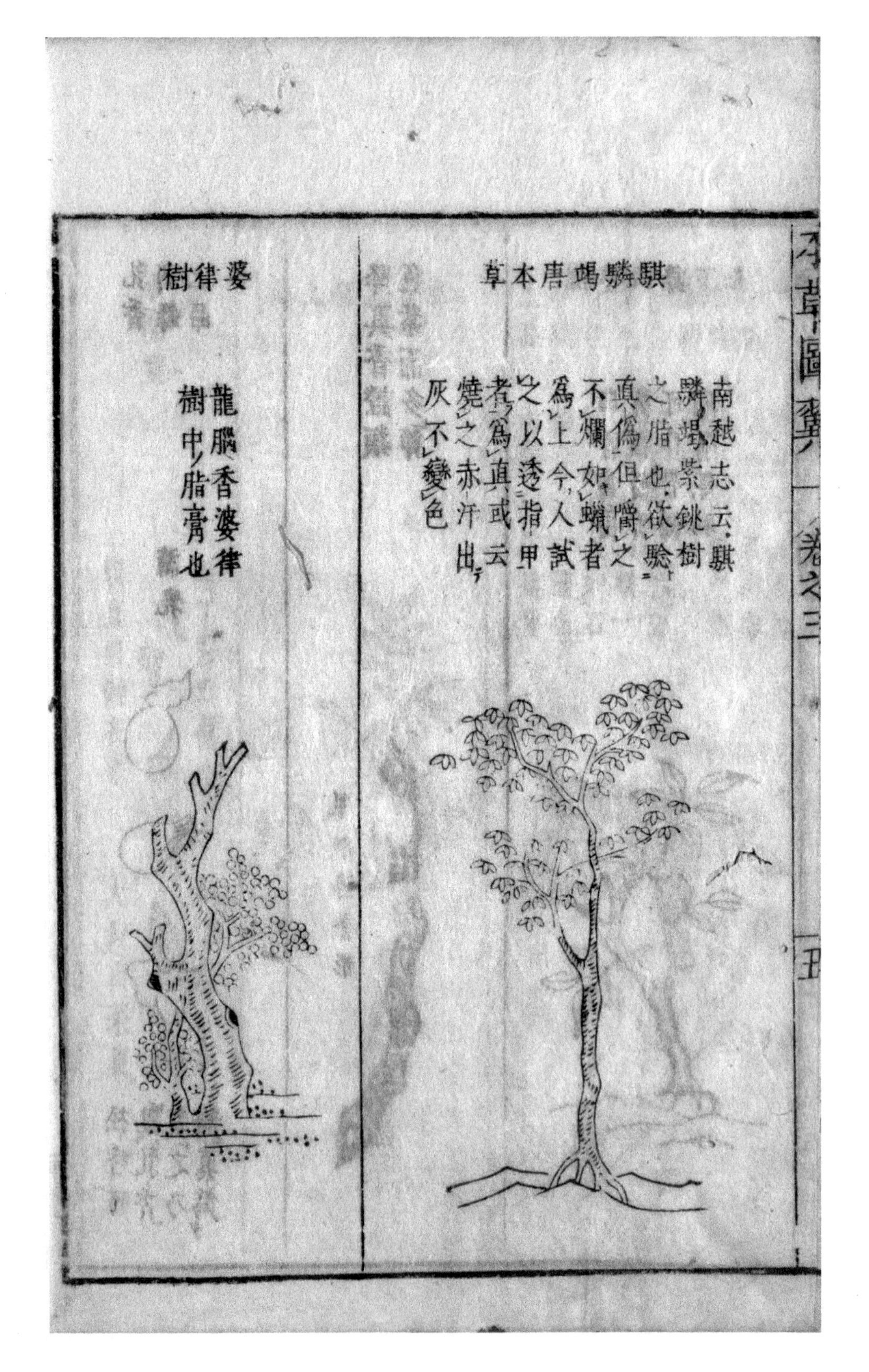

騏驎竭唐本草

南越志云騏驎竭紫鉚樹之脂也欲驗真偽但嚼之不爛如蠟者為上今人試之以透指甲者為真或云燒之赤汁出灰不變色

婆律樹

龍腦香婆律樹中ノ脂膏也

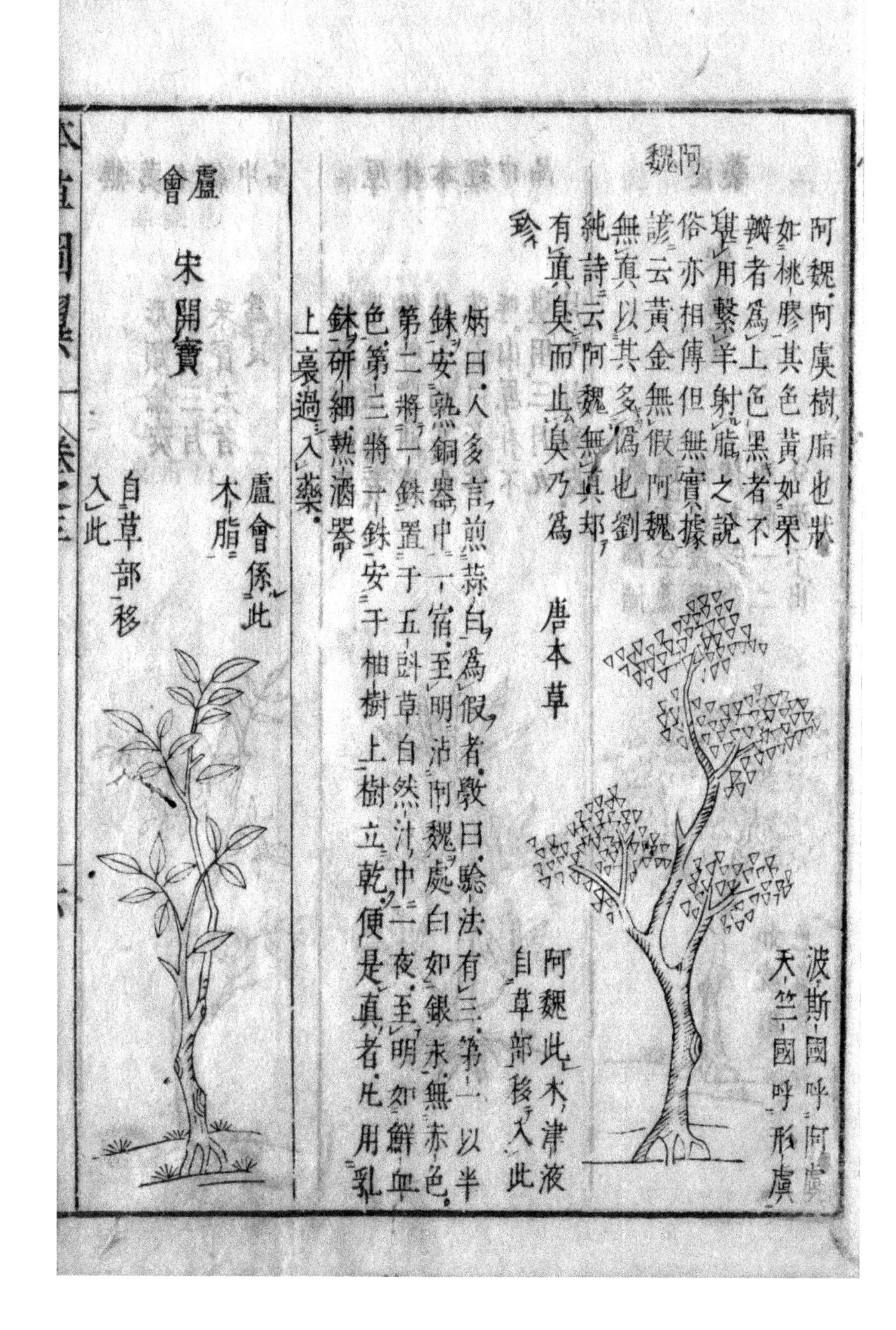

阿魏

阿魏阿虞樹脂也狀如桃膠其色黃如栗瓣者為上色黑者不堪用繫羊射脂之說俗亦相傳但無實據諺云黄金無假阿魏無真以其多偽也劉純詩云阿魏無真卻有真臭而止臭乃為珍　唐本草

阿魏此木津液自草部移入此

波斯國呼阿虞天竺國呼形虞

炳曰人多言煎蒜白為假者斆曰驗法有三第一以半銖安熟銅器中一宿至明沾阿魏處白如銀永無赤色第二將一銖置于五斗草自然汁中一夜至明如鮮血色第三將一銖安于柚樹上樹立乾便是真者凡用乳鉢研細熱酒器上裛過入藥

盧會　宋開寶

盧會係此木脂自草部移入此

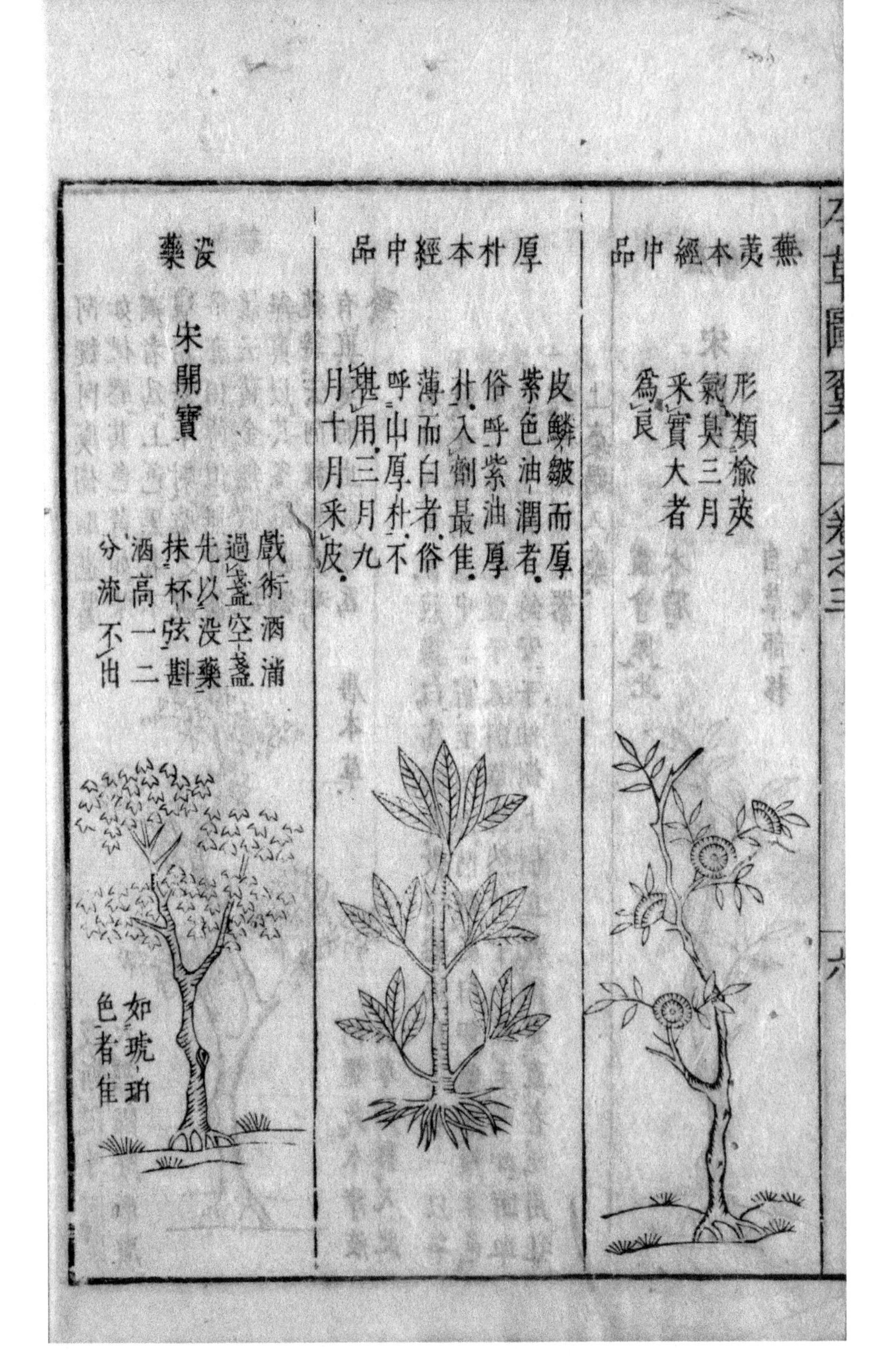

蕪荑　本經中品

宋

形類榆莢氣臭三月采實大者爲良

厚朴　本經中品

皮鱗皺而厚紫色油潤者俗呼紫油厚朴入劑最佳薄而白者俗呼山厚朴不堪用三月九月十月采皮

沒藥

宋開寶

戲術酒湔過盞空盞先以沒藥抹杯弦斟酒高一二分流不出

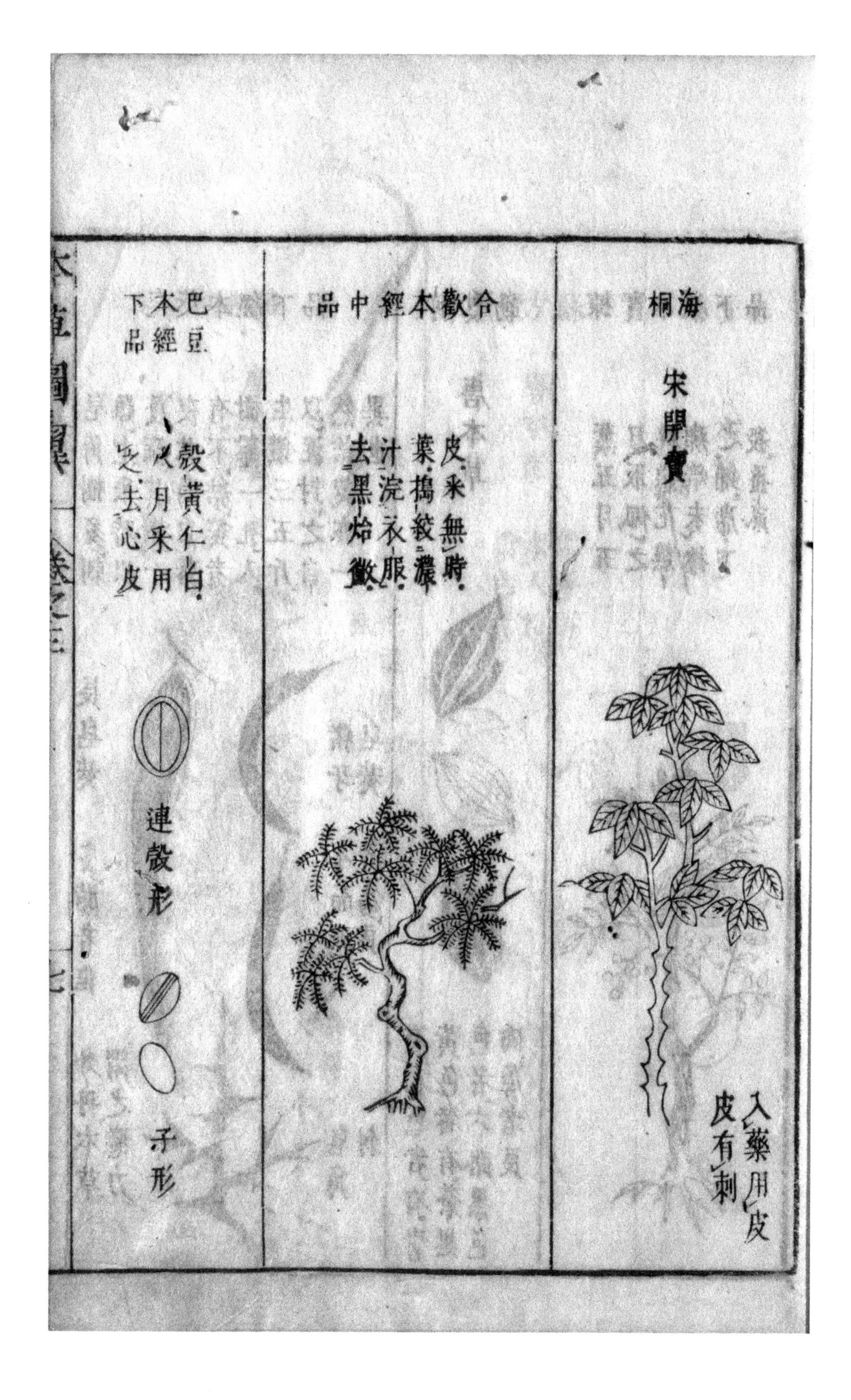
海桐
宋開寶
入藥用皮
皮有刺
合歡本經中品
皮采無時
葉搗絞濃
汁浣衣服
去黑焰黴
巴豆
本經
下品
殼黃仁白
八月采用
之去心皮
連殼形
子形

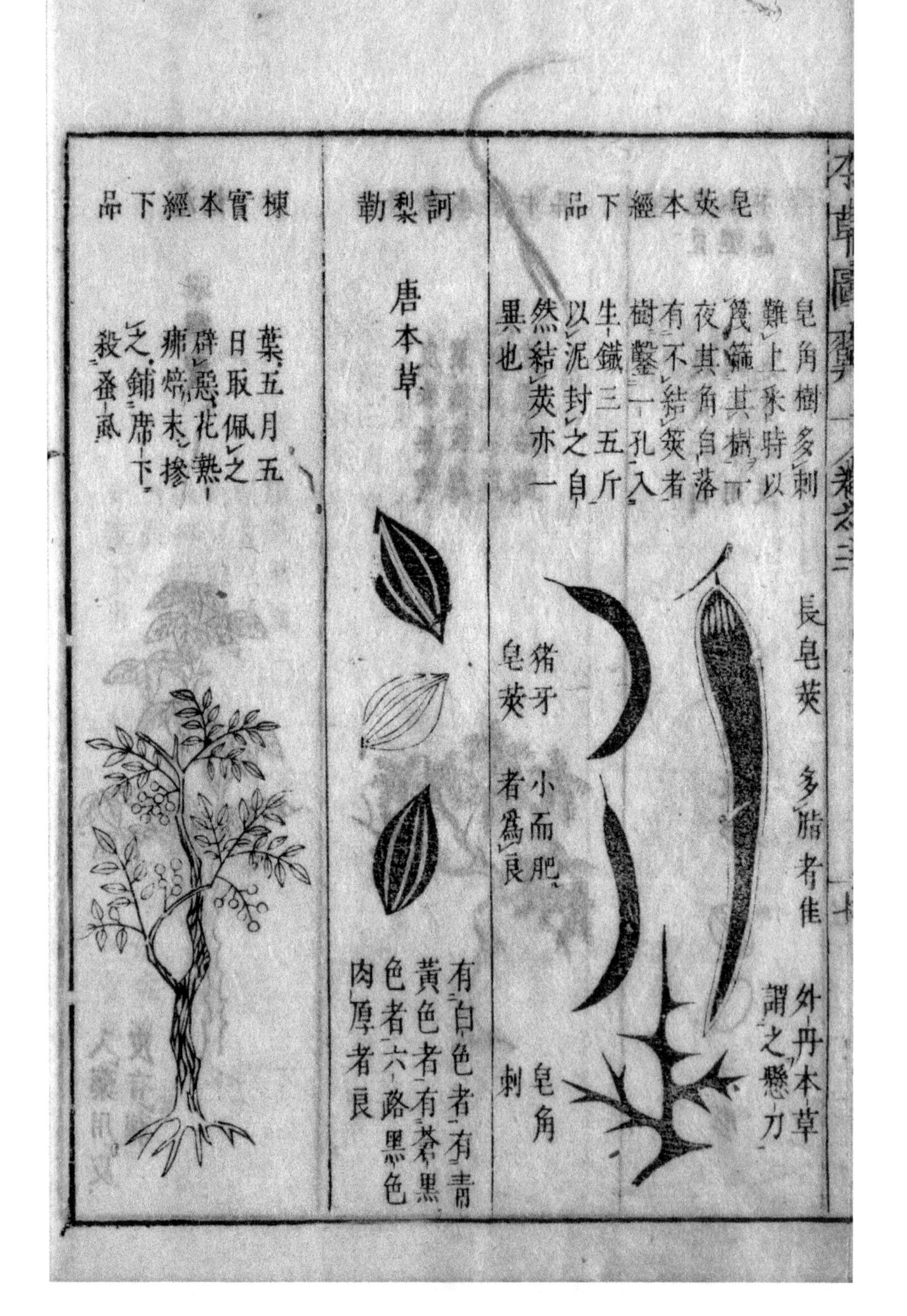

皂莢本經下品

皂角樹多刺難上，采時以篾箍其樹，一夜其角自落。有不結莢者，樹鑿一孔，入生鐵三五斤，以泥封之，自然結莢，亦一異也。

長皂莢 多脂者佳

外丹本草謂之懸刀

猪牙皂莢 小而肥者爲良

皂角刺

訶梨勒

唐本草

有白色者，有青黃色者，有蒼黑色者，六路黑色肉厚者良

楝實本經下品

葉五月五日取佩之辟惡，花熟，痱瘡末摻之，鋪席下殺蚤虱

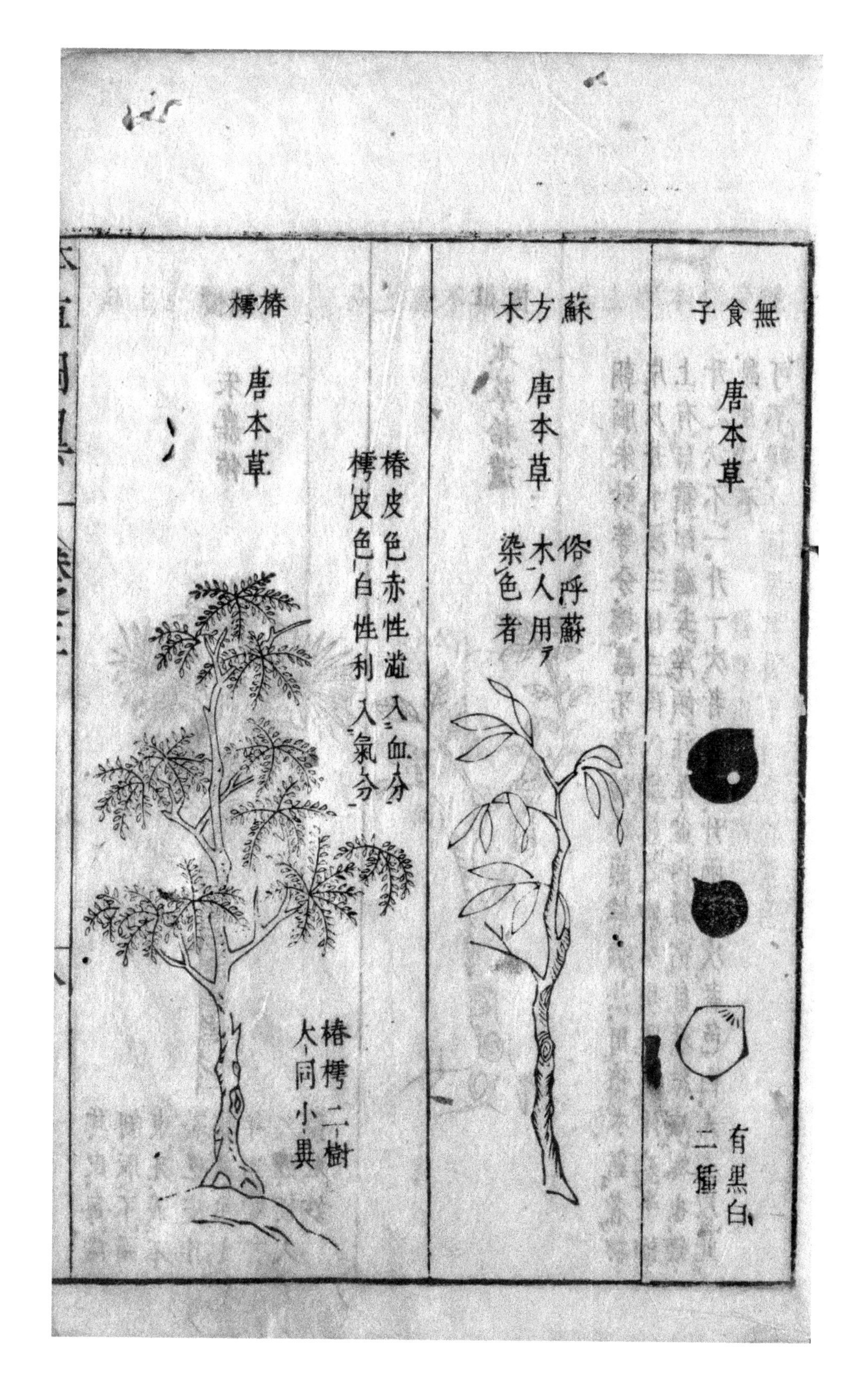
無食子
唐本草
有黑白二種
蘇方木
唐本草
俗呼蘇木人用染色者
椿樗
唐本草
椿皮色赤性澁入血分
樗皮色白性利入氣分
椿樗二樹大同小異

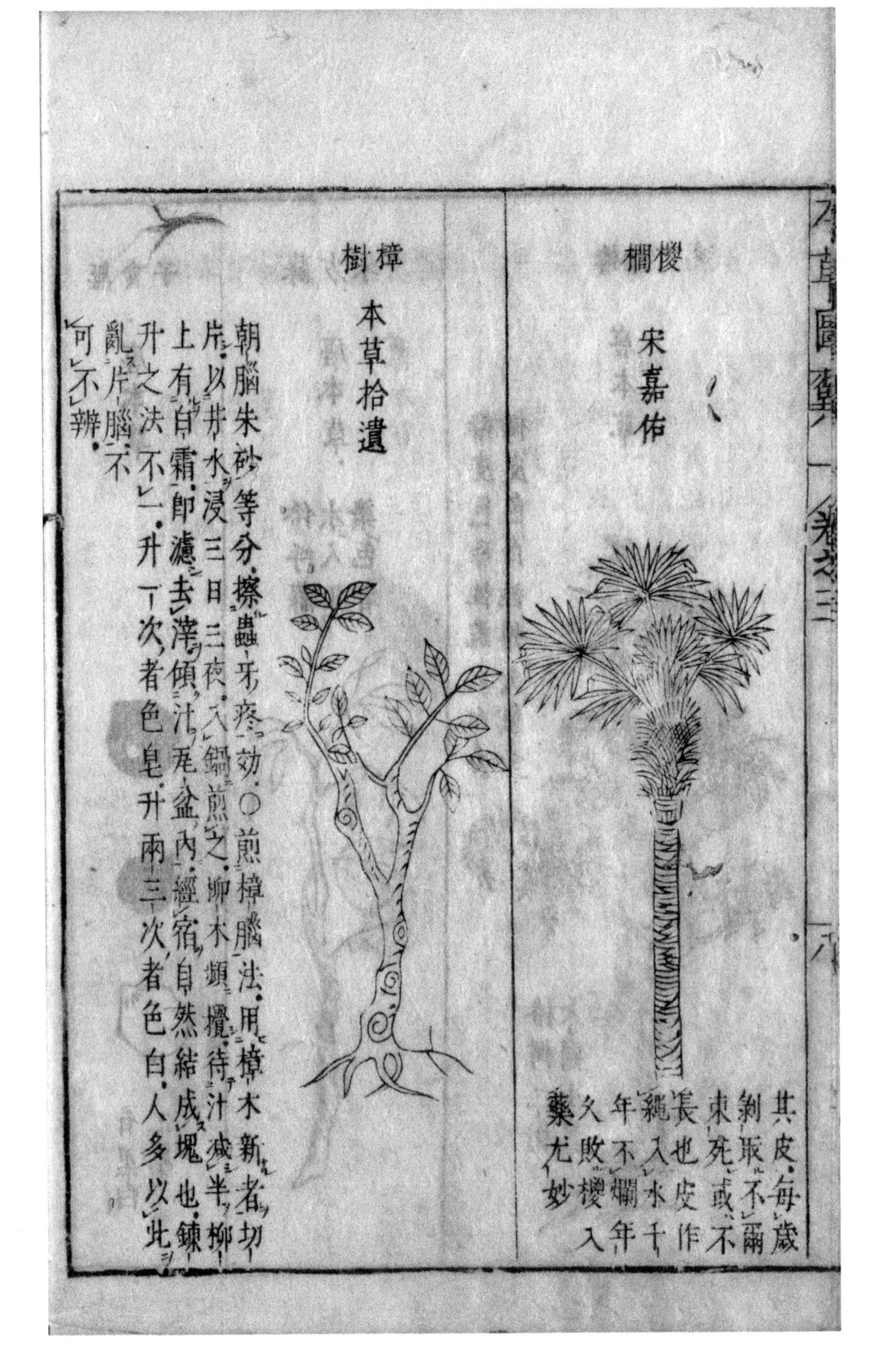

椶櫚　宋嘉祐

其皮每歲剝取不爾束死或不長也皮作繩入水千年不爛年久敗櫻入藥尤妙

樟樹　本草拾遺

朝腦朱砂等分擦蟲牙疼効○煎樟腦法用樟木新者切片以井水浸三日三夜入鍋煎之柳木頻攪待汁減半柳上有白霜即濾去滓傾汁瓦盆内經宿自然結成塊也錬升之法不一升下次者色皂升兩三次者色白人多以此亂片腦不可不辨

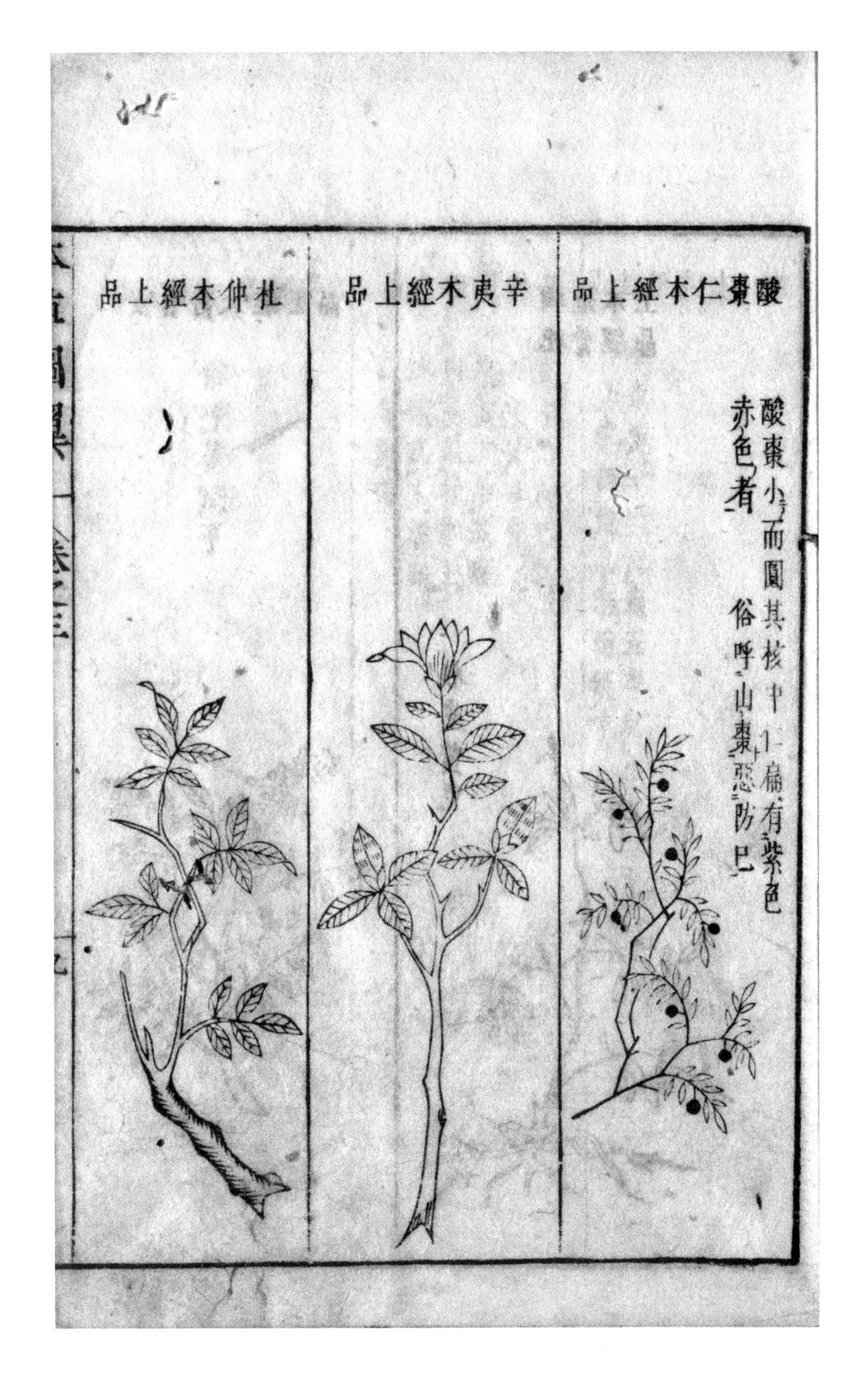
酸棗仁本經上品
酸棗小而圓其核中仁扁有紫色赤色者
俗呼山棗惡防已
辛夷本經上品
杜仲本經上品

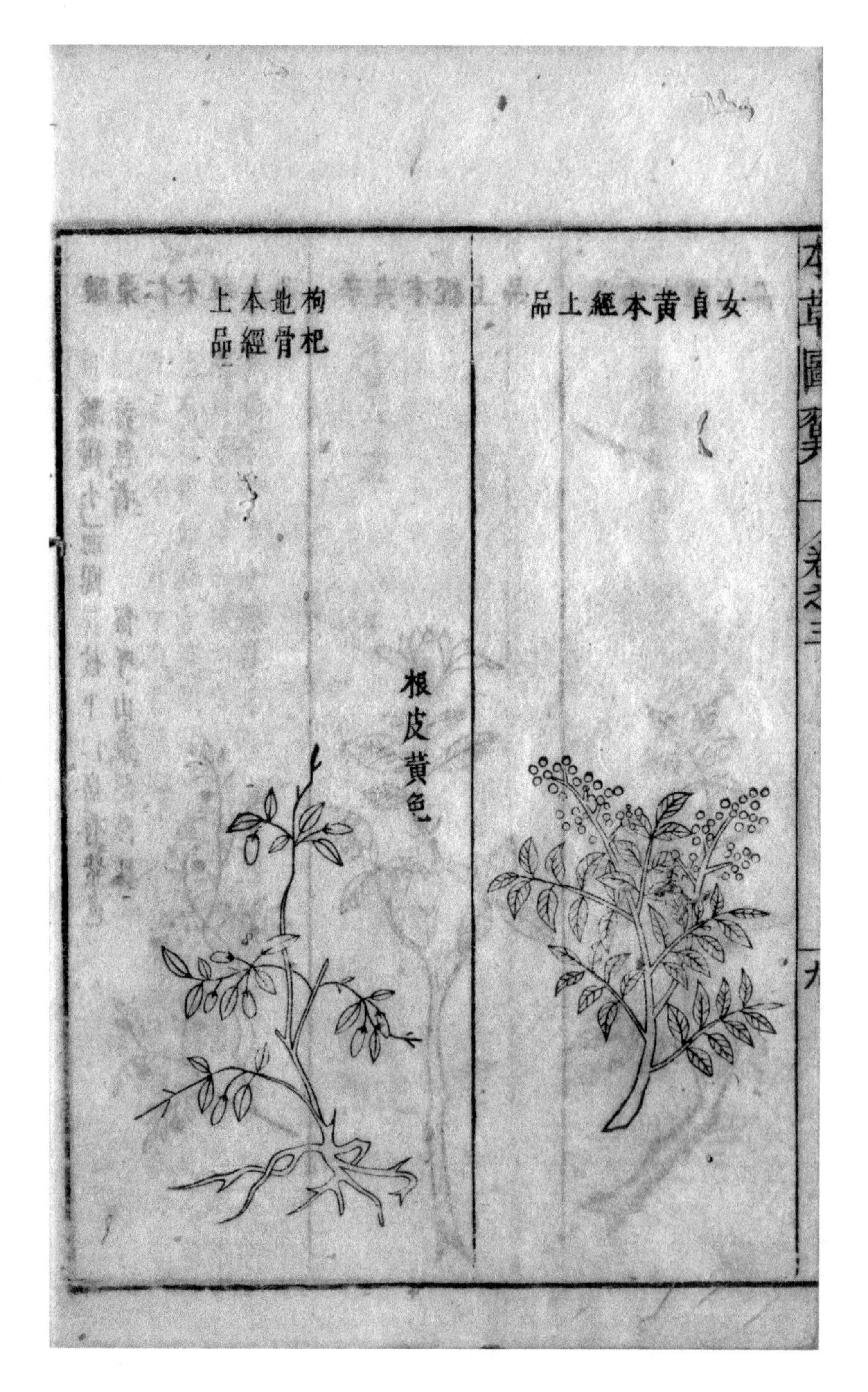
本草圖彙
卷之三
九
女貞黄本經上品
枸杞地骨本經上品
根皮黄色

五加皮本經上品

今市賣一種曰南五加皮色白彷彿白鮮柔韌而無味

牡荊別錄上品

之才曰防已爲之使畏石膏

集簡方治濕痹白濁取牡荊子炒研爲末酒服二錢神效

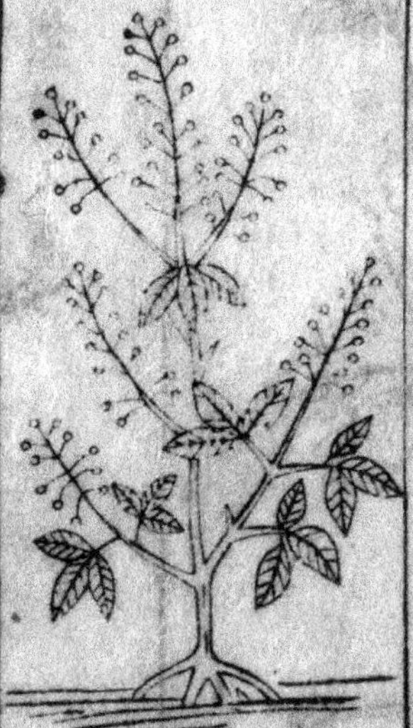

蔓荊實本經上品

俗呼蔓荊子

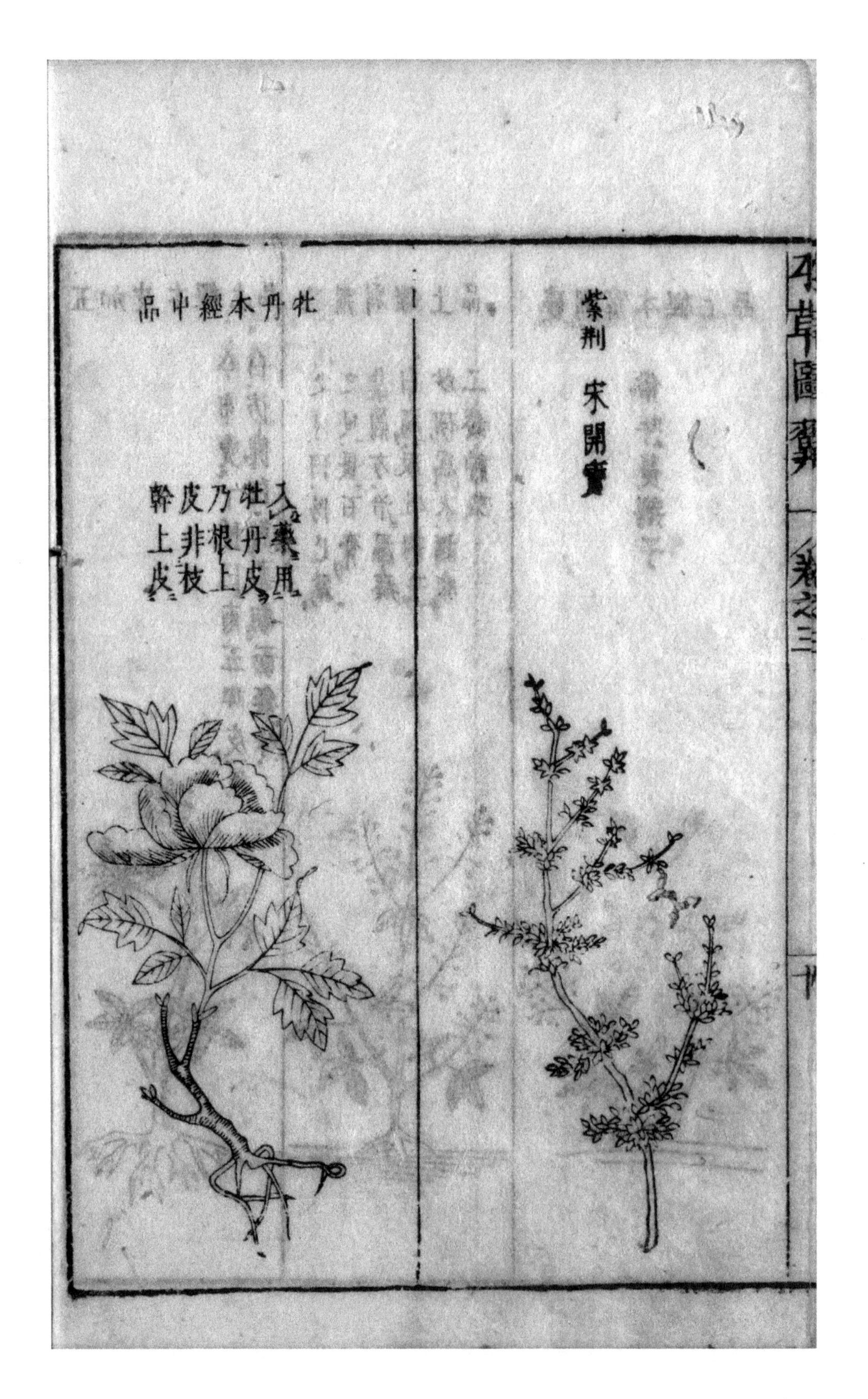
牡丹本經中品
入藥用牡丹皮乃根上皮非枝幹上皮
紫荆　宋開寶

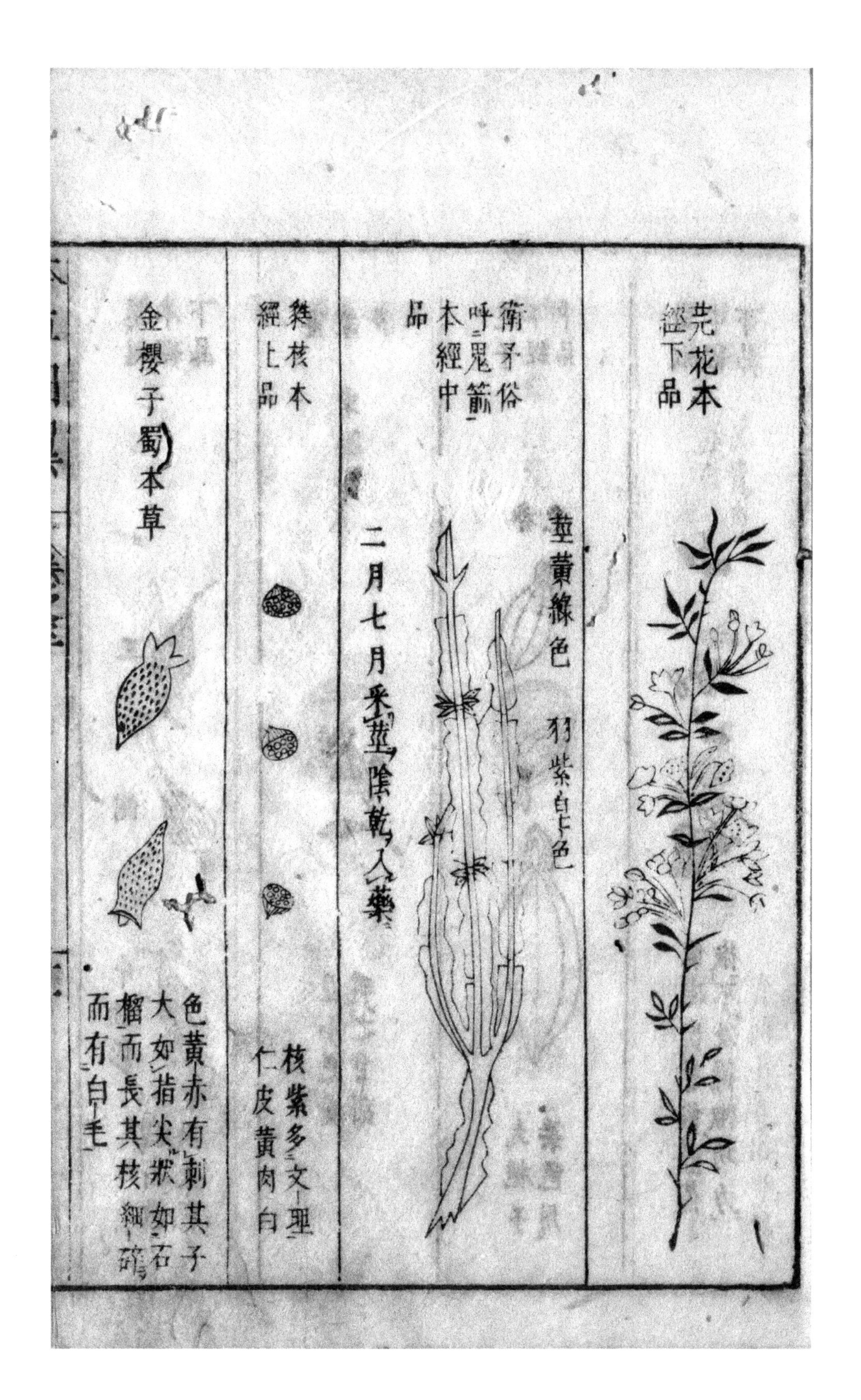
芫花本經下品
莖黄綠色　羽紫白色
蔛子俗呼鬼箭本經中品
二月七月采莖陰乾入藥
棶核本經上品
核紫多文理仁皮黄肉白
金櫻子蜀本草
色黄赤有刺其子大如指尖狀如石榴而長其核細碎而有白毛

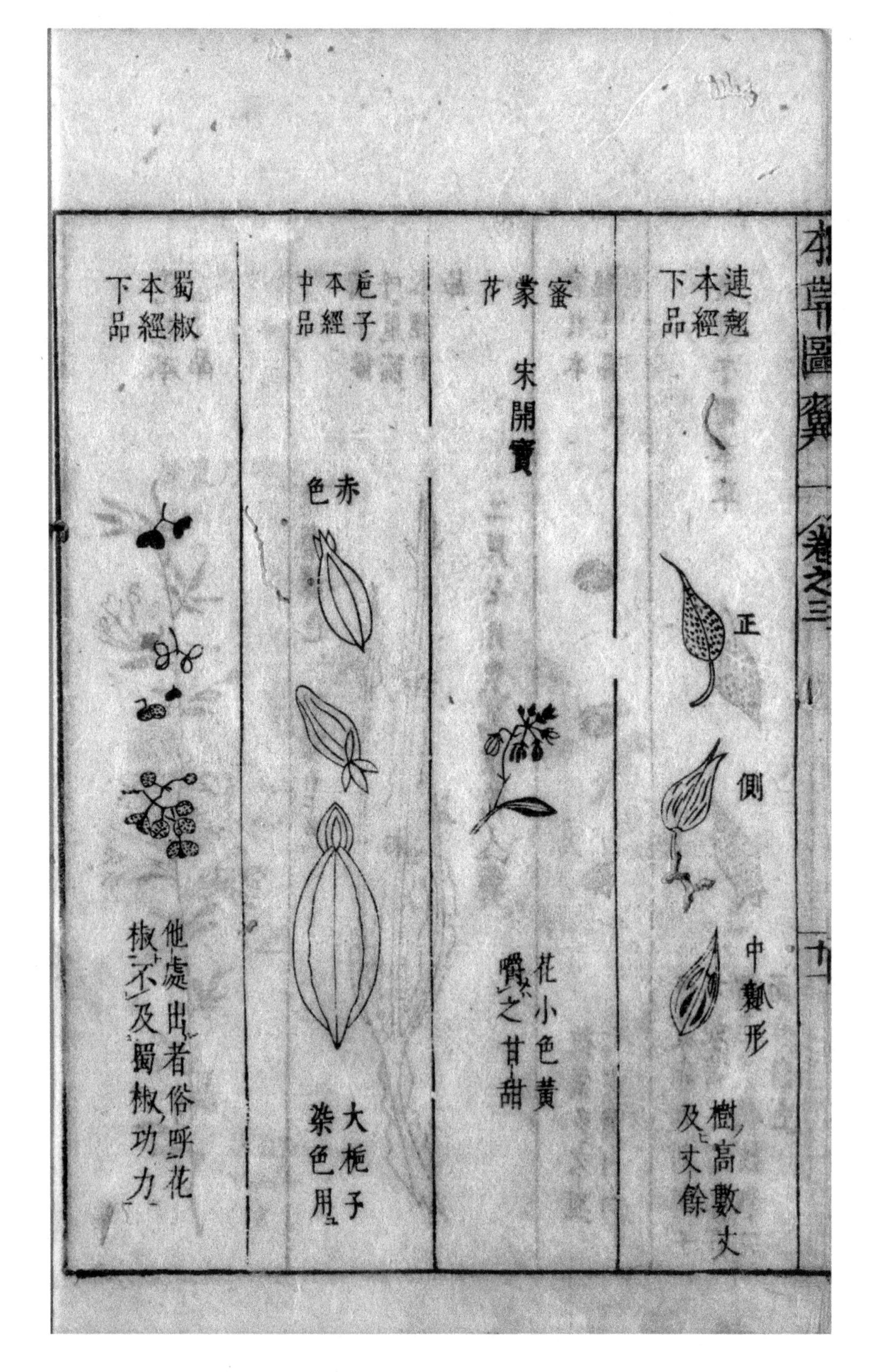

連翹
本經下品

正
側
中瓤形

樹高數丈及丈餘

蜜蒙花
宋開寶

花小色黃嚼之甘甜

巵子
本經中品

赤色

大梔子染色用

蜀椒
本經下品

他處出者俗呼花椒不及蜀椒功力

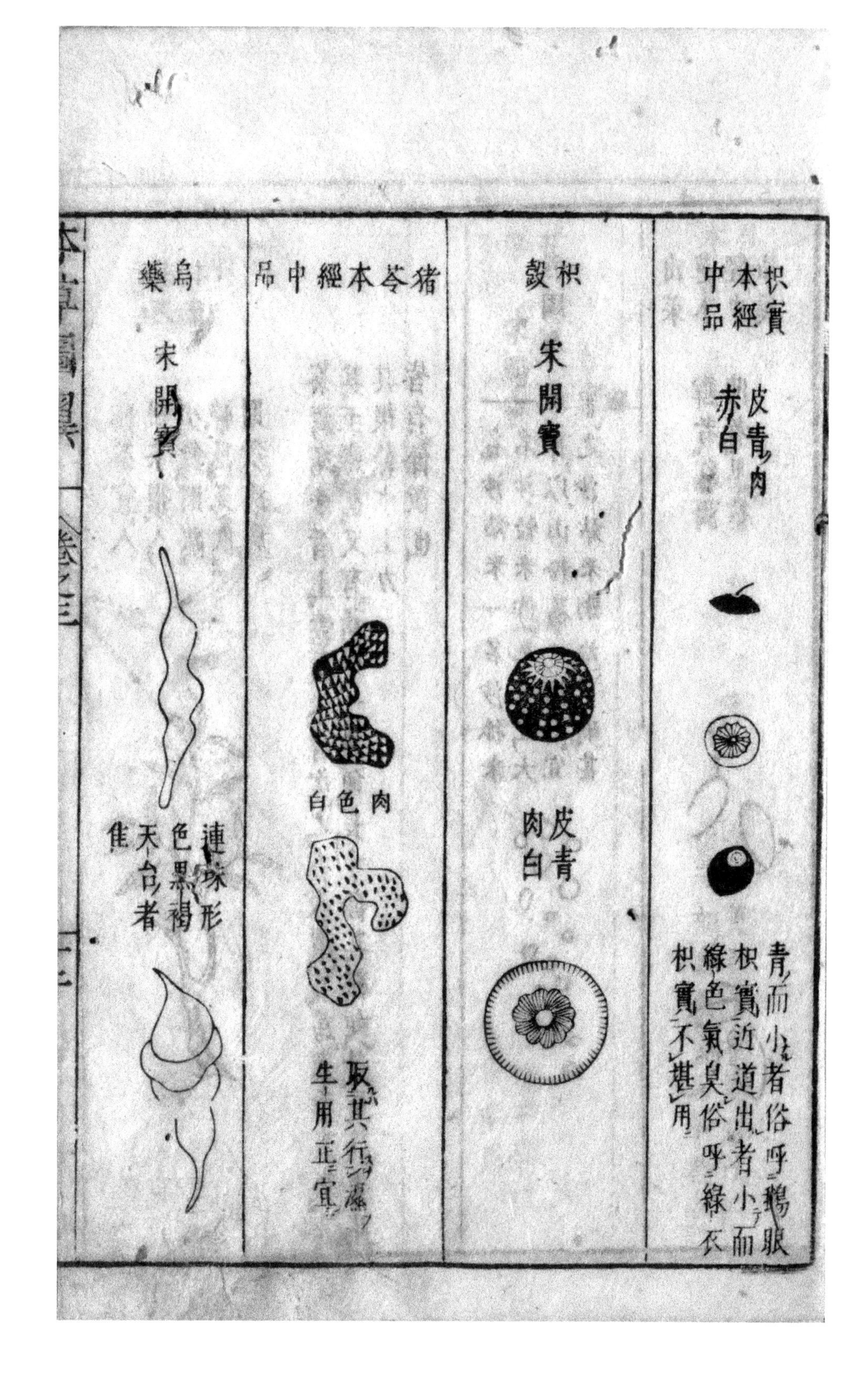

枳實 本經中品

皮青肉赤白

青而小者俗呼鵝眼枳實近道出者小而綠色氣臭俗呼綠衣枳實不甚用

枳殼 宋開寳

皮青肉白

猪苓本經中品

肉色白

取其行滲生用正宜

烏藥 宋開寳

連珠形色黑褐天台者佳

茗 唐本草

細茶宜人，粗茶損人。少飲則醒神思，多飲則致疾病。

茶清明采者上，穀雨采者次之。古人謂茶爲雀舌麥顆，言其至嫩也。又有新芽一發便長寸餘，其粗如針，最爲上品。其根幹水土力皆有餘故也。

西國米

一名沙姑米，一名沙孤米，一名沙穀米。作丸菉豆大。又有以山粉、葛粉假者，宜審之。沙姑米粥治下痢甚驗。

山茱萸 本經中品藥

鮮者紅潤，陳者黑枯。

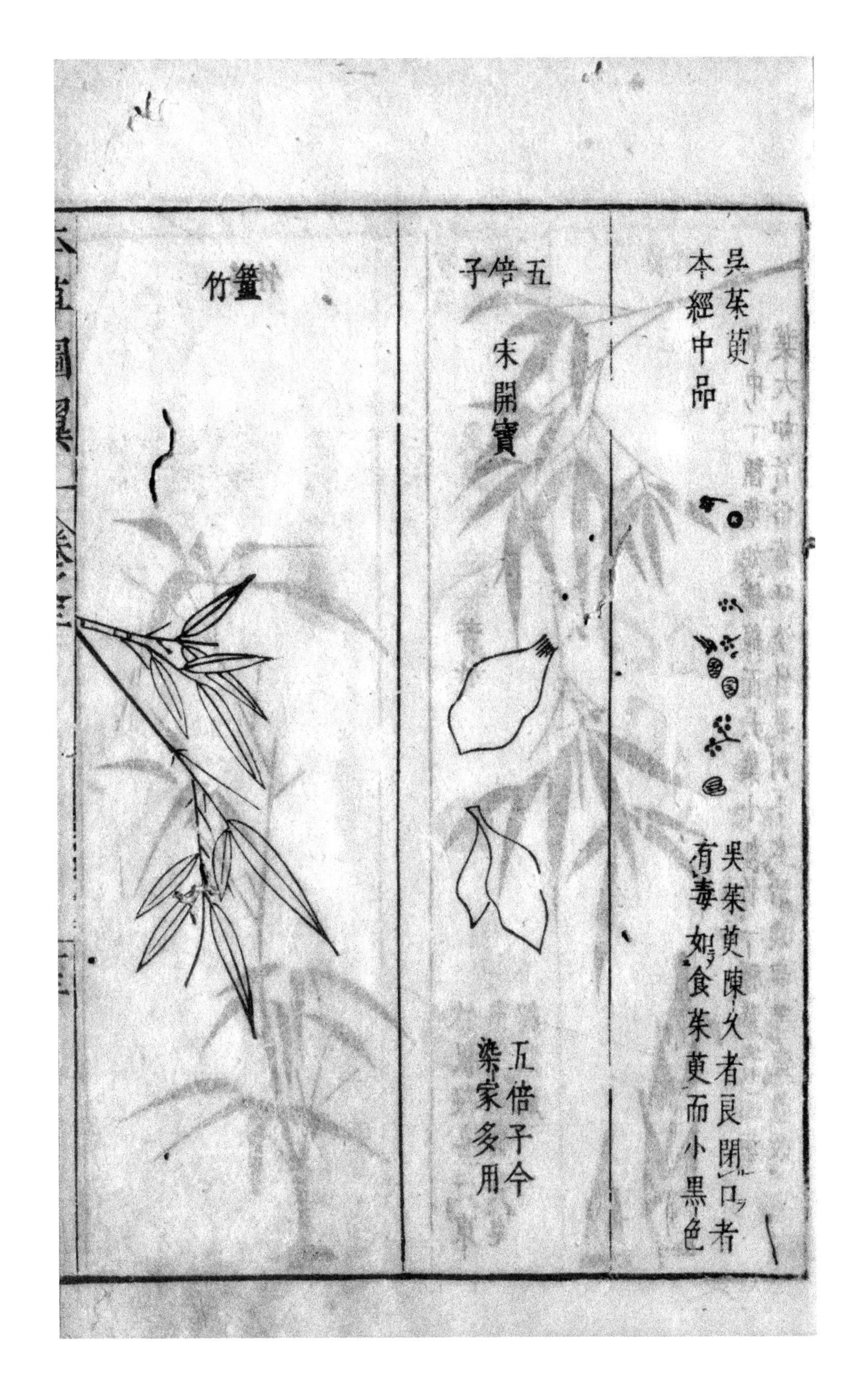
吳茱萸
本經中品
吳茱萸陳久者良閉口者
有毒 如食茱萸而小黑色
五倍子
宋開寶
五倍子今
染家多用
箽竹

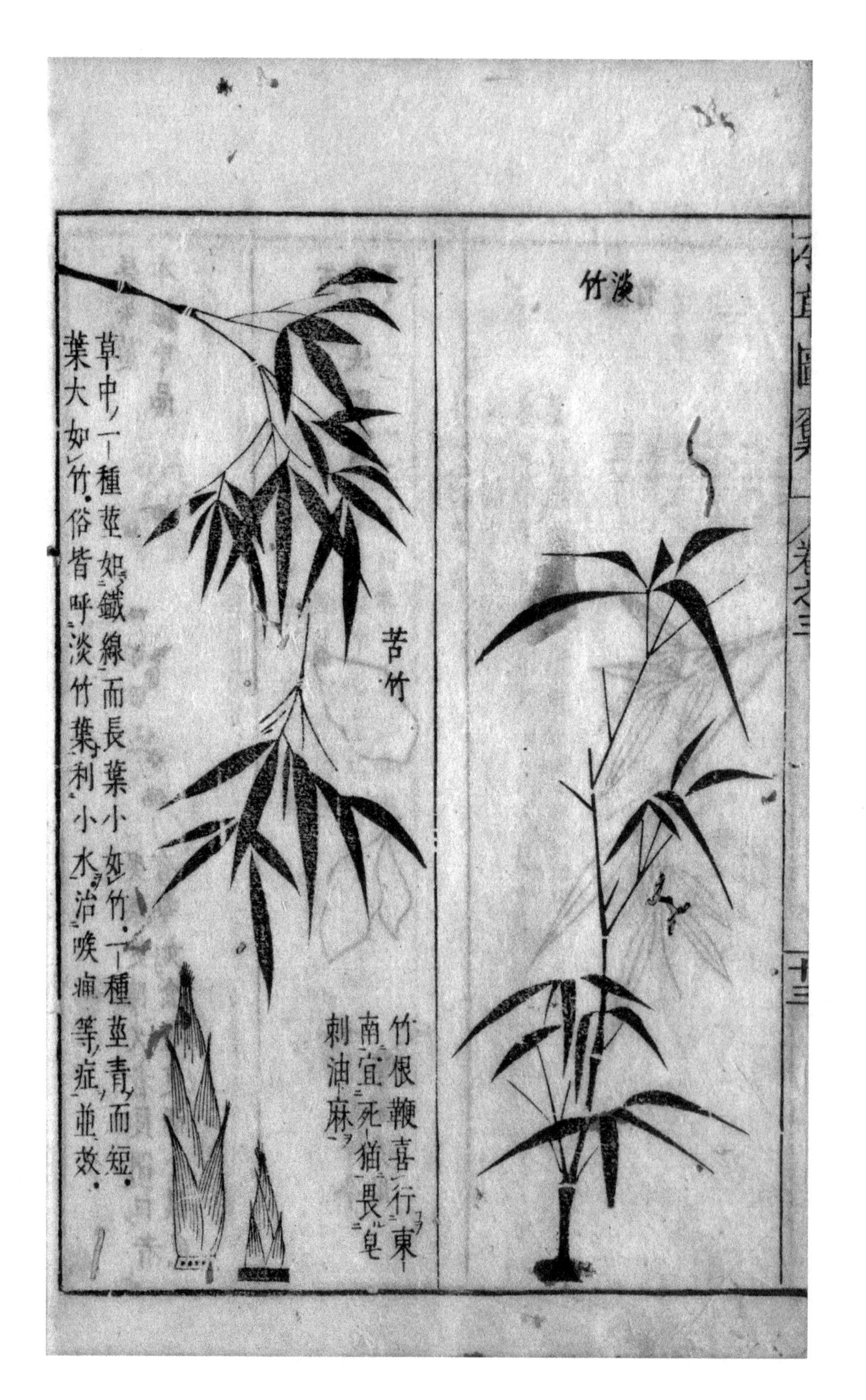
淡竹
苦竹
竹根鞭喜行東南宜死猫畏皂刺油麻
草中ノ一種莖如鐵線而長葉小如竹一種莖青而短葉大如竹俗皆呼淡竹葉利小水治喉痺等症並效

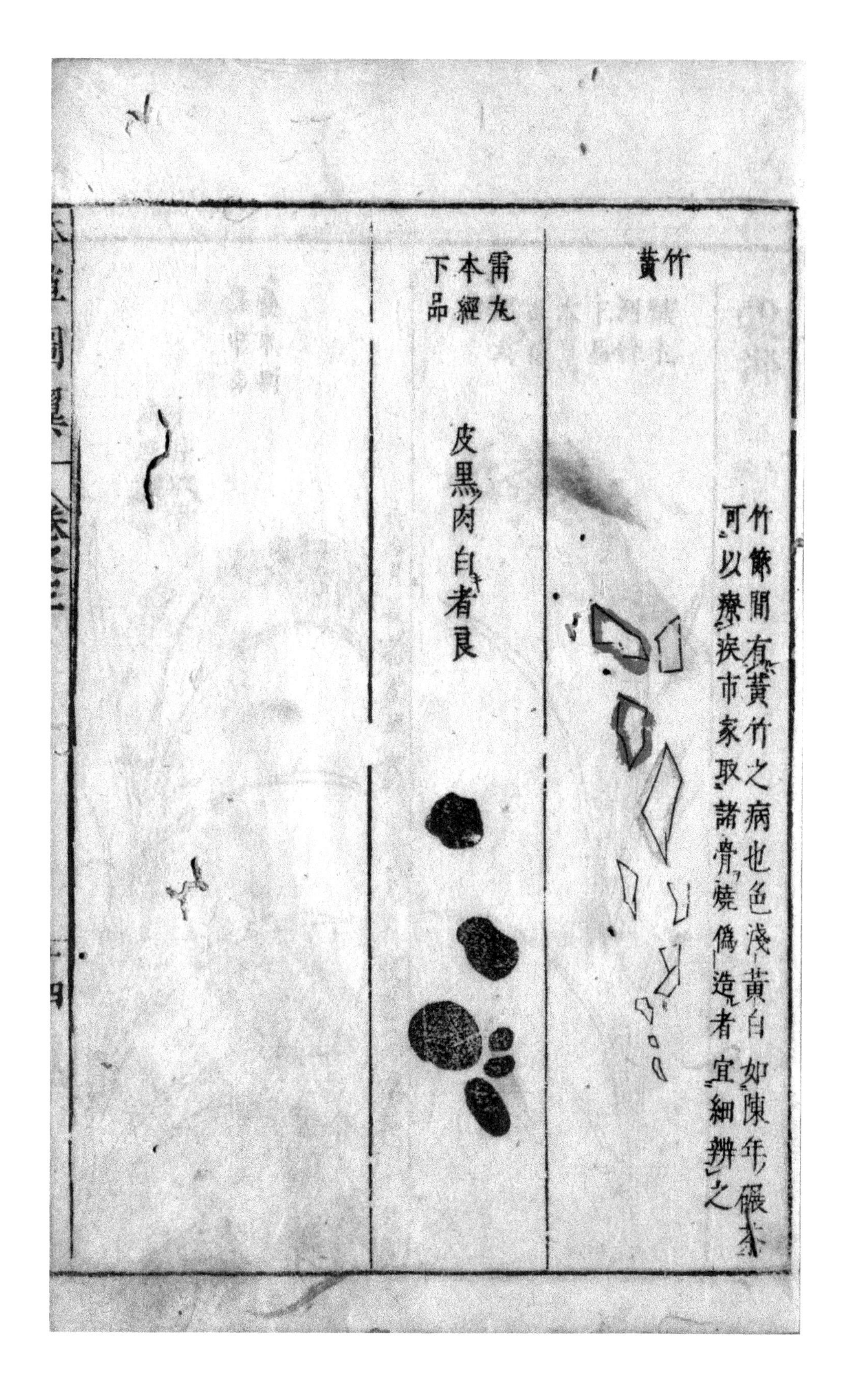

竹黄

竹節間有黄竹之病也色淺黄白如陳年礦灰可以療疾市家取諸骨燒僞造者宜細辨之

雷丸
本經下品

皮黑肉白者良

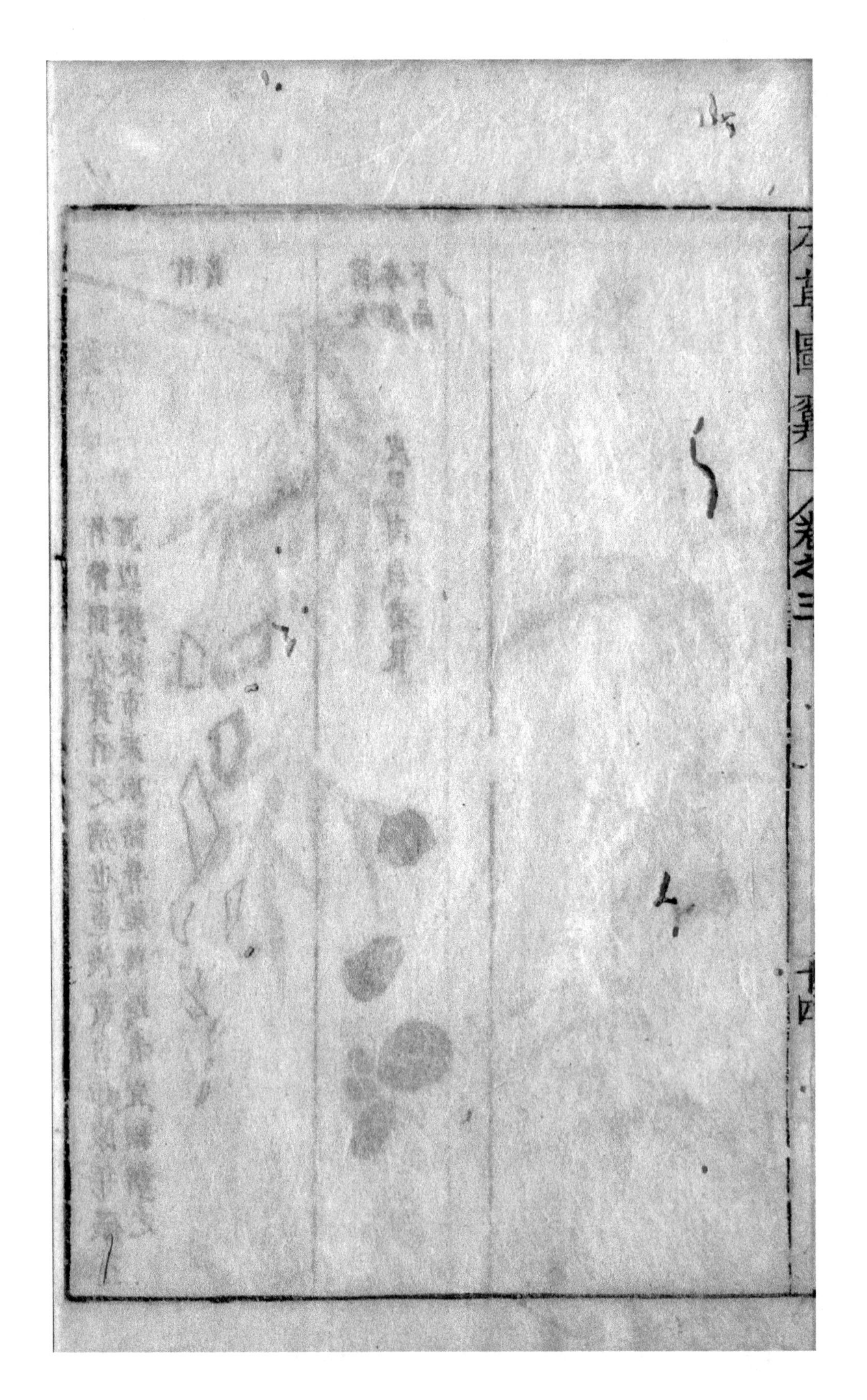

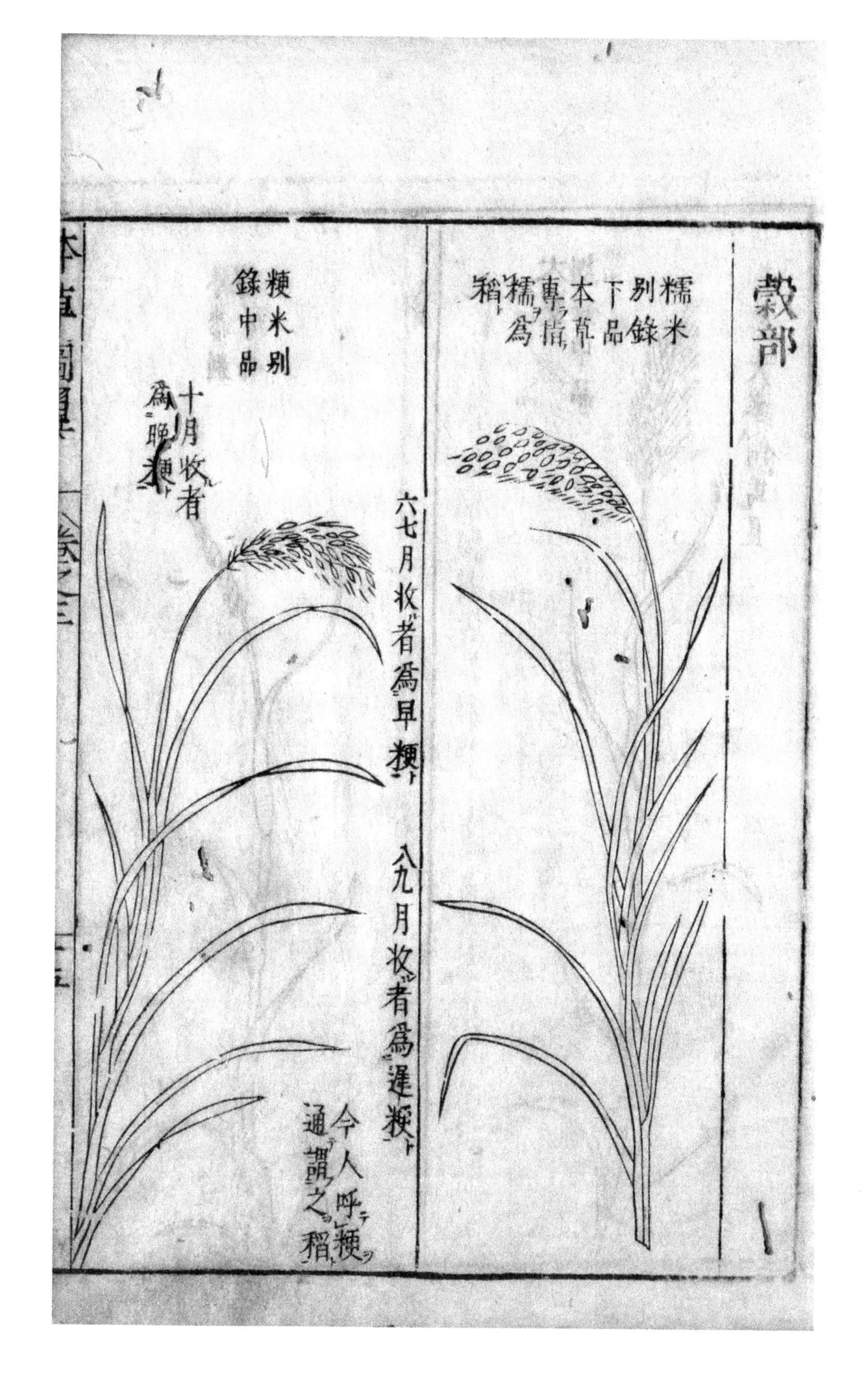
穀部
糯米別錄下品本草專指糯爲稻
粳米別錄中品
十月收者爲晚粳
六七月收者爲早粳
八九月收者爲遲粳
今人呼粳通謂之稻

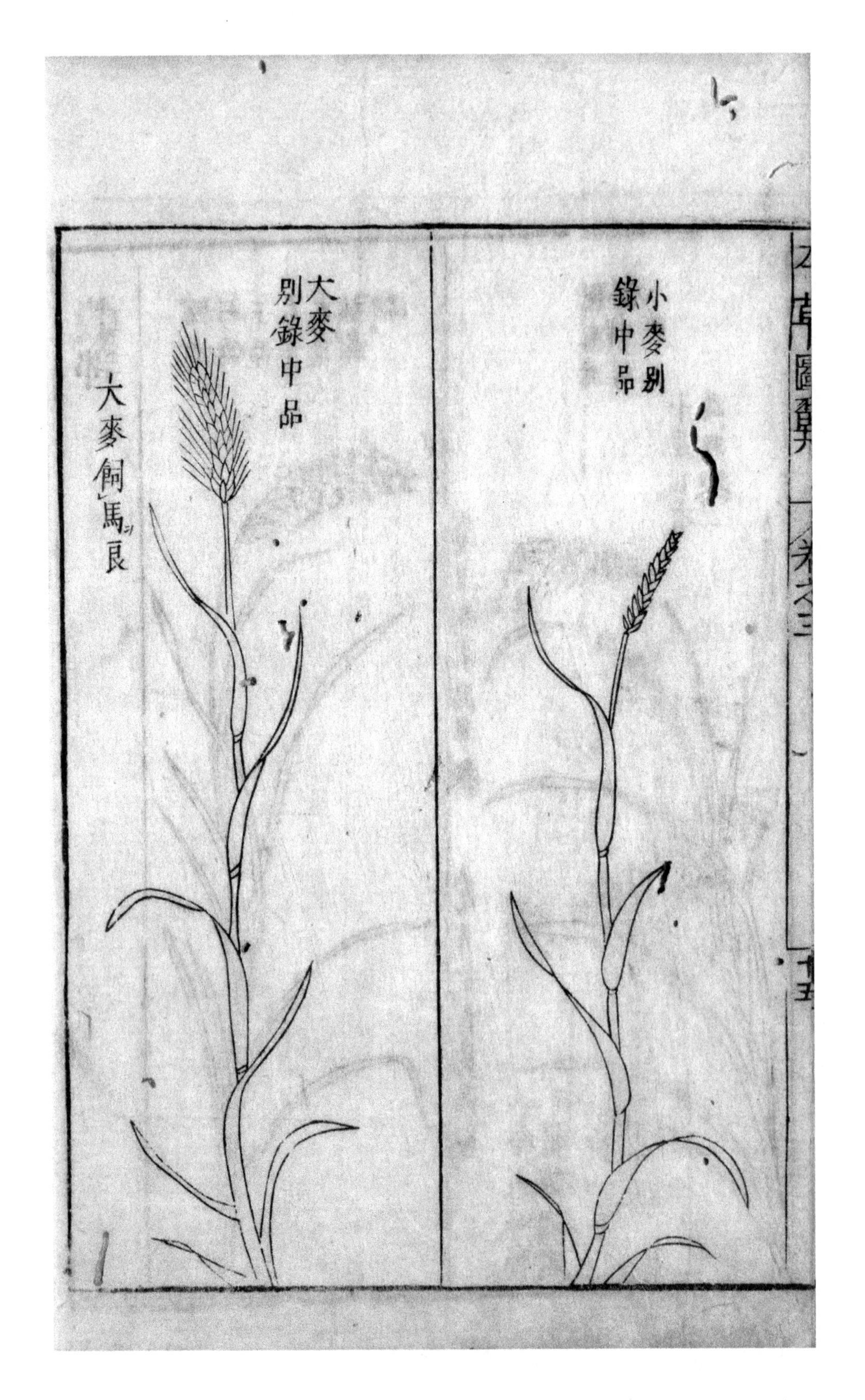
小麥
別錄中品
大麥
別錄中品
大麥飼馬良

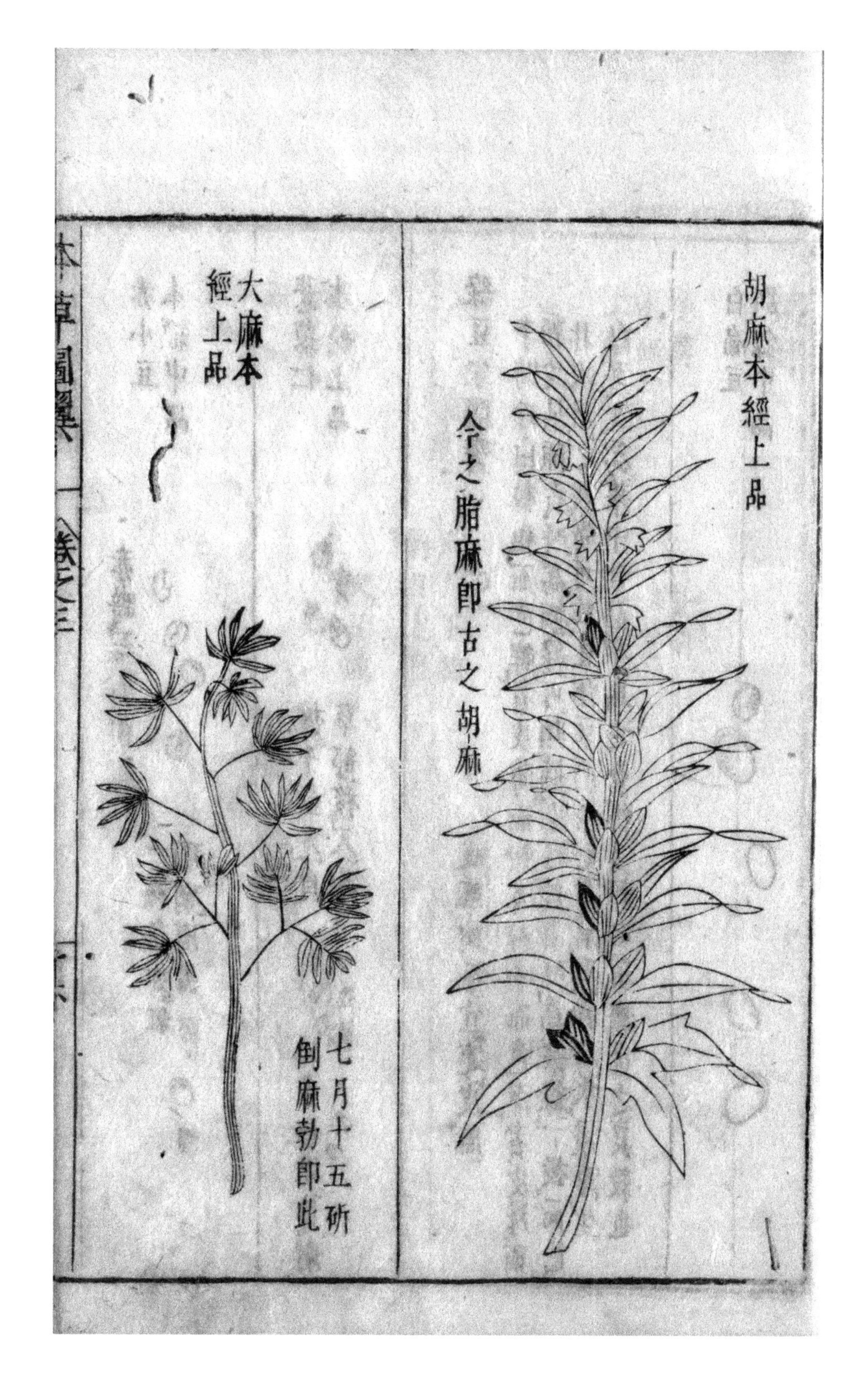
胡麻本經上品
今之脂麻即古之胡麻
大麻本經上品
七月十五斫
倒麻勃即此

赤小豆
本經中品

赤黯而小者良

一種色如紅珊瑚頂黑

薏苡仁
本經上品

實

據千金方自草部移入此

色白堪作粥

綠豆宋開寶

皮寒肉平宜連皮用

李時珍曰粒粗而色鮮者皮薄而粉多粒小而色深者皮厚而粉少早種者呼爲摘綠可頻摘也遲種者呼爲拔綠一拔而已北人用之甚廣可作豆粥豆酒磨麪澄濾取粉以水浸濕生白芽又爲菜中佳品牛馬之食亦多賴之眞濟世之良穀也

白扁豆
別錄中品

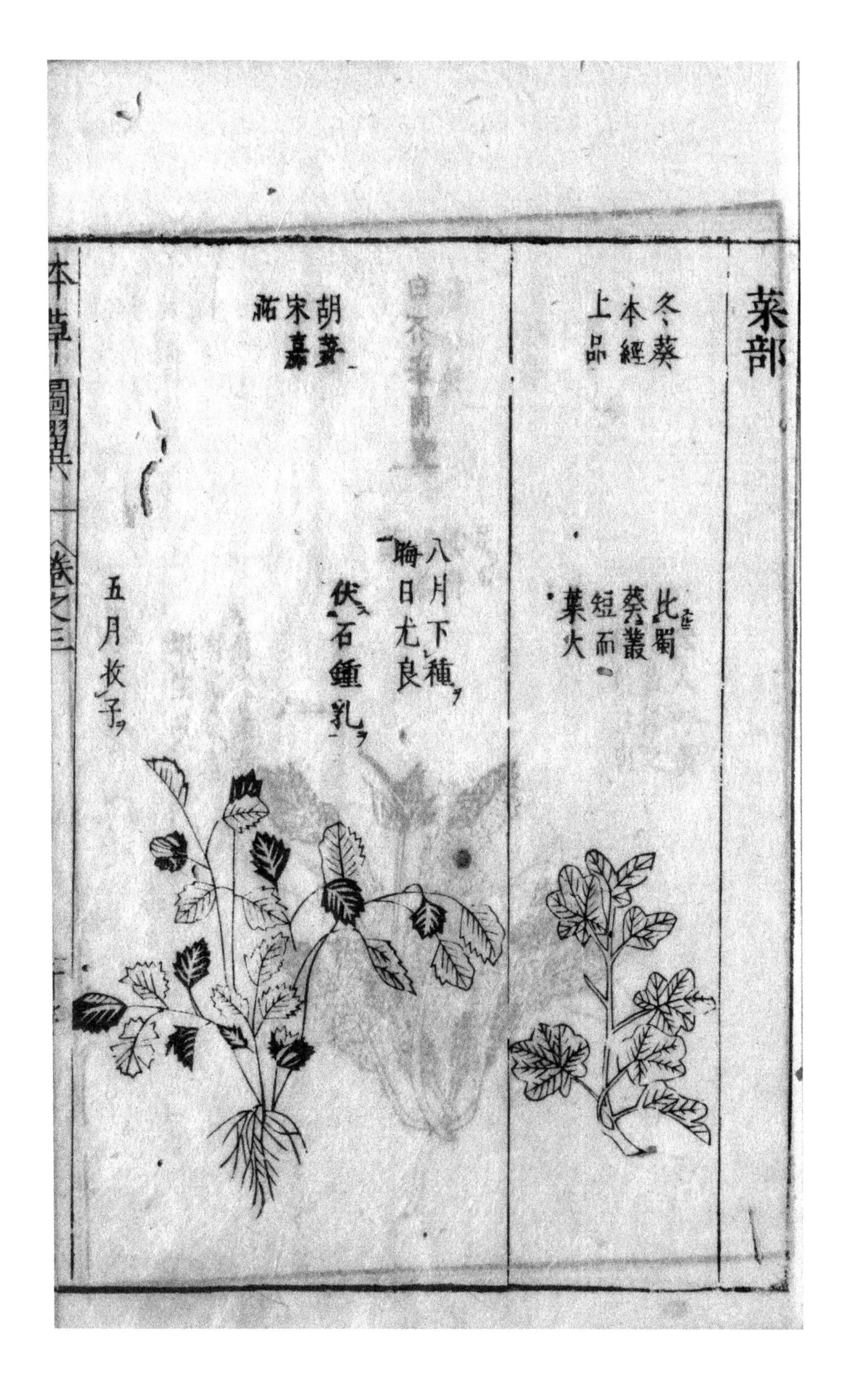

菜部
冬葵
本經上品
比蜀葵叢短而葉大
胡荽
宋嘉祐
八月下種晦日尤良
伏石鍾乳
五月收子
本草圖翼
卷之三

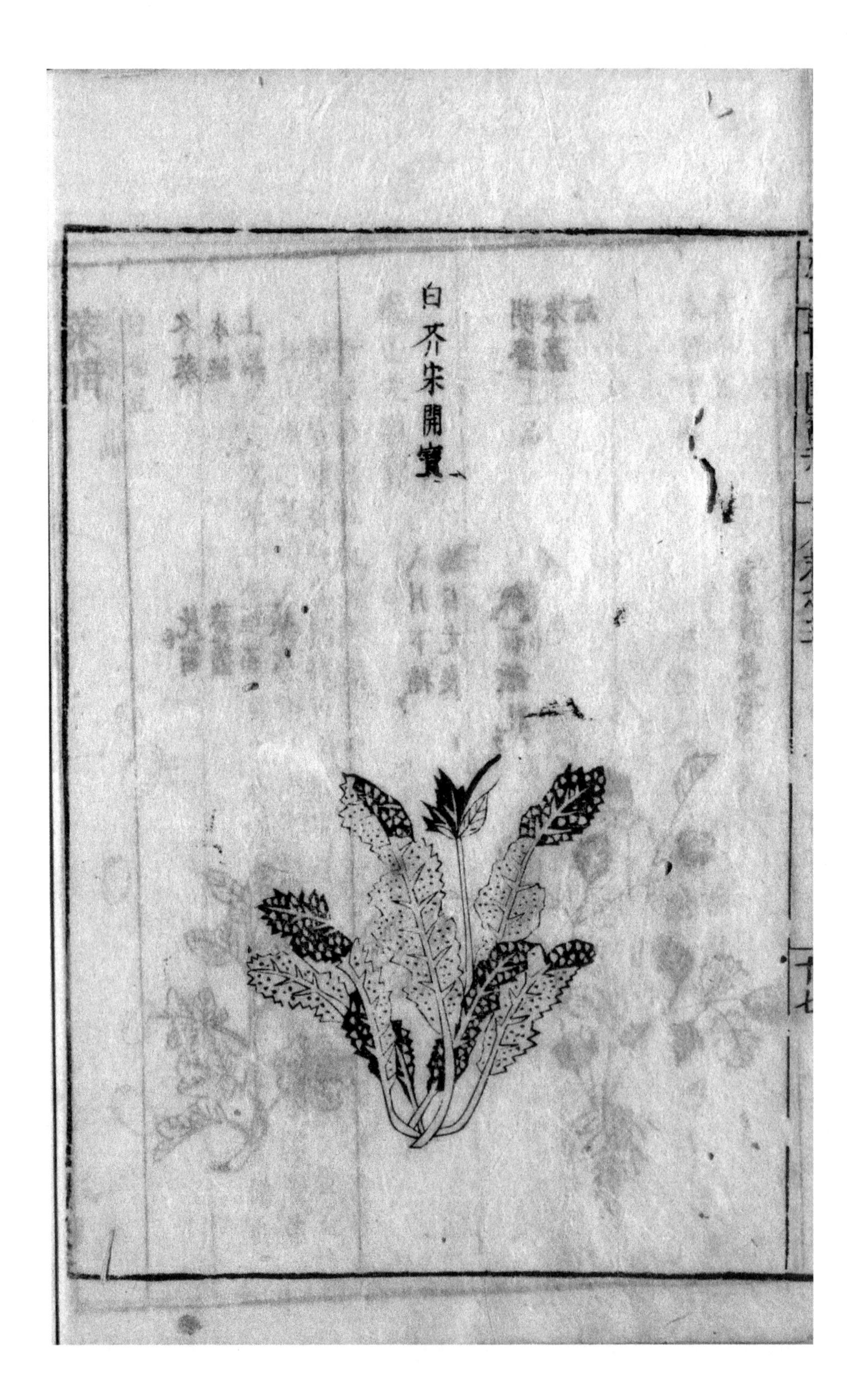
白芥宋開寶

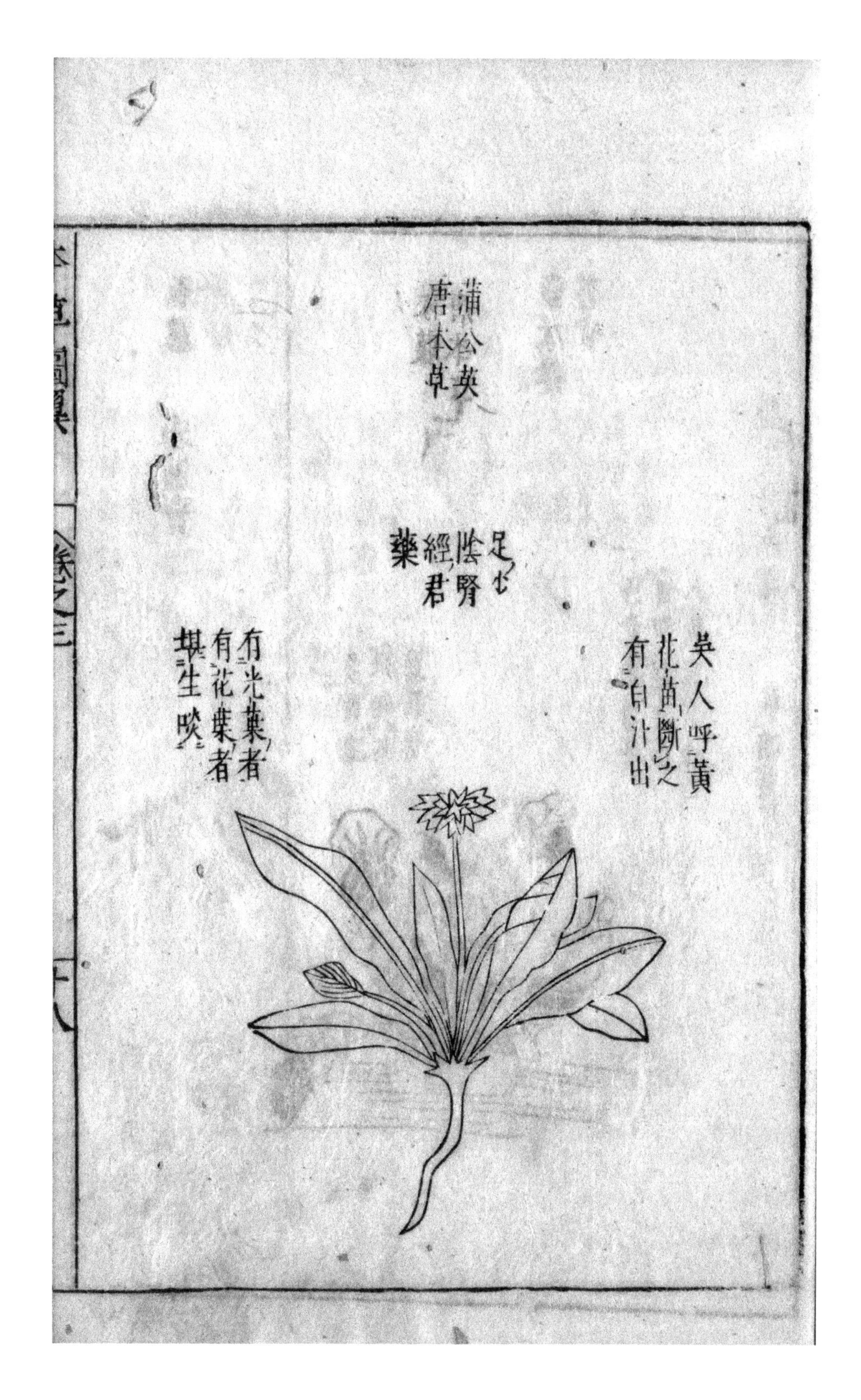
蒲公英　唐本草

足少陰腎經，君藥

吳人呼黃花，莖斷之有白汁出

有光葉者　有花葉者　堪生啖

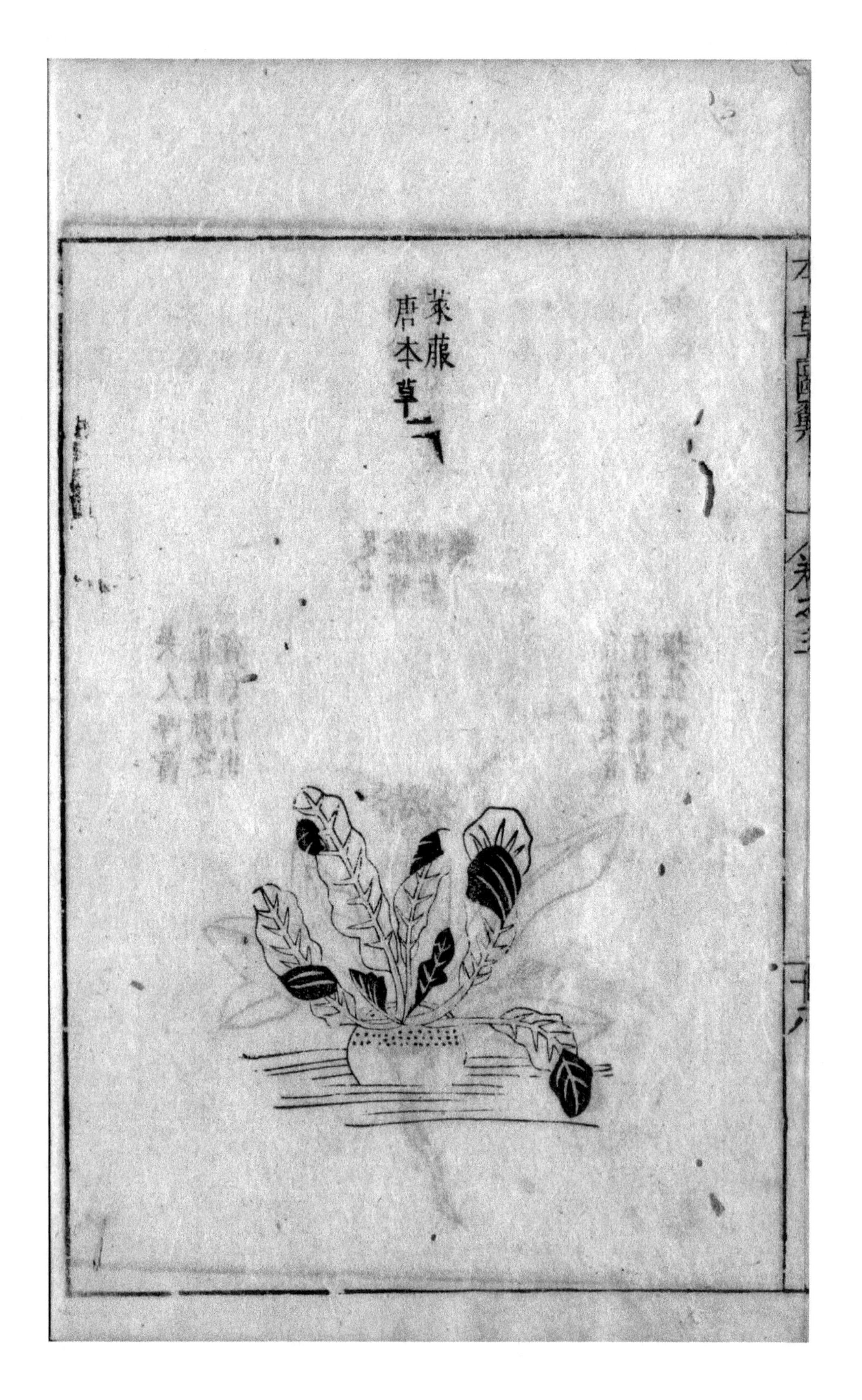
萊菔
唐本草

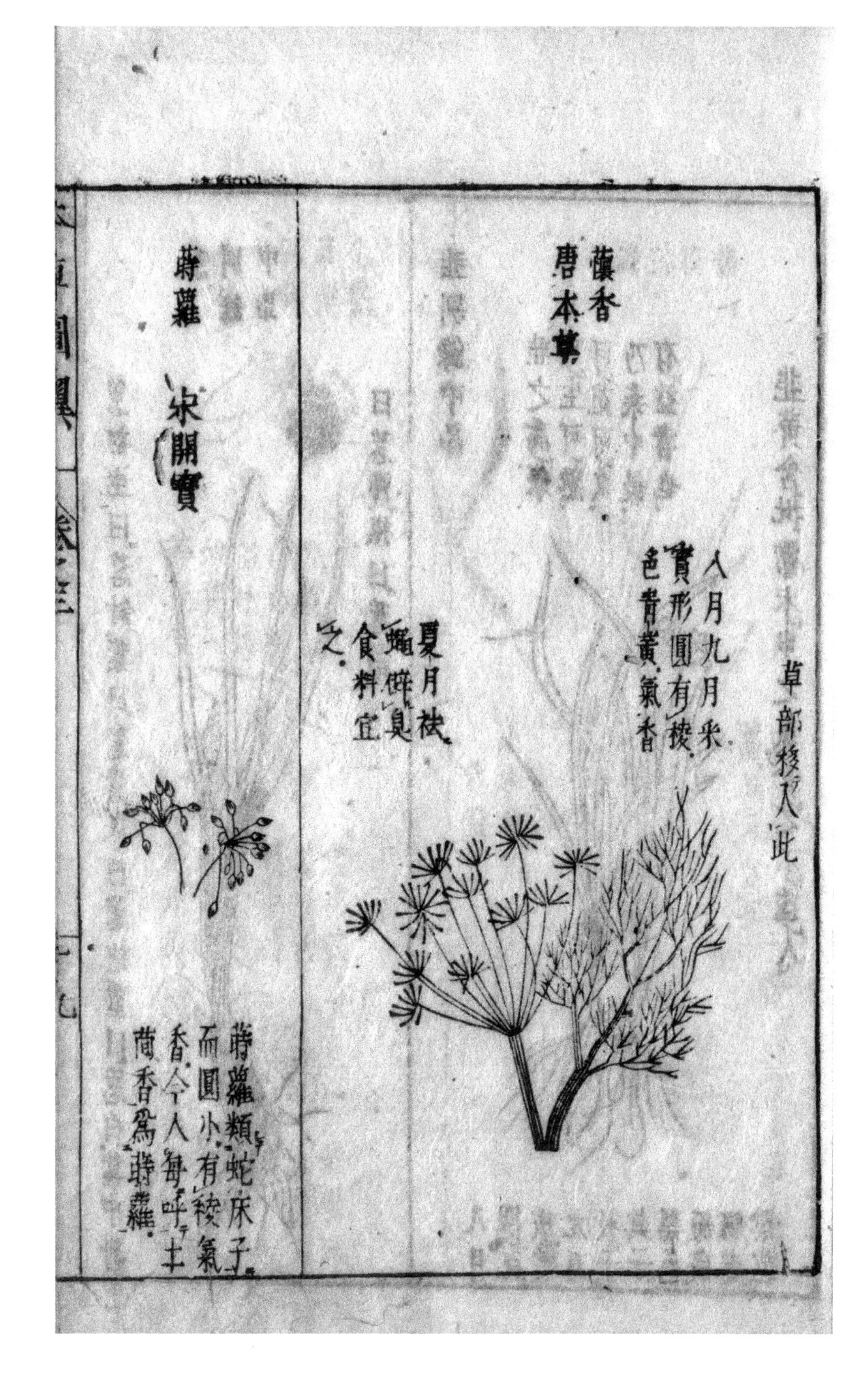

草部移入此

蘹香 唐本草

八月九月采實形圓有稜色青黄氣香

夏月祛蠅辟臭食料宜之

蒔蘿 宋開寶

蒔蘿類蛇床子而圓小有稜氣香今人每呼土茴香爲蒔蘿

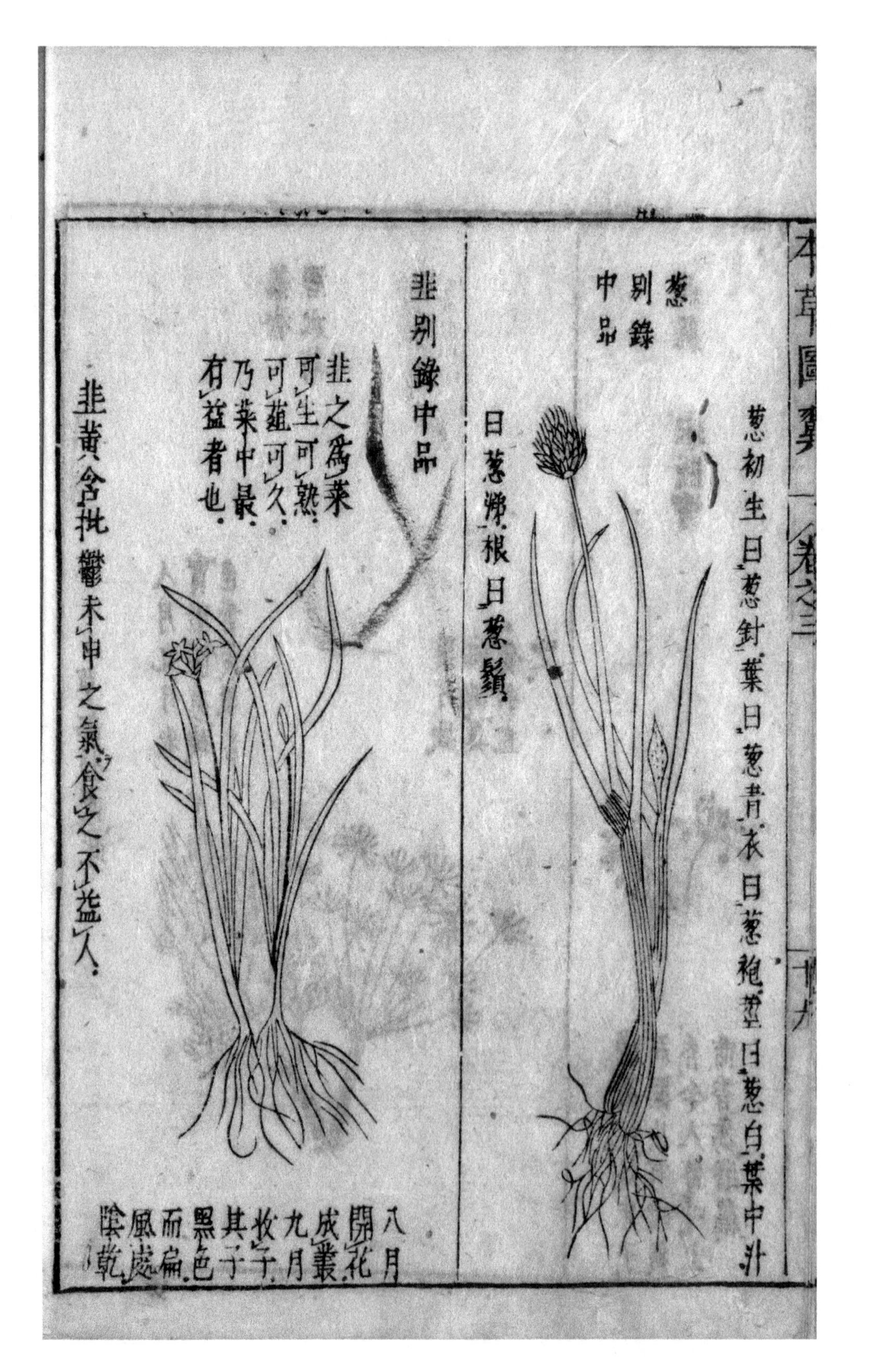

葱　别錄　中品

葱初生曰葱針，葉曰葱青，衣曰葱袍，莖曰葱白，葉中汁曰葱滑，根曰葱鬚。

韭　别錄中品

韭之爲菜，可生可熟，可菹可久，乃菜中最有益者也。

韭黄，含抑鬱未申之氣，食之不益人。

八月開花成叢，九月收子，其子黑色而扁，風處陰乾。

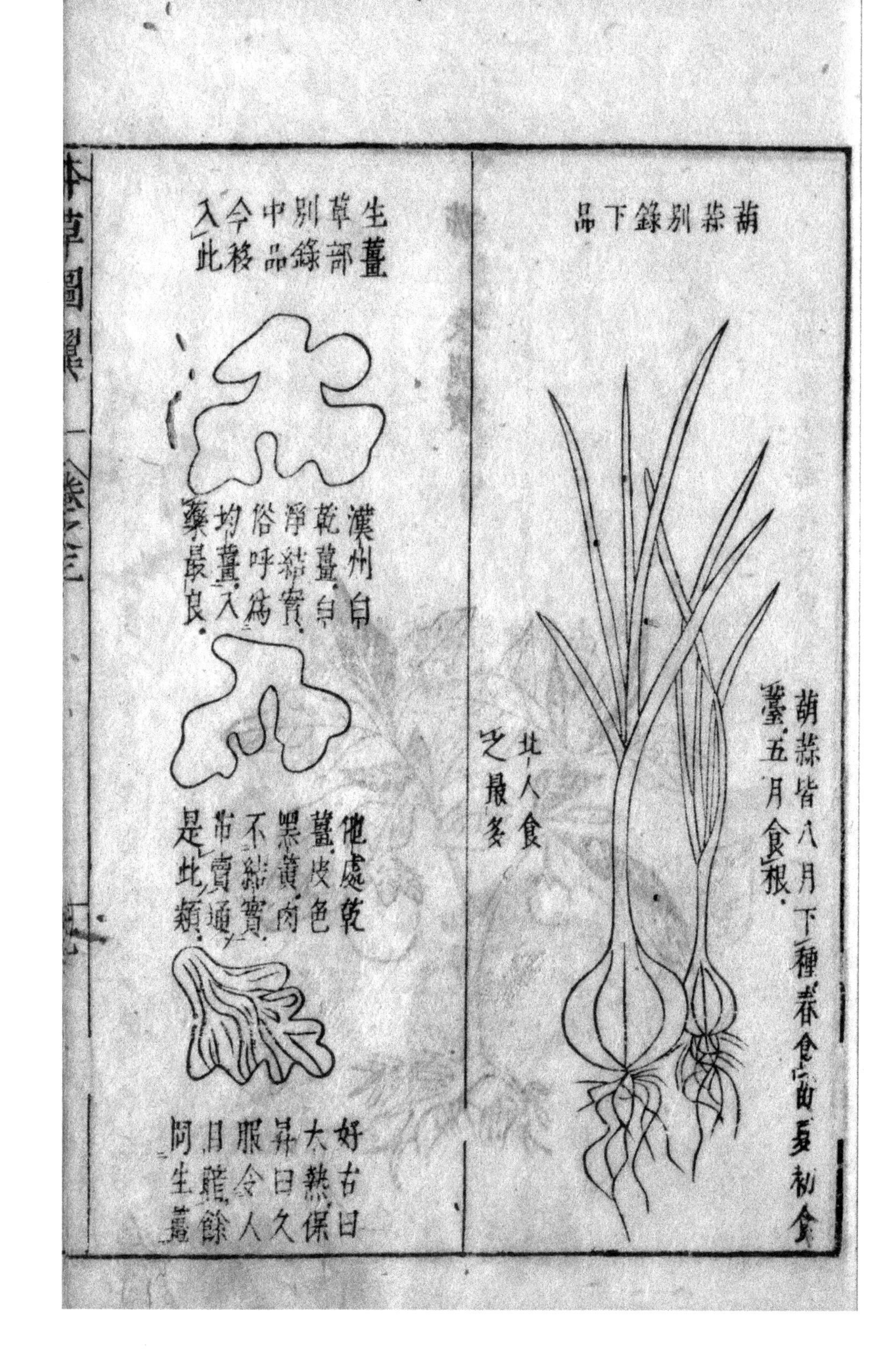
葫蒜別錄下品
葫蒜皆八月下種，春食苗，夏初食薹，五月食根。
北人食之最多
生薑草部別錄中品今移入此
漢州白乾薑，白淨結實，俗呼爲均薑，入藥最良。
他處乾薑，皮色黑黄，肉不結實，市賣通是此類。
好古曰：大熱。保昇曰：久服令人目暗。餘同生薑。

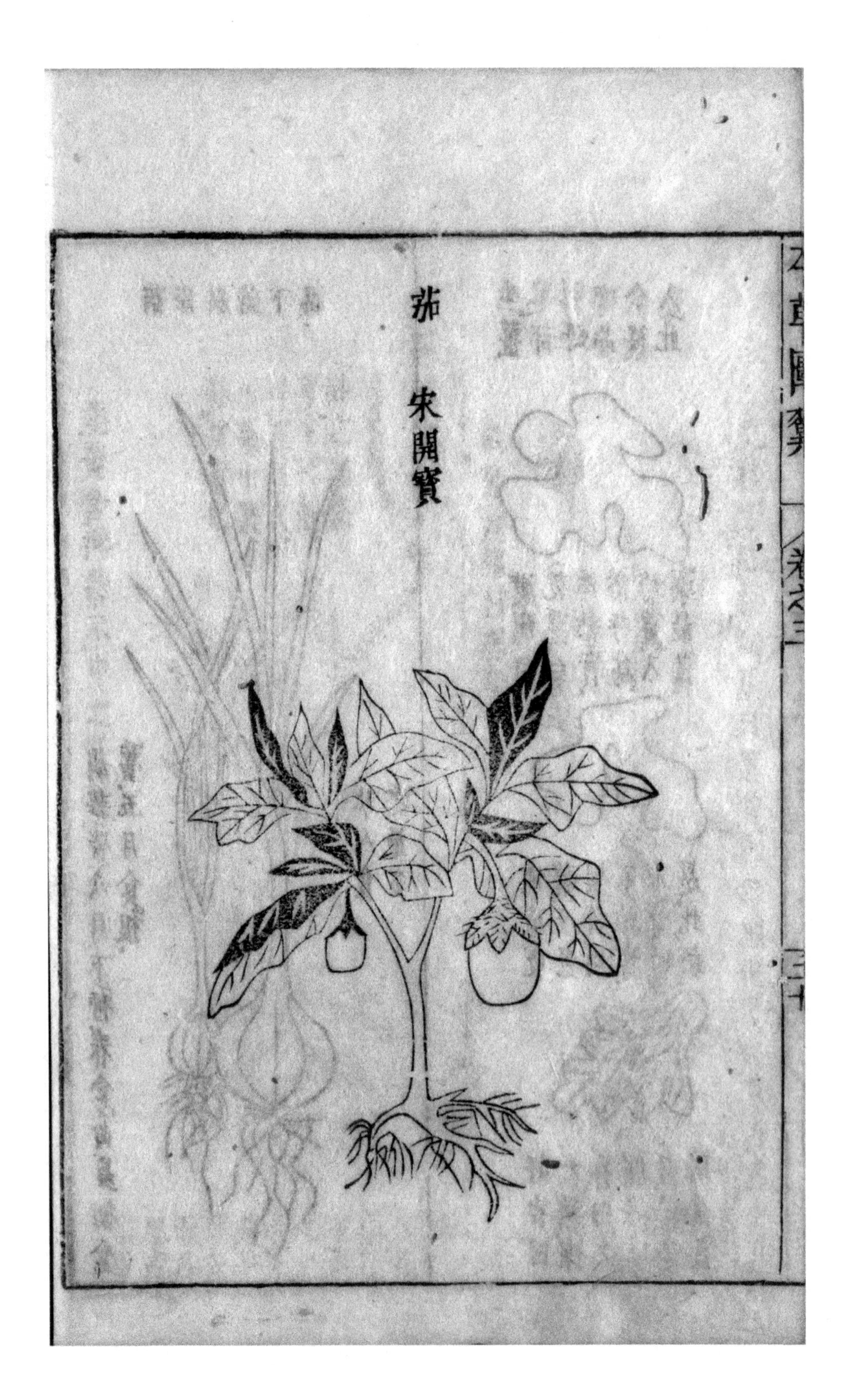
茄
宋開寶

瓜蒂使　宋嘉祐
苦水去顛齊海食為菜中佳品甜瓜乃苦瓜之熟者
凡瓜有兩鼻兩蒂者殺人

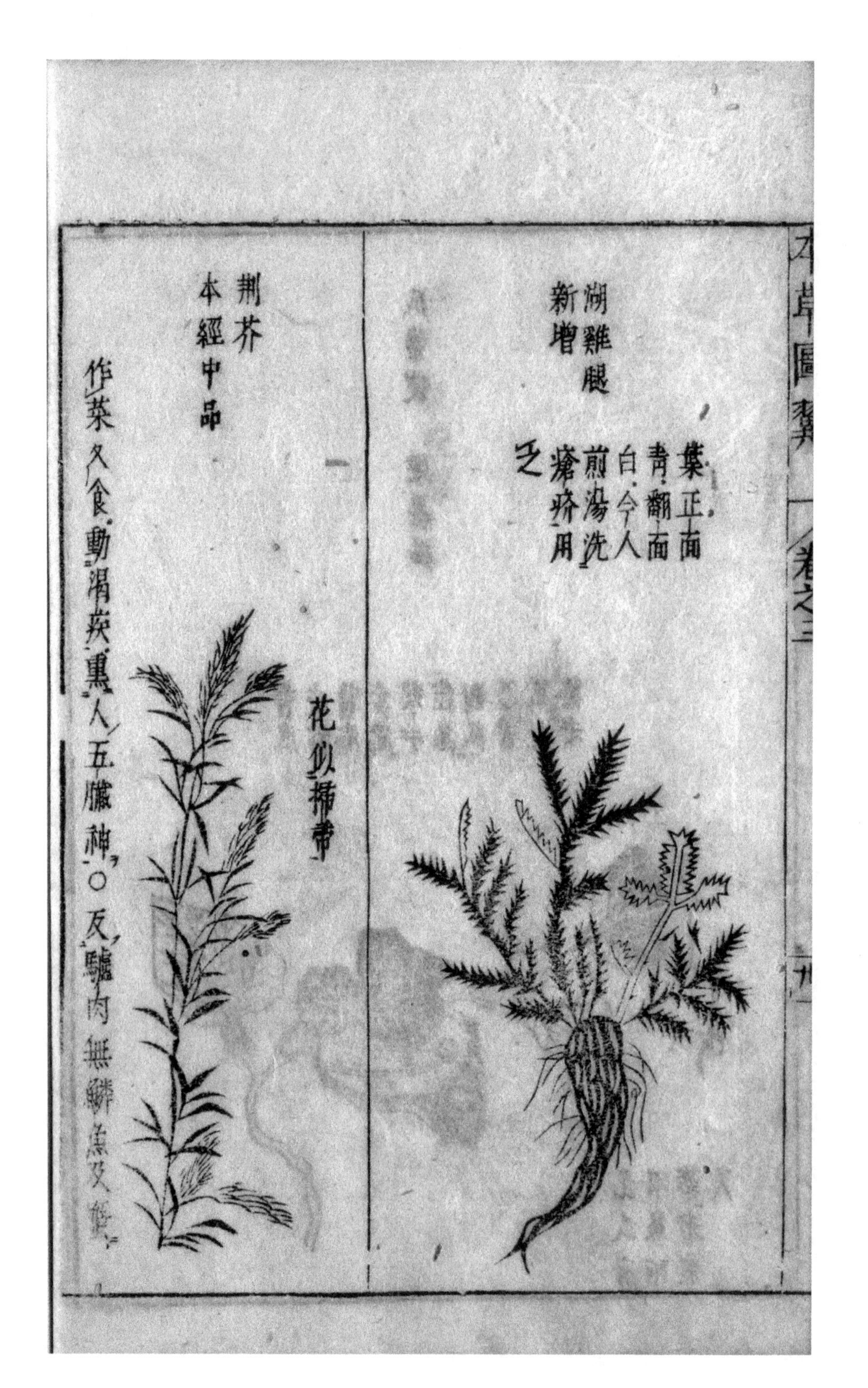

本草圖翼　卷之三　九

湖雞腿
新增

葉正面青翻面白今人煎湯洗瘡疥用之

荊芥
本經中品

作菜久食動渴疾熏人五臟神○反驢肉無鱗魚及蟹

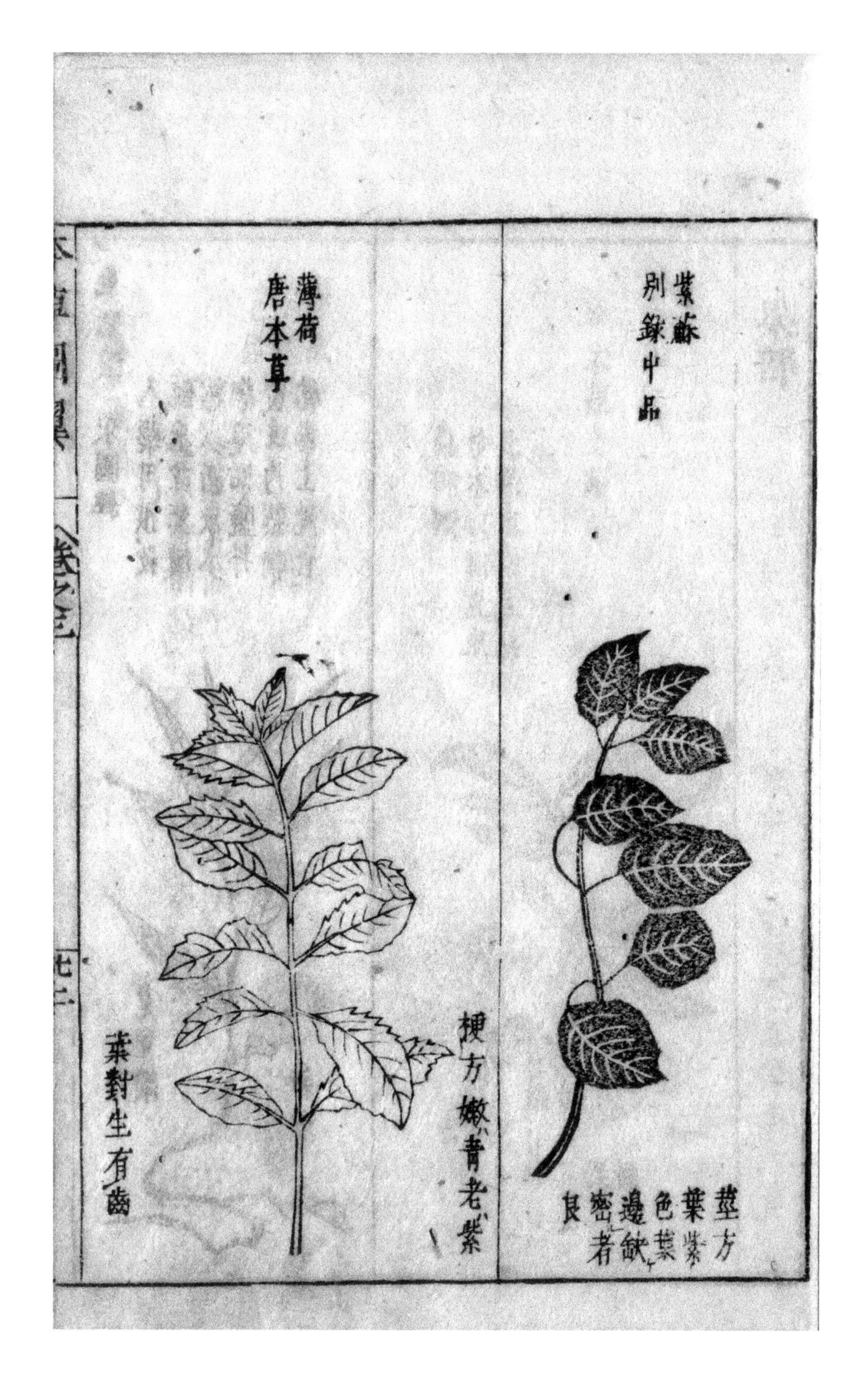
紫蘇
別錄中品
莖方葉紫色葉邊缺密者良
薄荷
唐本草
梗方嫩青老紫
葉對生有齒

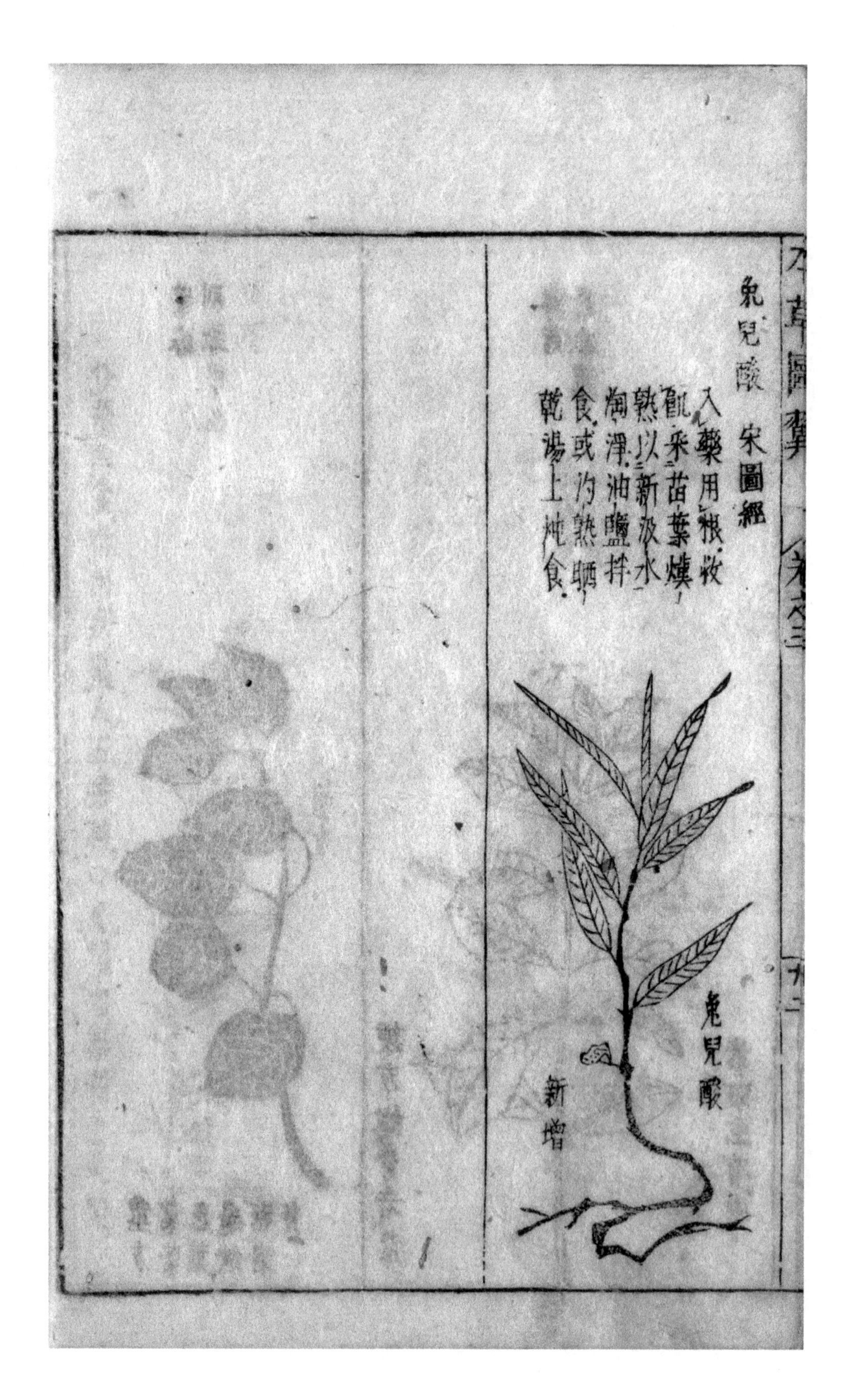

本草圖彙　卷之三

兎兒酸　宋圖經

入藥用根。救飢：采苗葉煠熟，以新汲水淘淨，油鹽拌食。或為熟晒乾，湯上炖食。

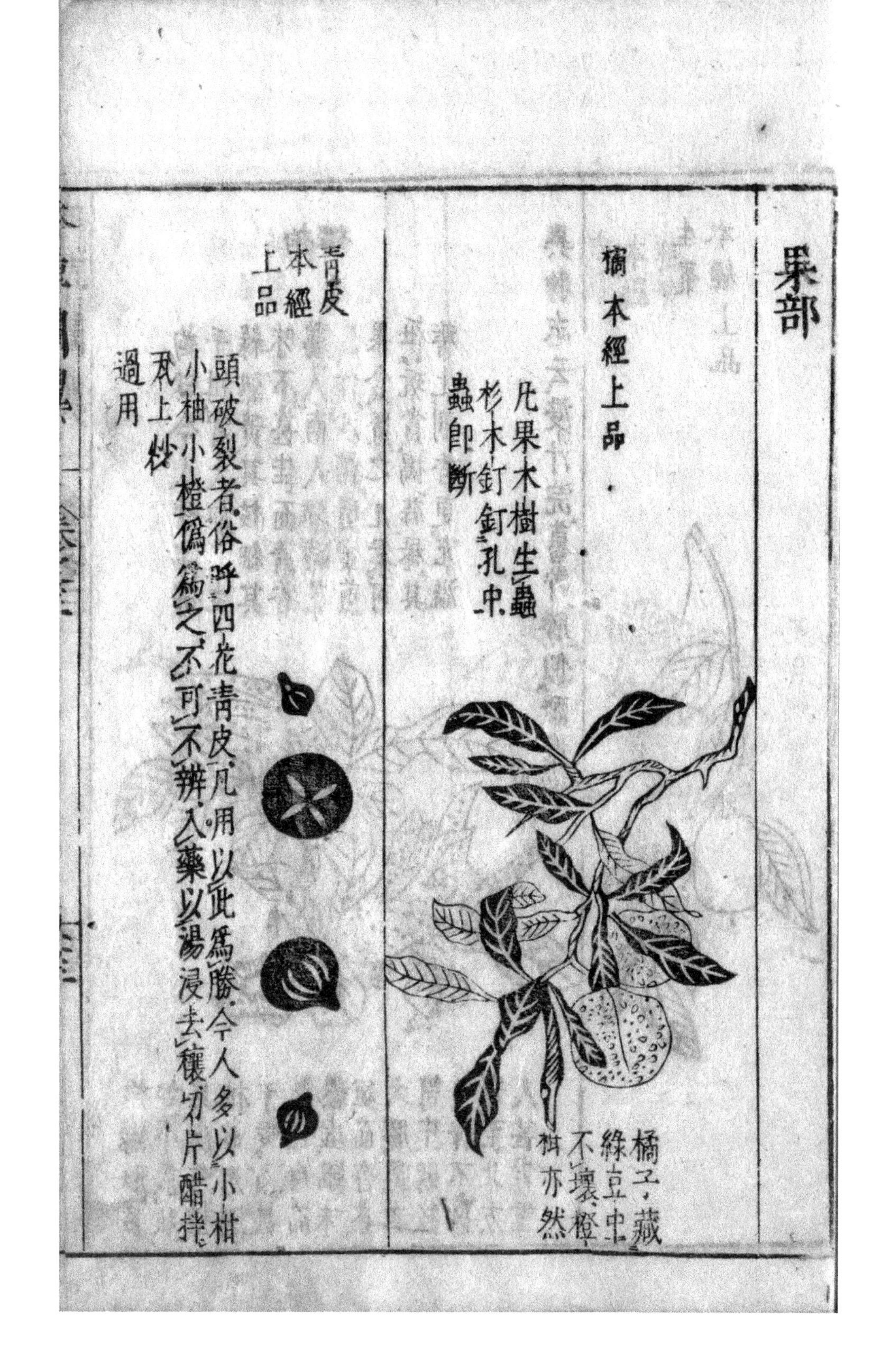

果部

橘 本經上品

凡果木樹生蟲杉木釘釘孔中蟲即斷

橘子藏綠豆中不壞橙柑亦然

青皮 本經上品

頭破裂者俗呼四花青皮凡用以此為勝今人多以小柑小柚小橙偽為之不可不辨入藥以湯浸去穰切片醋拌瓦上炒過用

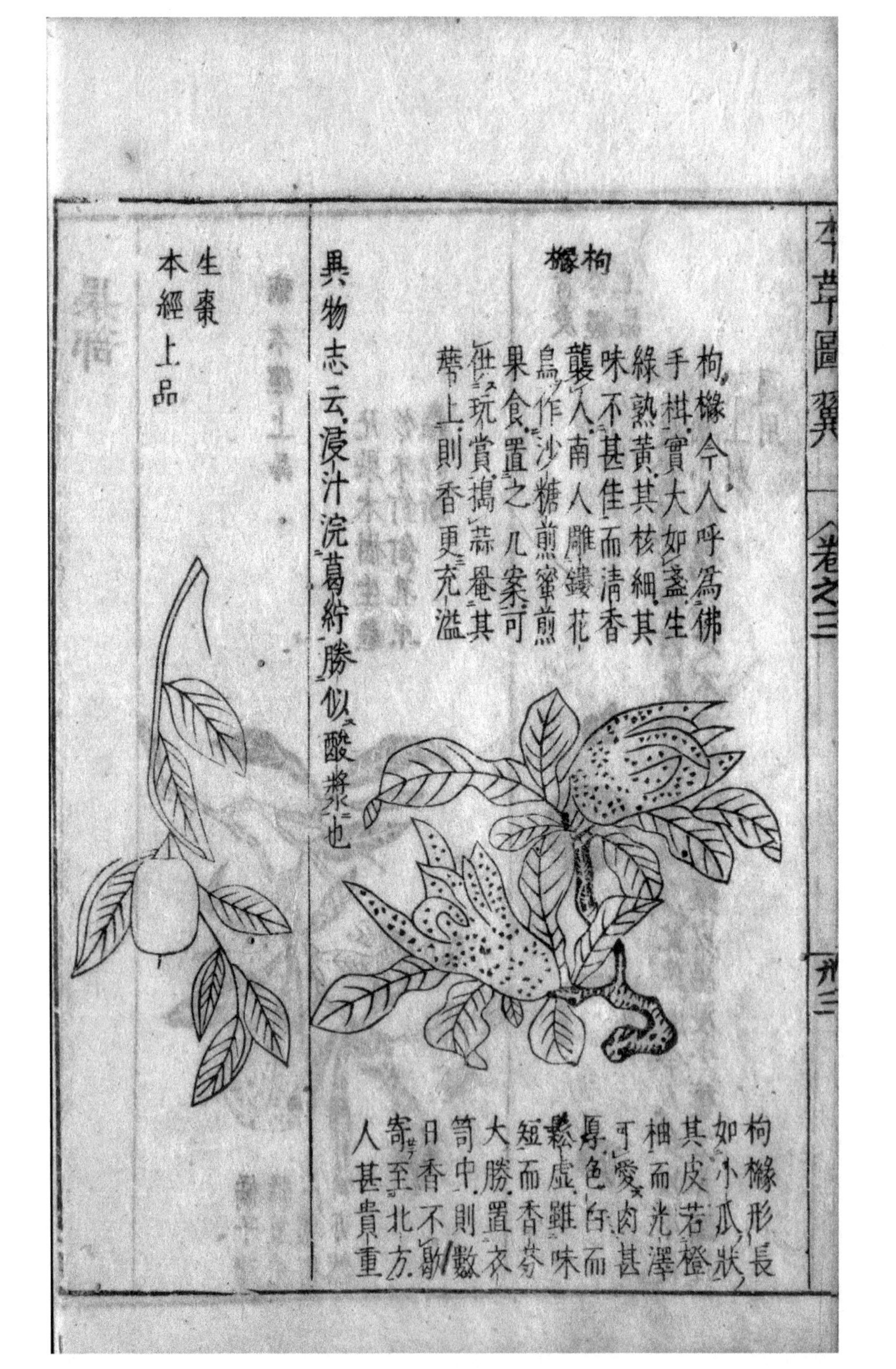

枸櫞

枸櫞今人呼爲佛手柑實大如盞生綠熟黄其核細其味不甚佳而清香襲人南人雕鏤花鳥作沙糖煎蜜煎果食置之几案可供玩賞搗蒜罨其蔕上則香更充溢

異物志云浸汁浣葛紵勝似酸漿也

枸櫞形長如小瓜狀其皮若橙柚而光澤可愛肉甚厚色白而鬆虛雖味短而香芬大勝置衣笥中則數日香不歇寄至北方人甚貴重

生棗

本經上品

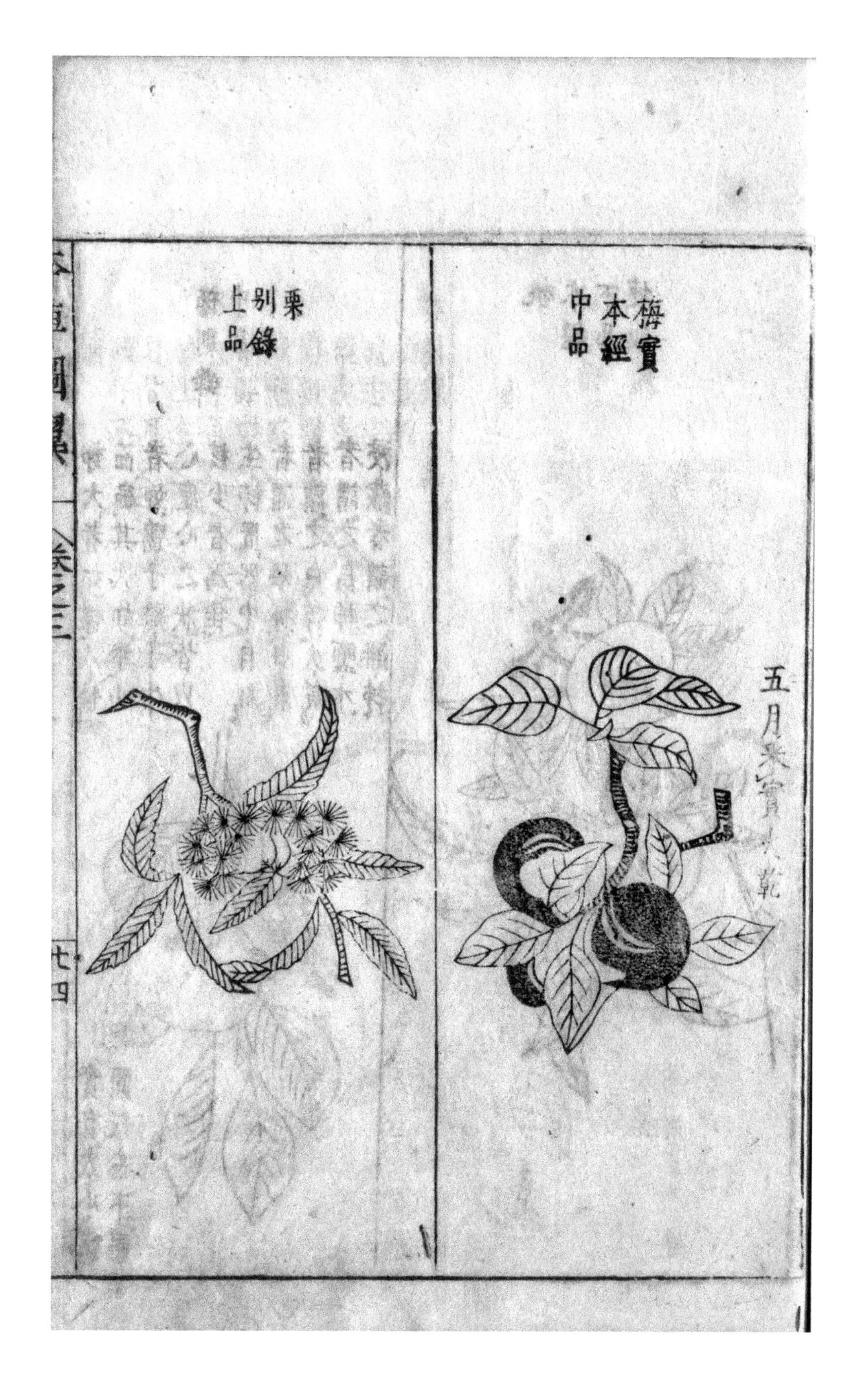
梅實
本經
中品
五月采實火乾
栗
別錄
上品
七四

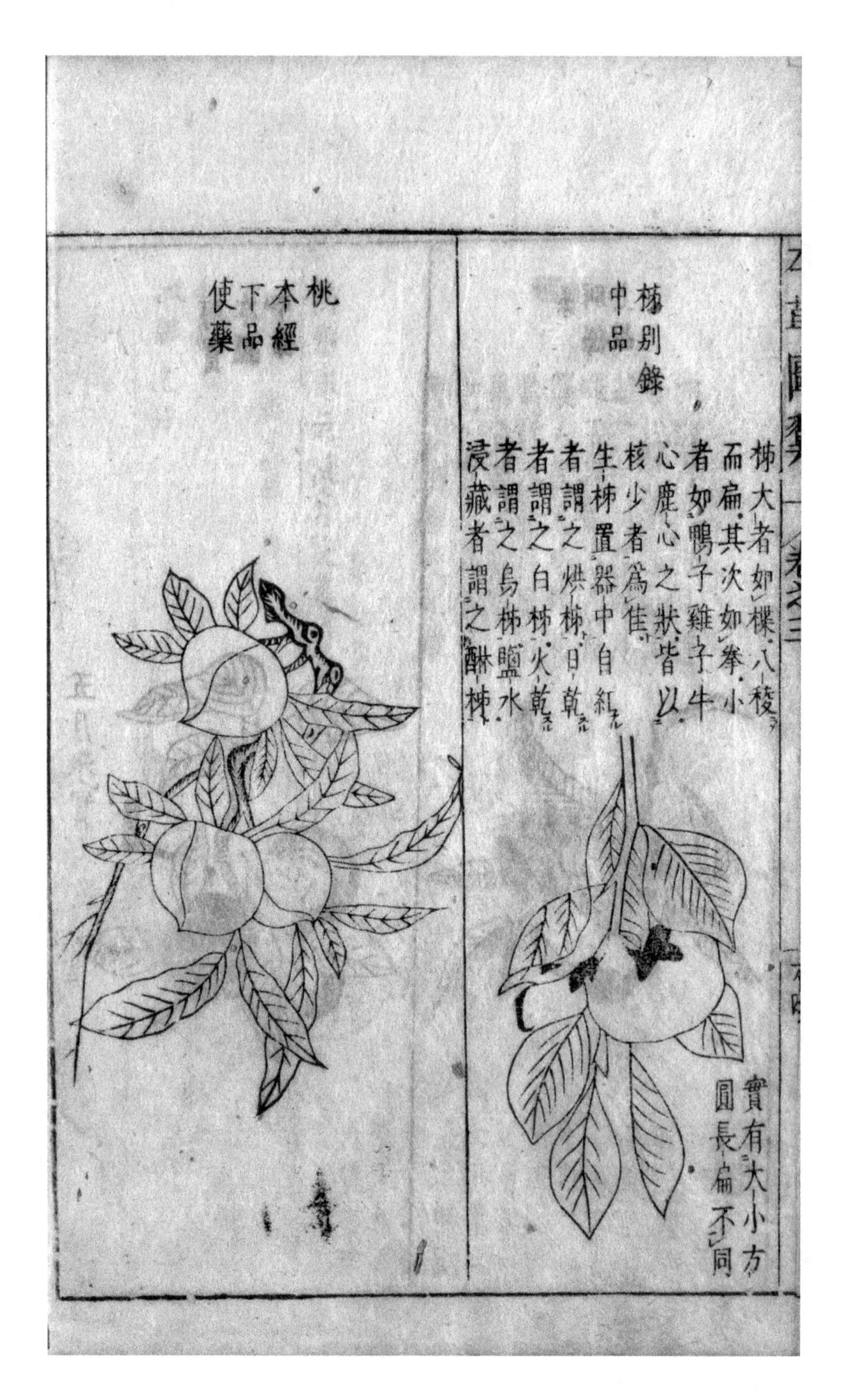

柹 別錄 中品

柹大者如楪八稜而扁其次如拳小者如鴨子雞子牛心鹿心之狀皆以核少者爲佳生柹置器中自紅者謂之烘柹日乾者謂之白柹火乾者謂之烏柹鹽水浸藏者謂之醂柹

實有大小方圓長扁不同

桃 本經 下品 使藥

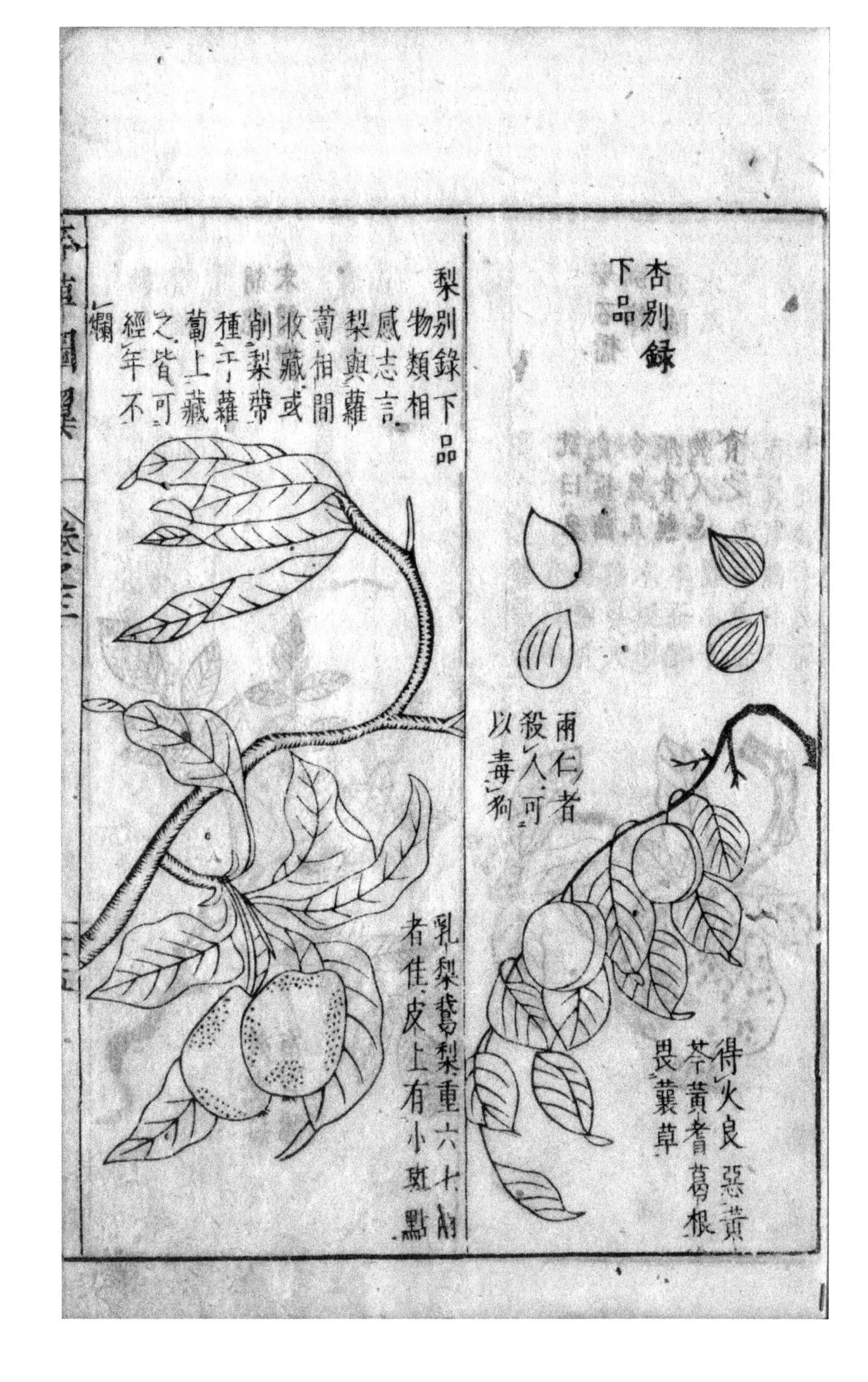

杏別錄下品

兩仁者殺人可以毒狗

得火良惡黃芩黃耆葛根畏蘘草

梨別錄下品

物類相感志言梨與蘿蔔相間收藏或削梨帶種插蘿蔔上藏之皆可經年不爛

乳梨鵞梨重六七兩者佳皮上有小斑點

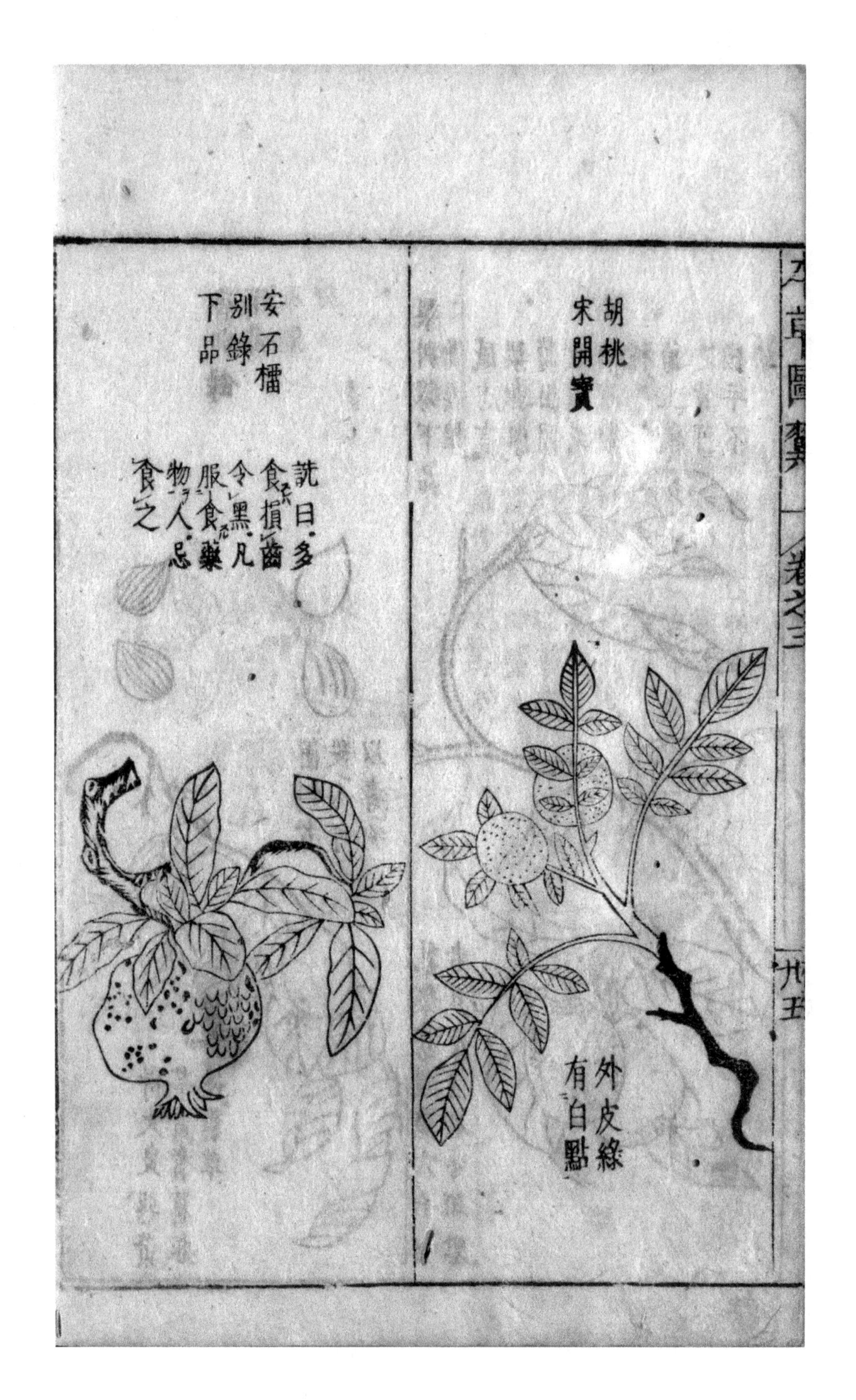
胡桃
宋開寶
外皮綠有白點
安石榴
別錄下品
訛曰多食損齒令黑凡服食藥物人忌食之

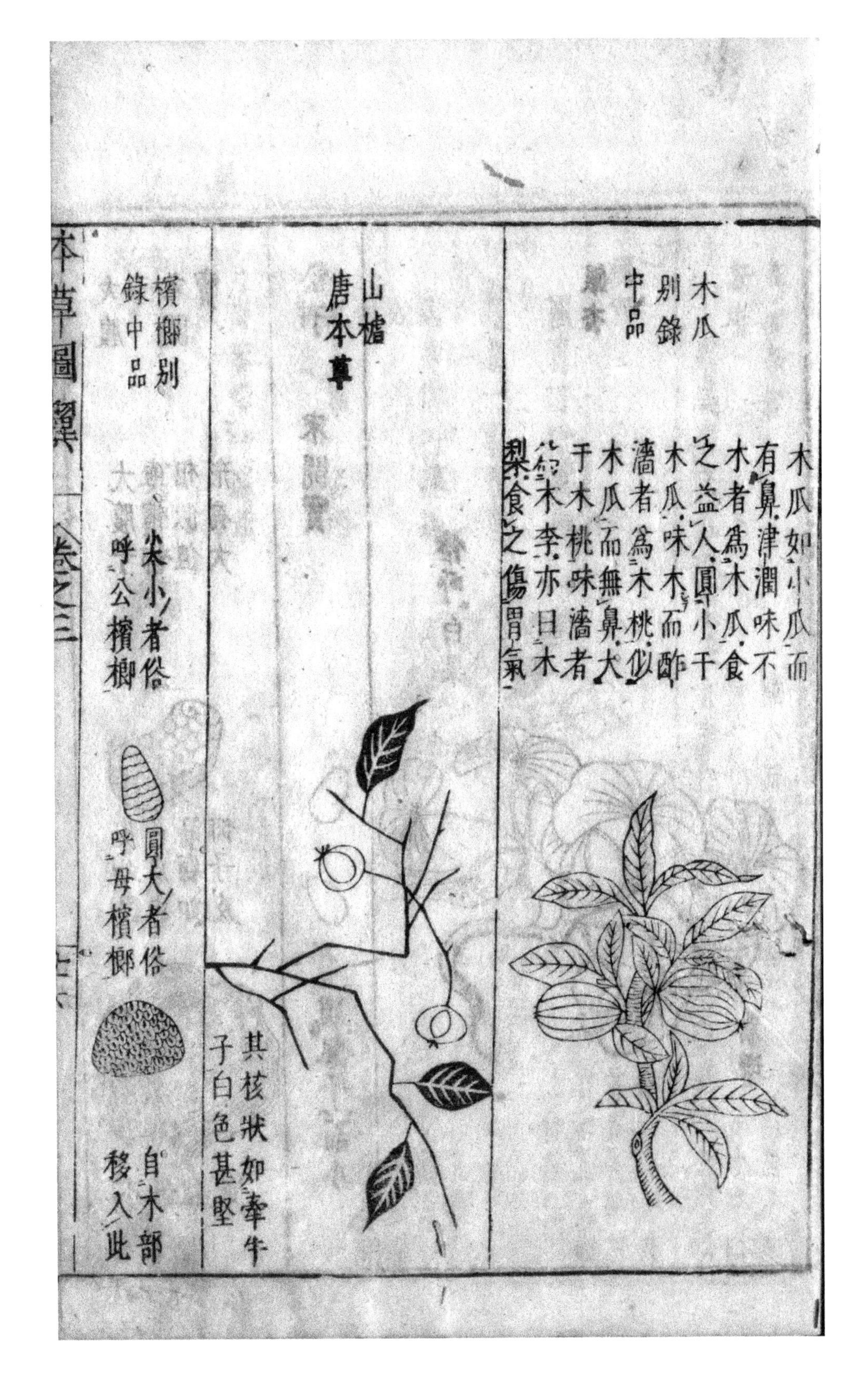

木瓜 別錄 中品

木瓜如小瓜而有鼻津潤味不木者爲木瓜食之益人圓小于木瓜味木而酢濇者爲木桃似木瓜而無鼻大于木桃味濇者爲木李亦曰木梨食之傷胃氣

山樝 唐本草

其核狀如牽牛子白色甚堅

檳榔 別錄中品

小者俗呼公檳榔

圓大者俗呼母檳榔

自木部移入此

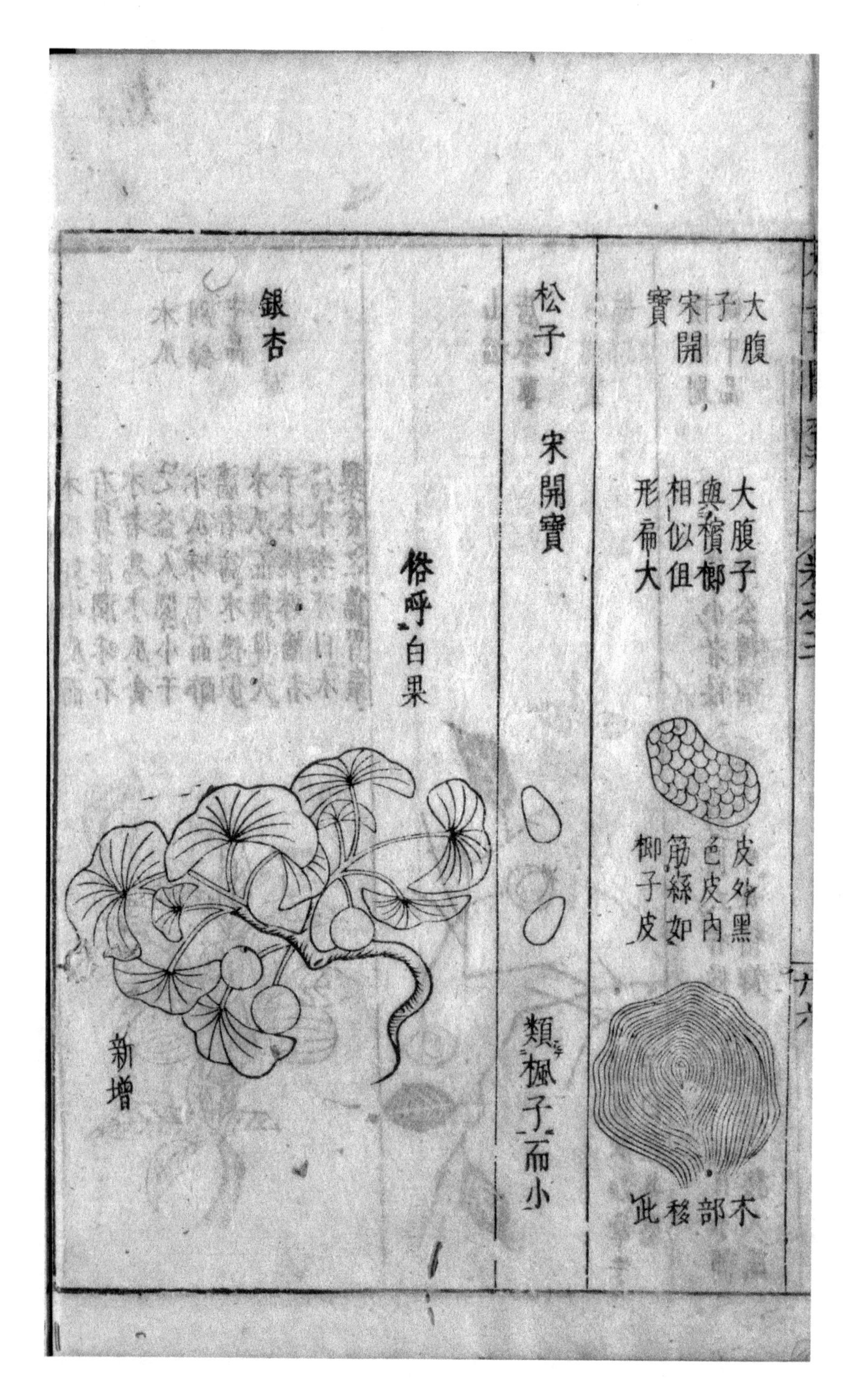

大腹子 宋開寶

大腹子與檳榔相似但形扁大

皮外黑色皮內筋絲如椰子皮

木部移此

松子 宋開寶

類楓子而小

銀杏

俗呼白果

新增

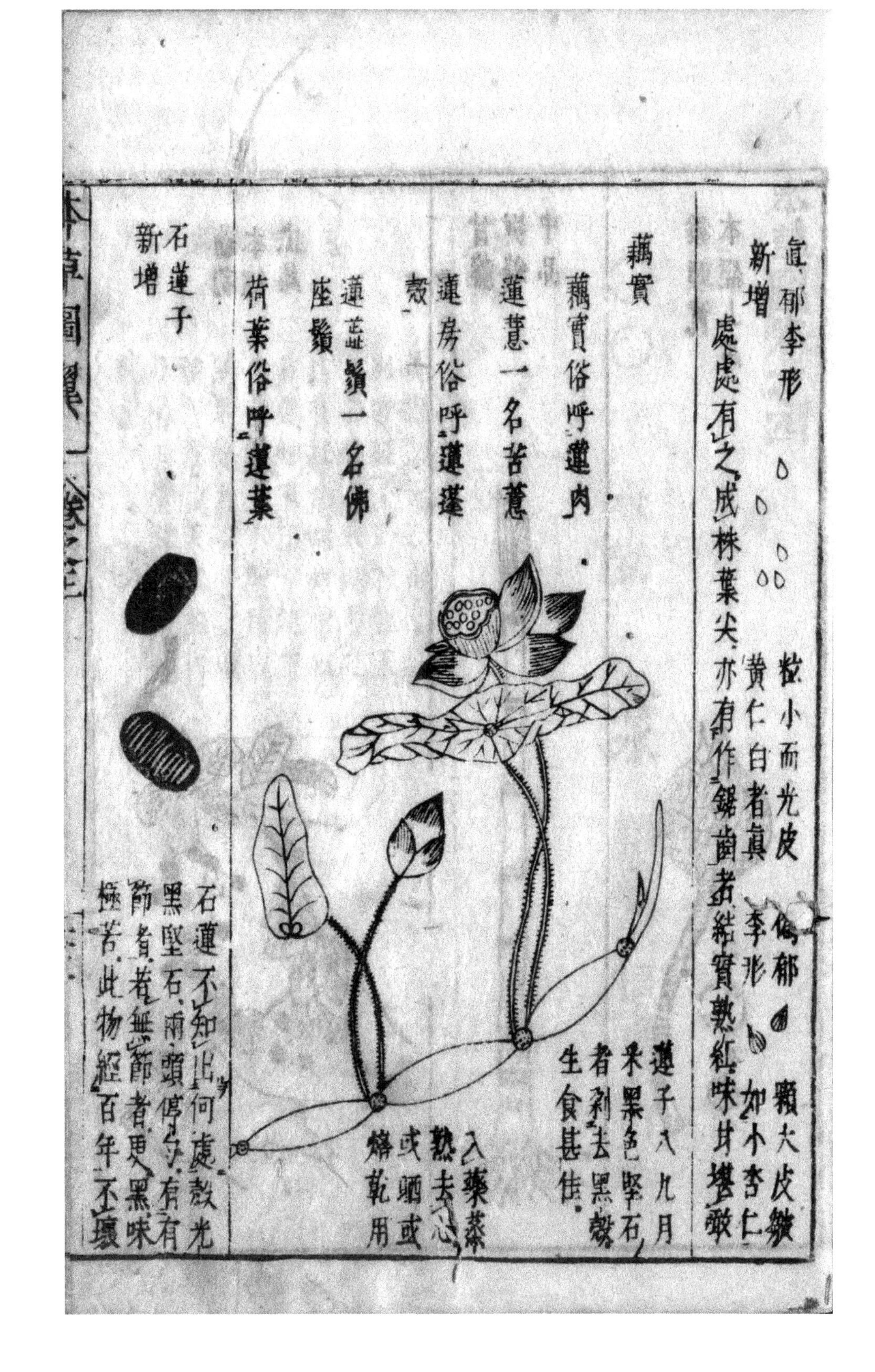
眞郁李形　粒小而光皮　僞郁　顆大皮皺
新增　黄仁白者眞　李形　如小李仁
處處有之成株葉尖亦有作鋸齒者結實熟紅味甘堪啖

藕實
藕實俗呼蓮肉
蓮薏一名苦薏
蓮房俗呼蓮蓬殼
蓮蕊鬚一名佛座鬚
荷葉俗呼蓮葉
蓮子八九月采黑色堅石者剥去黑殼生食甚佳
入藥蒸熟去心或晒或焙乾用

石蓮子
新增
石蓮不知出何處殼光黑堅石兩頭停匀有有節者有無節者思入黑味極苦此物經百年不壞

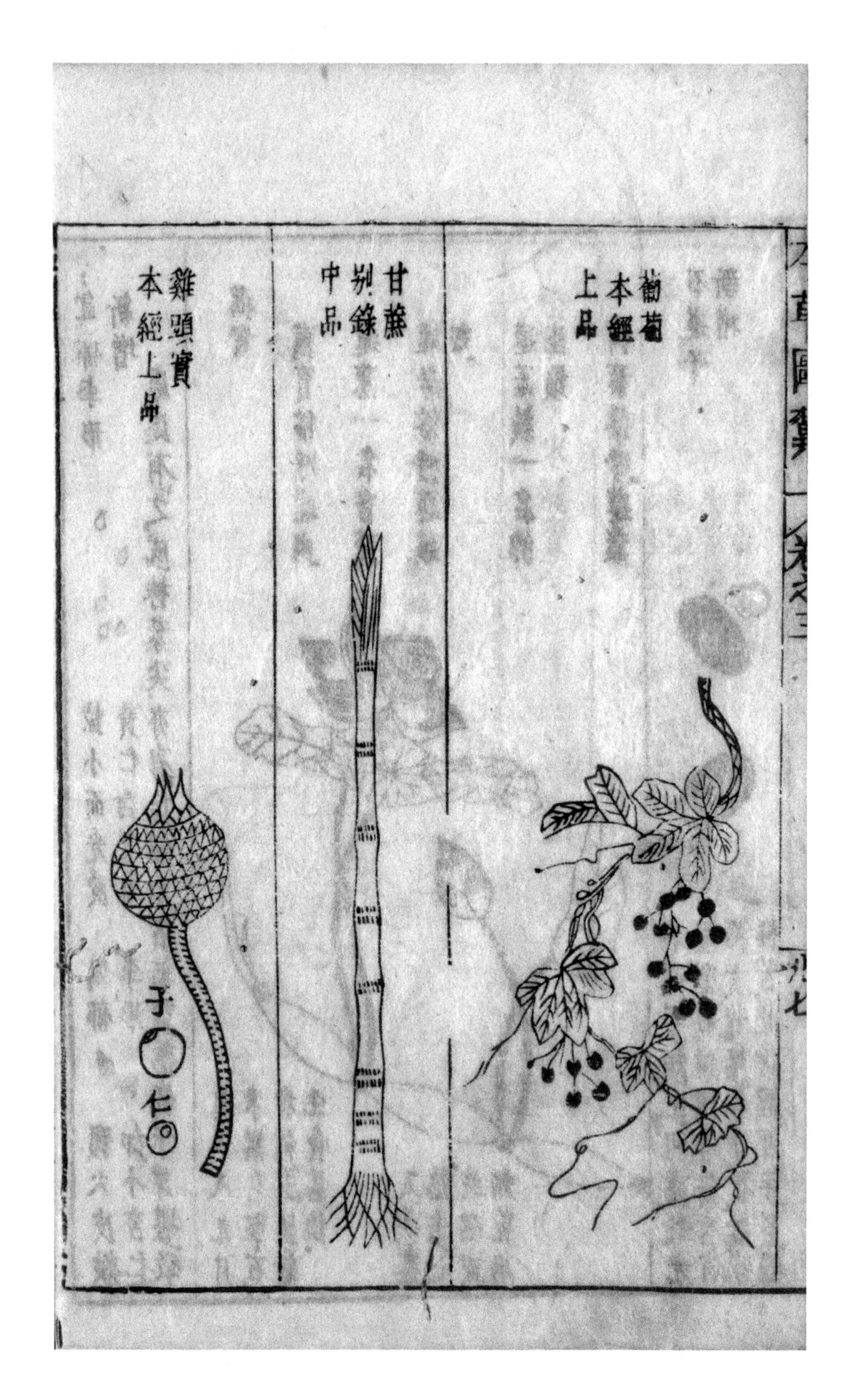
葡萄
本經
上品
甘蔗
别録
中品
雞頭實
本經上品
子
七〇

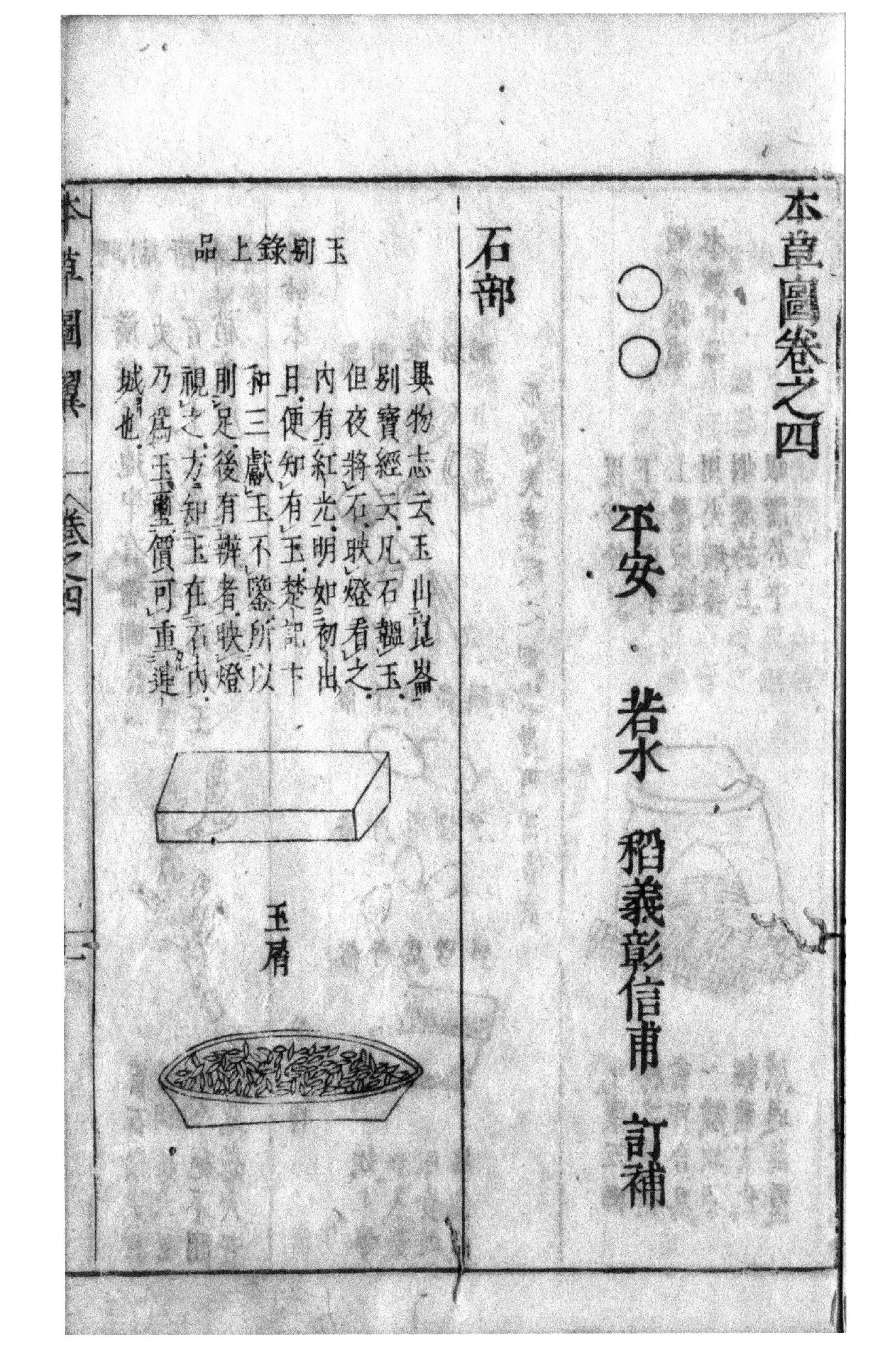

本草圖卷之四

○○ 平安 若水稻義彰信甫 訂補

石部

玉 別錄上品

異物志云玉出崑崙別寶經云凡石韞玉但夜將石映燈看之內有紅光明如初出日便知有玉楚記卞和三獻玉不鑒所以刖足後有辨者映燈視之方知玉在石內乃爲玉璽價可重連城也

玉屑

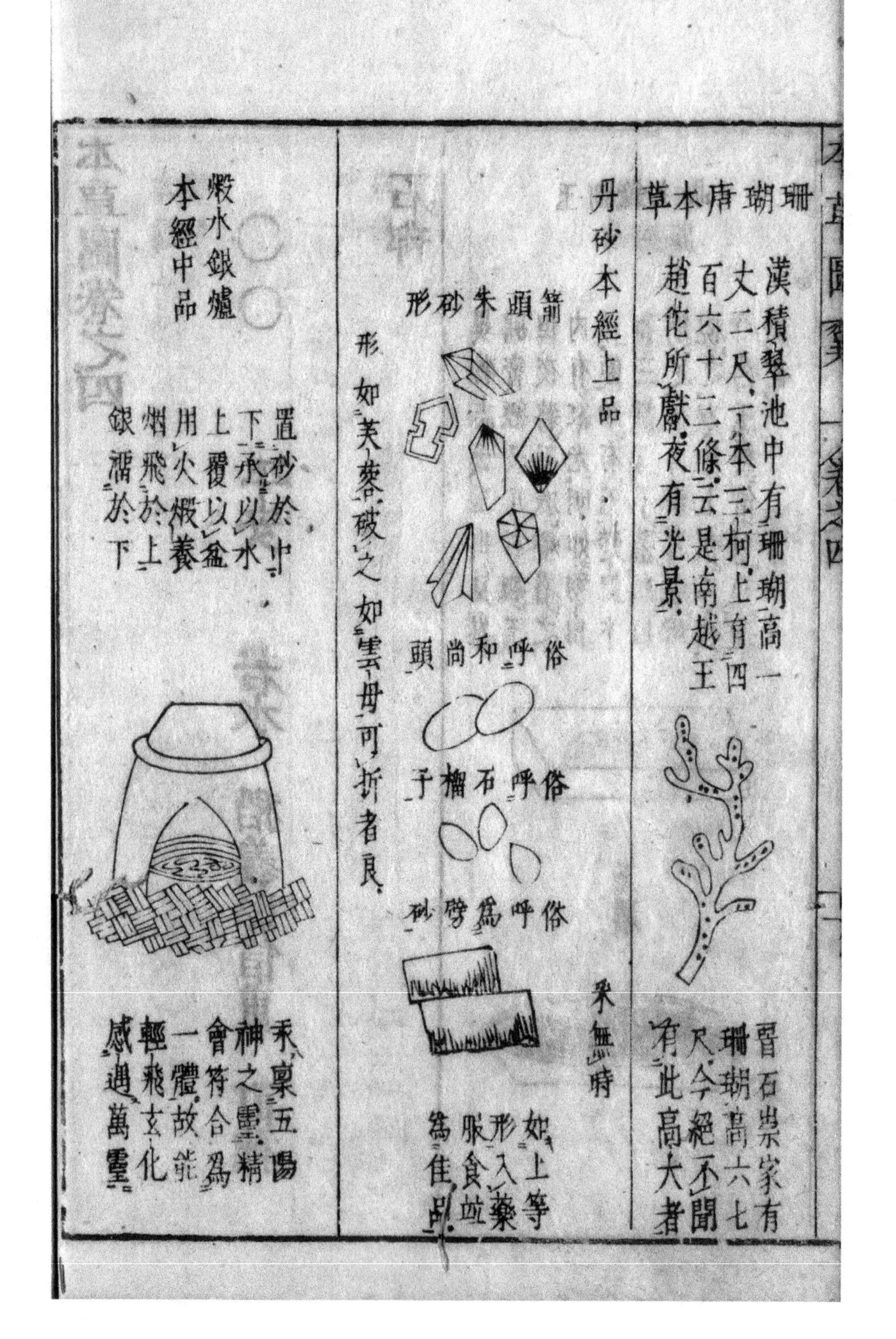

珊瑚唐本草

漢積翠池中有珊瑚高一丈二尺一本三柯上有四百六十三條云是南越王趙佗所獻夜有光景

晉石崇家有珊瑚高六七尺今絕不聞有此高大者

丹砂本經上品

形如芙蓉破之如雲母可折者良

采無時

如上等形入藥服食並為佳品

煅水銀爐

本經中品

置砂於中下承以水上覆以盆用火煅養烟飛於上銀溜於下

汞禀五陽神之靈精會符合為一體故能輕飛玄化感過萬靈

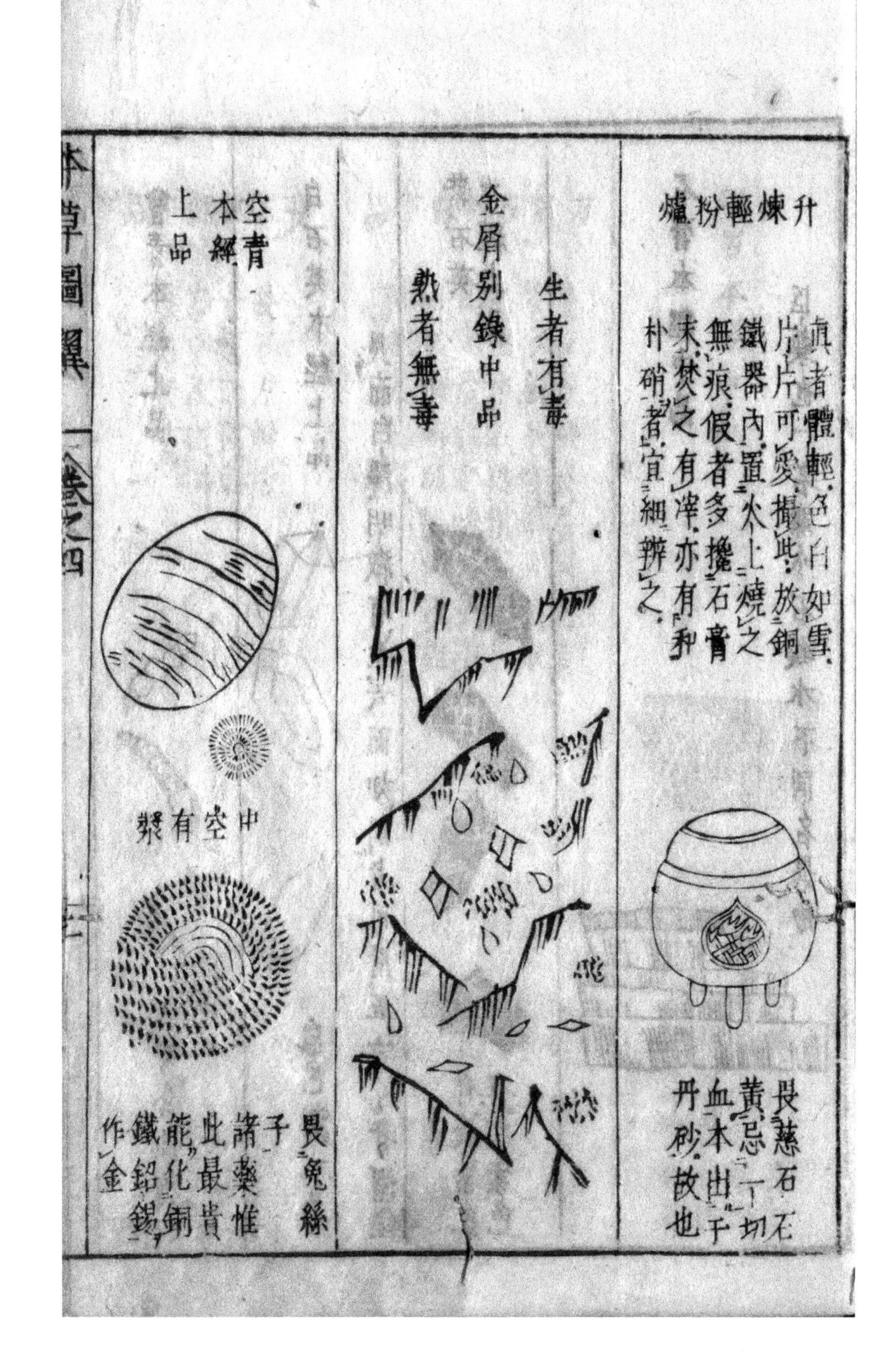

升煉輕粉爐

真者體輕色白如雪片片可愛携此放銅鐵器內置火上燒之無痕假者多攙石膏末焚之有滓亦有和朴硝者宜細辨之

畏慈石石黄忌一切血本出于丹砂故也

金屑別錄中品

生者有毒

熟者無毒

空青本經上品

中空有漿

畏兔絲子諸藥惟此最貴能化銅鐵鉛錫作金

曾青本經上品
可合仙藥
白石英本經上品
長而白澤明澈有光六面如削者可用五六寸者彌佳
白色若水晶
紫石英本經上品
有淡紫色
有淺紫色
石膏本經中品
臣藥也一名寒水石凝水石同名異物

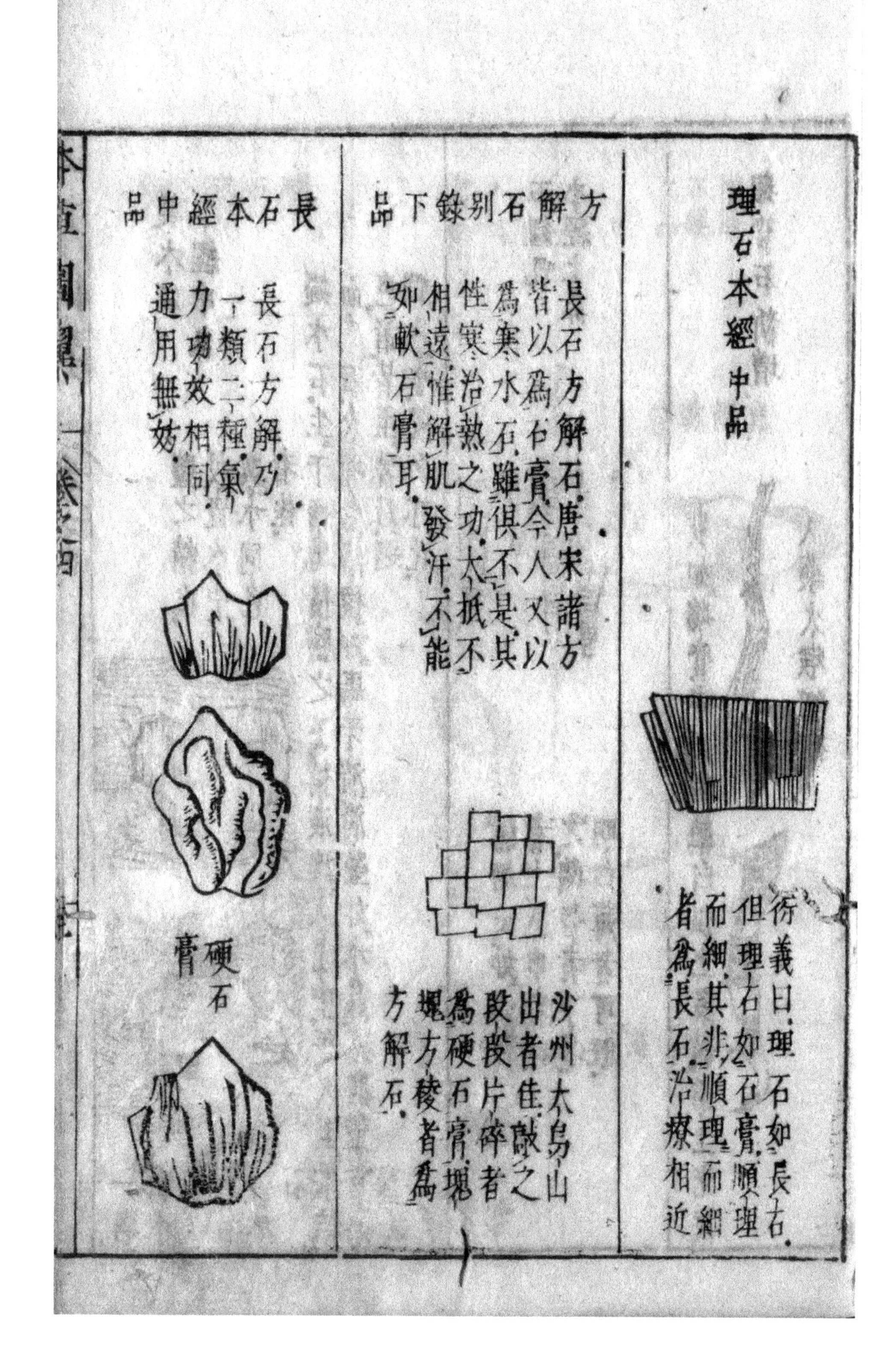

理石本經中品

衍義曰理石如長石但理石如石膏順理而細其非順理而細者爲長石治療相近

方解石別錄下品

長石方解石唐宋諸方皆以爲石膏今人又以爲寒水石雖俱不是其性寒治熱之功大抵不相遠惟解肌發汗不能如軟石膏耳

沙州太烏山出者佳敲之段段片碎者爲硬石膏塊塊方稜者爲方解石

長石本經中品

長石方解乃一類二種氣力功效相同通用無妨

硬石膏

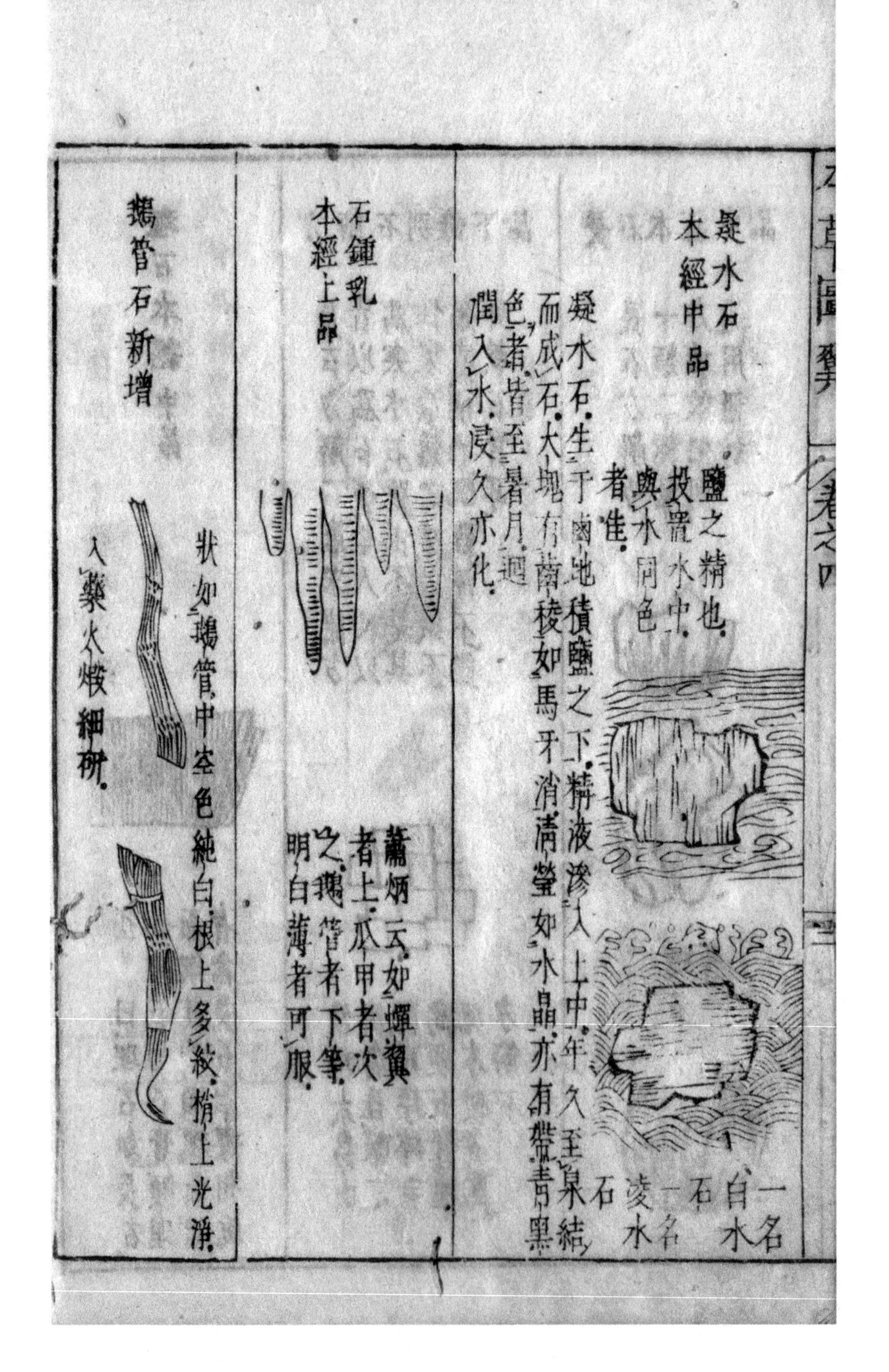

凝水石　本經中品

一名白水石　一名凌水石

鹽之精也。投置水中，與水同色者佳。

凝水石，生于鹵地積鹽之下，精液滲入土中，年久至泉結而成石，大塊有齒稜，如馬牙消，清瑩如水晶，亦有帶青黑色者，皆至暑月迴潤，入水浸久亦化。

石鍾乳　本經上品

蕭炳云：如蟬翼者上，爪甲者次之，鵝管者下等，明白薄者可服。

鵝管石　新增

狀如鵝管，中空，色純白，根上多紋，梢上光滑。

入藥火煅細研。

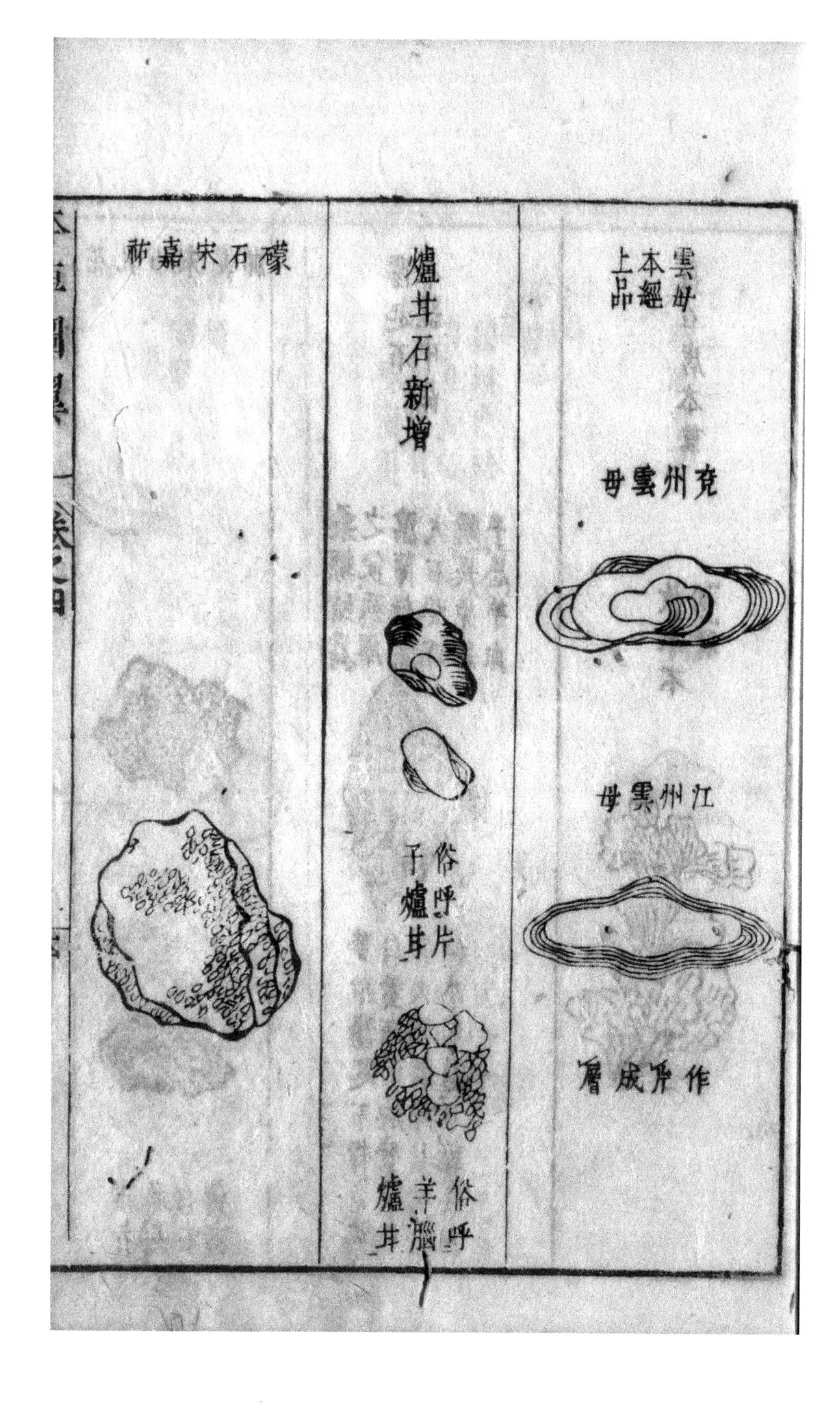
雲母
本經上品
兗州雲母
江州雲母
作片成層
爐甘石
新增
俗呼片子爐甘
俗呼羊腦爐甘
礞石
宋嘉祐

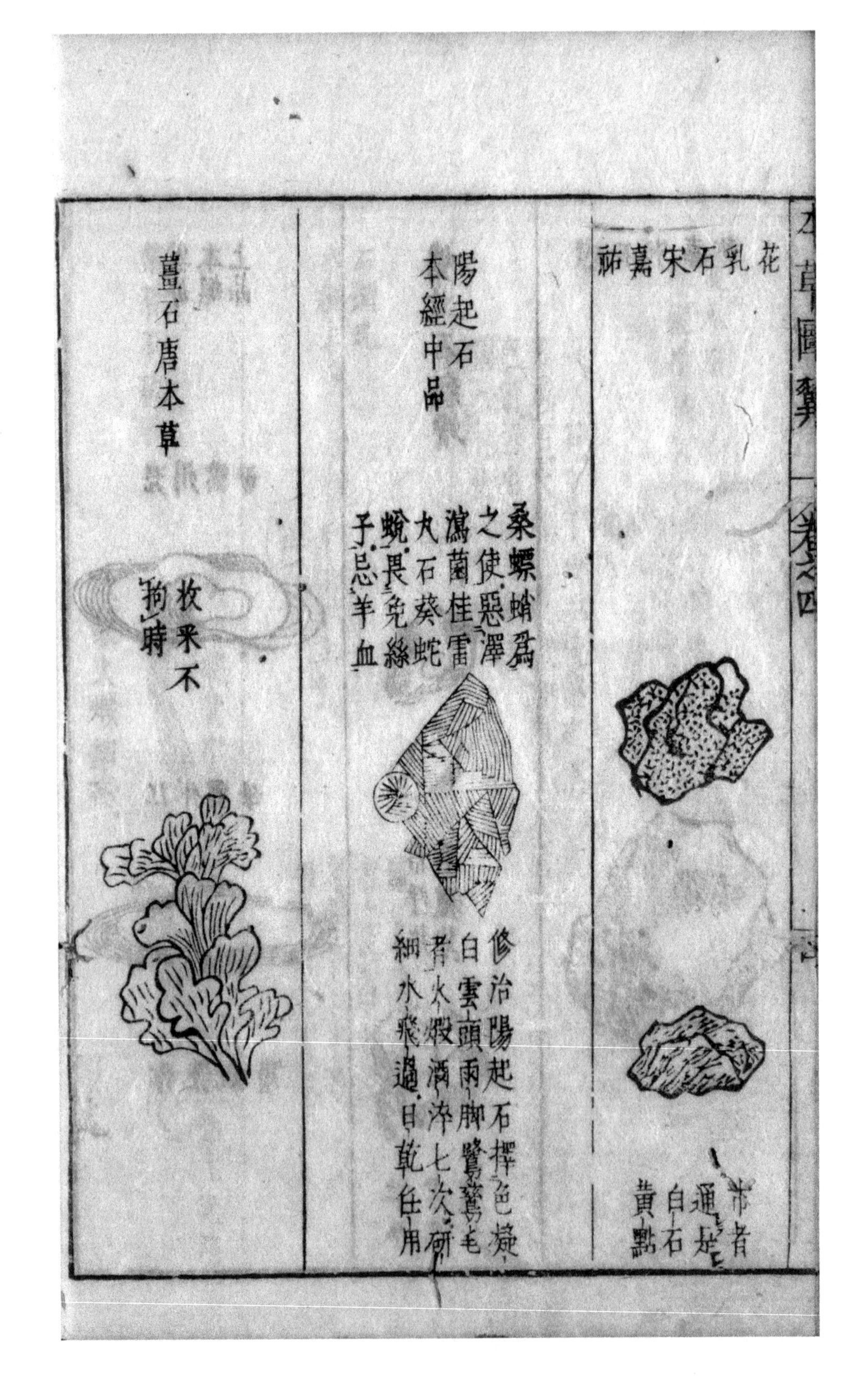

花乳石 宋嘉祐

市者通是白石黄點

陽起石 本經中品

桑螵蛸爲之使。惡澤瀉菌桂雷丸石葵蛇蛻。畏兔絲子。忌羊血

修治陽起石擇色白雲頭雨脚鷺鶿毛者。火煅酒淬七次。研細水飛過。日乾任用

薑石 唐本草

收采不拘時

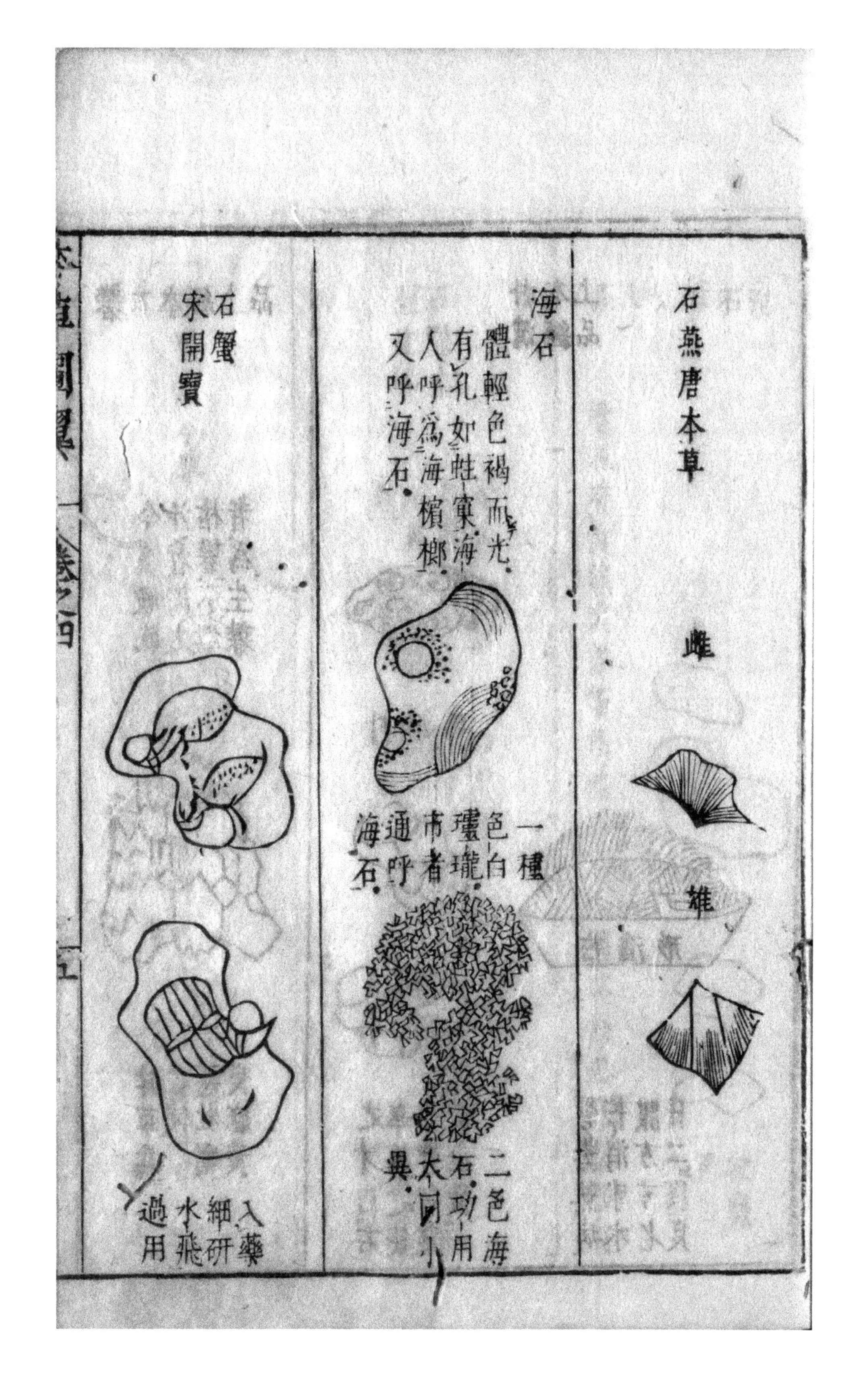

石燕　唐本草

雌

雄

海石

體輕色褐而光有孔如蛀窠海人呼爲海檳榔又呼海石

一種色白璹瓏市者通呼海石

二色海石功用大同小異

石蟹　宋開寶

入藥細研水飛過用

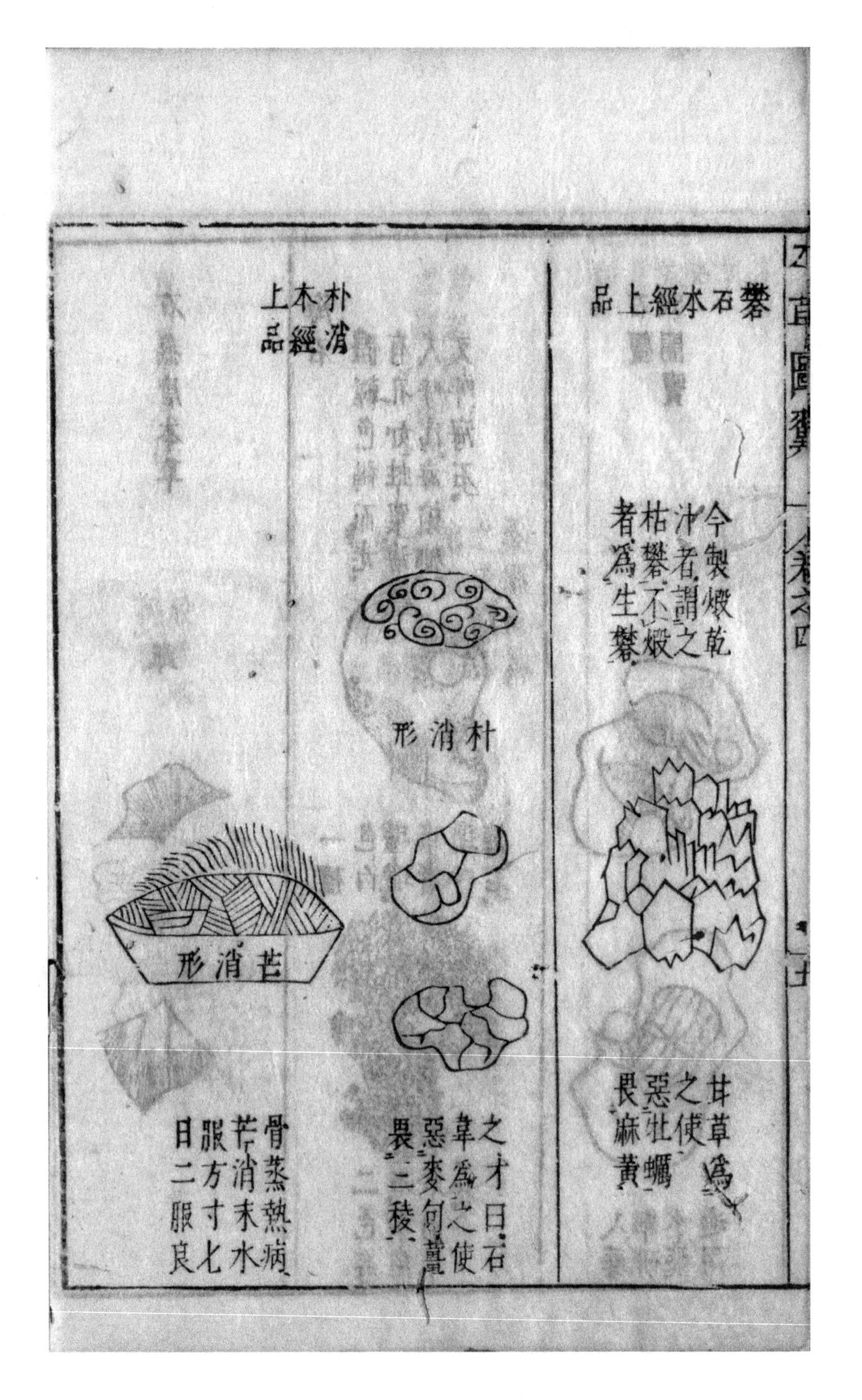
礬石本經上品
今製煆乾汁者謂之枯礬不煆者爲生礬
甘草爲之使惡牡蠣畏麻黃
朴消本經上品
朴消形
之才曰石韋爲之使惡麥句薑畏三稜
芒消形
骨蒸熱病芒消末水服方寸匕日二服良

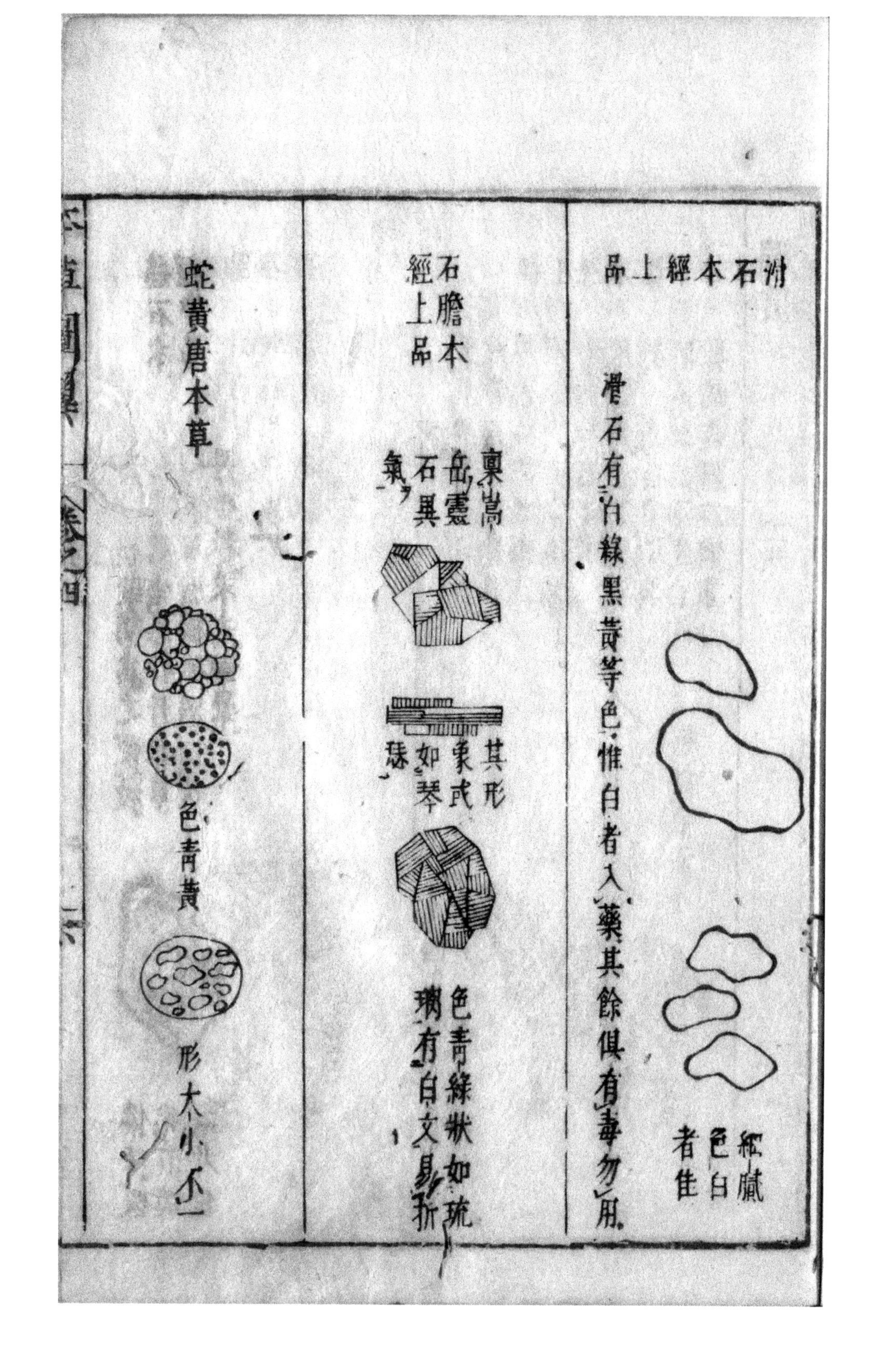
滑石本經上品
滑石有白綠黑黄等色惟白者入藥其餘俱有毒勿用
細膩色白者佳
石膽本經上品
秉嵩岳靈氣石異
其形如琴式彖
色青綠狀如琉璃有白文易折
蛇黄唐本草
色青黄
形大小不一

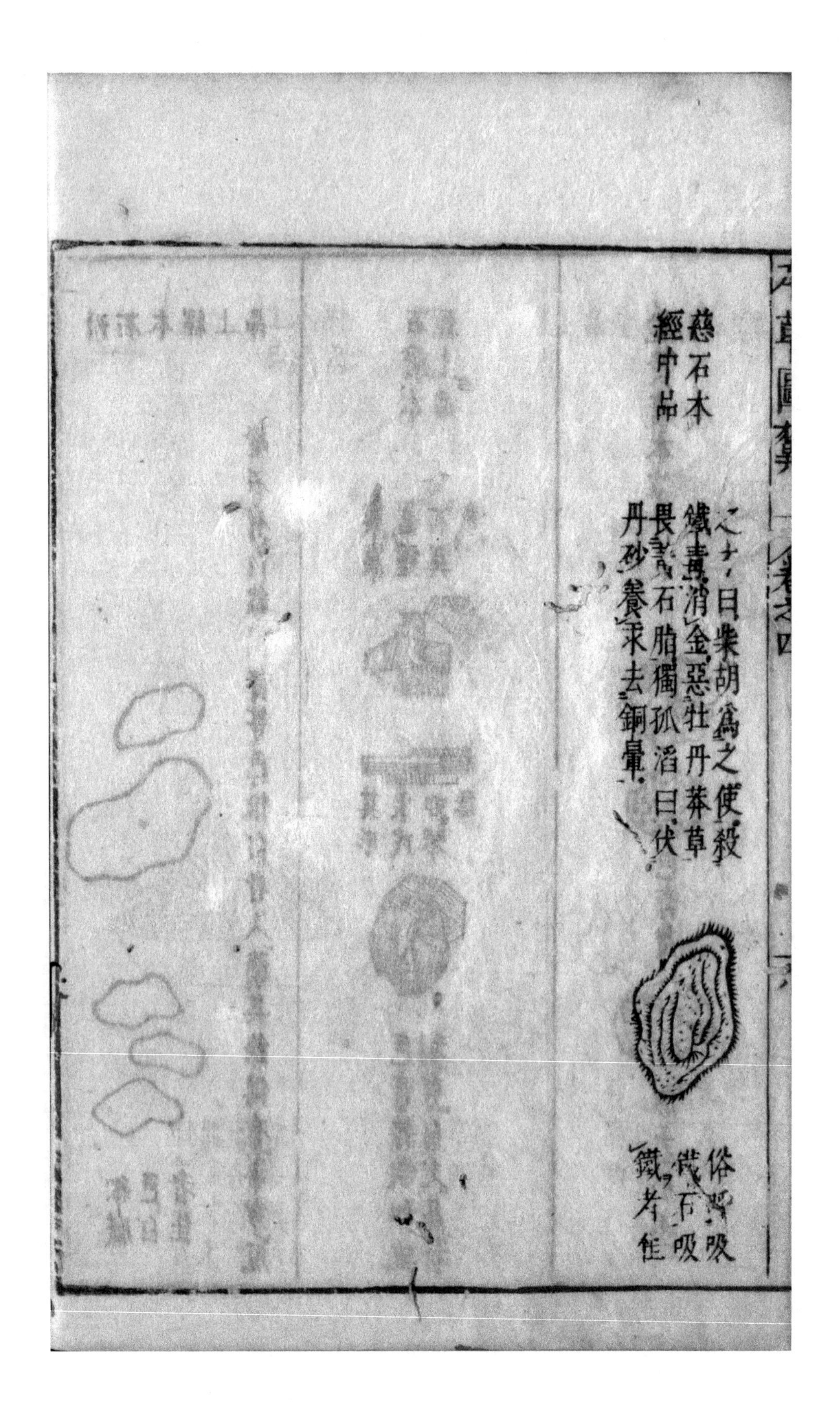

慈石本經中品

之才曰柴胡爲之使殺鐵毒消金惡牡丹莽草畏黃石脂獨孤滔曰伏丹砂養汞去銅暈

俗呼吸鐵石吸鐵者佳

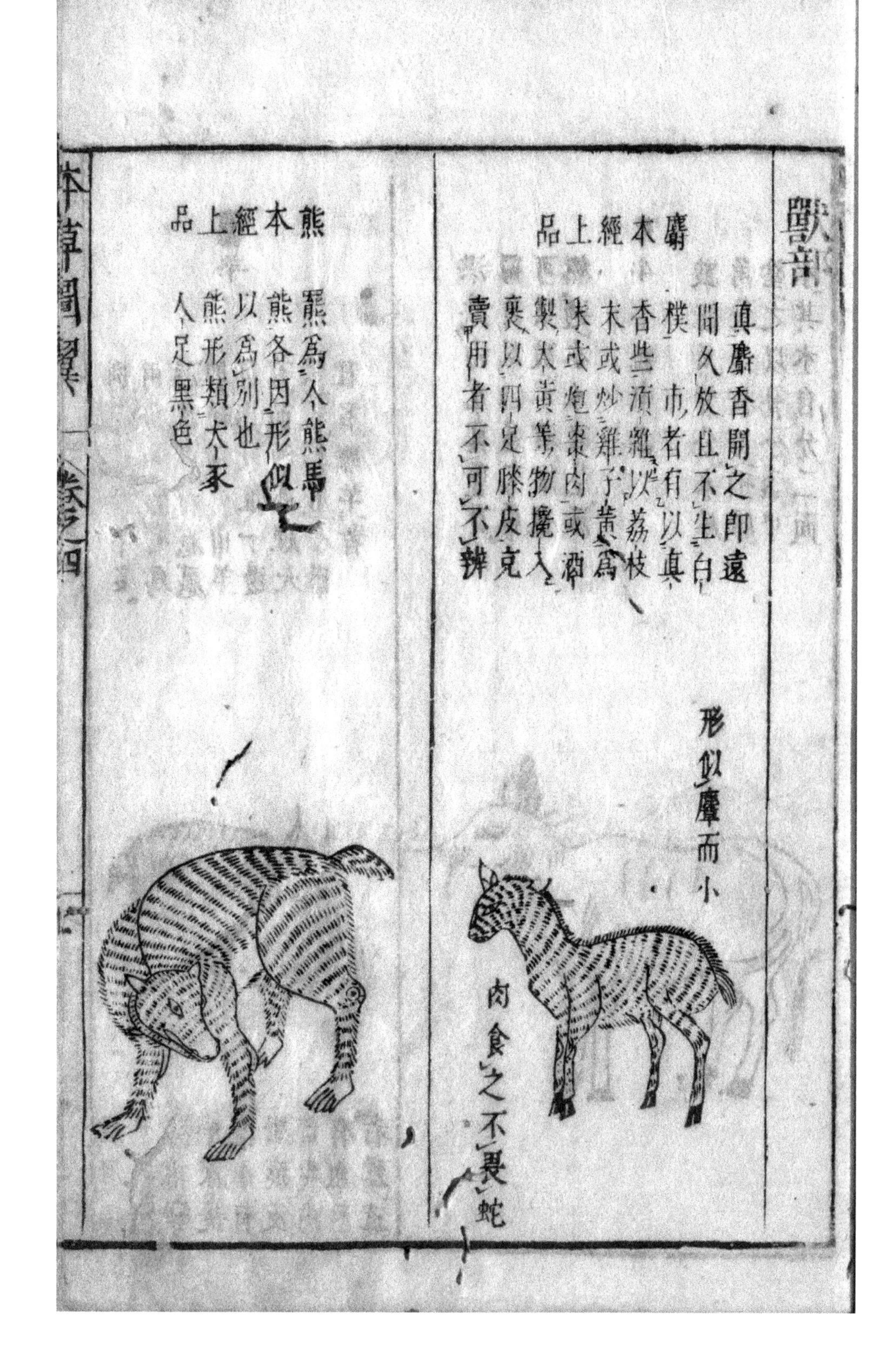

獸部

麝 本經上品

真麝香開之即遠聞久放且不生白樸市者有以真香些須雜以荔枝末或炒雞子黃爲末或炮棗肉或酒製大黃等物攙入裹以四足膝皮充賣用者不可不辨

形似麞而小

肉食之不畏蛇

熊 本經上品

羆爲大熊馬熊各因形似以爲別也熊形類犬豕人足黑色

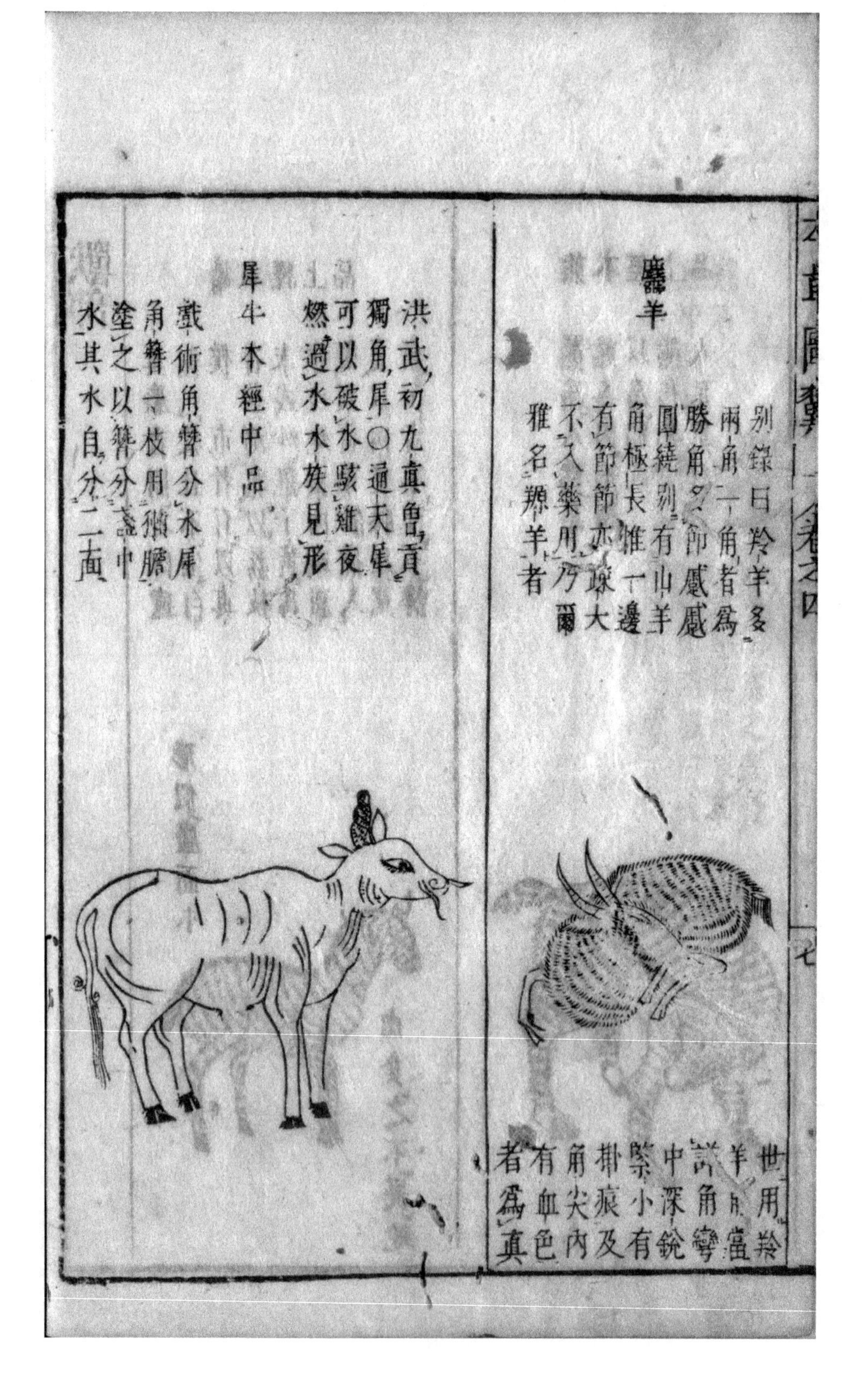

麢羊

別錄曰羚羊多兩角一角者爲勝角多節蹙蹙圓繞別有山羊角極長惟一邊有節節亦踈大不入藥用乃爾雅名羱羊者

世用羚羊當試角彎中深銳緊小有掛痕及角尖內有血色者爲真

洪武初九真魯貢獨角犀○通天犀可以破水駭雞夜燃過水木族見形

犀牛本經中品

戴術角犀分水犀角犀一枝用獺膽塗之以犀分盞中水其水自分二面

羊本經中品

羊性惡濕喜燥食鉤吻而肥食仙茅而肪食仙靈脾而淫食躑躅而死飲尿而亡物理之宜忌不可測也

豕本經下品

入藥宜用純黑豭豬白豬花豬豬豥豬牝猪病豬黃膘豬米豬並不可食

驢　唐本草
駞　宋開寶

獺別錄下品
川山甲
蟲部下品

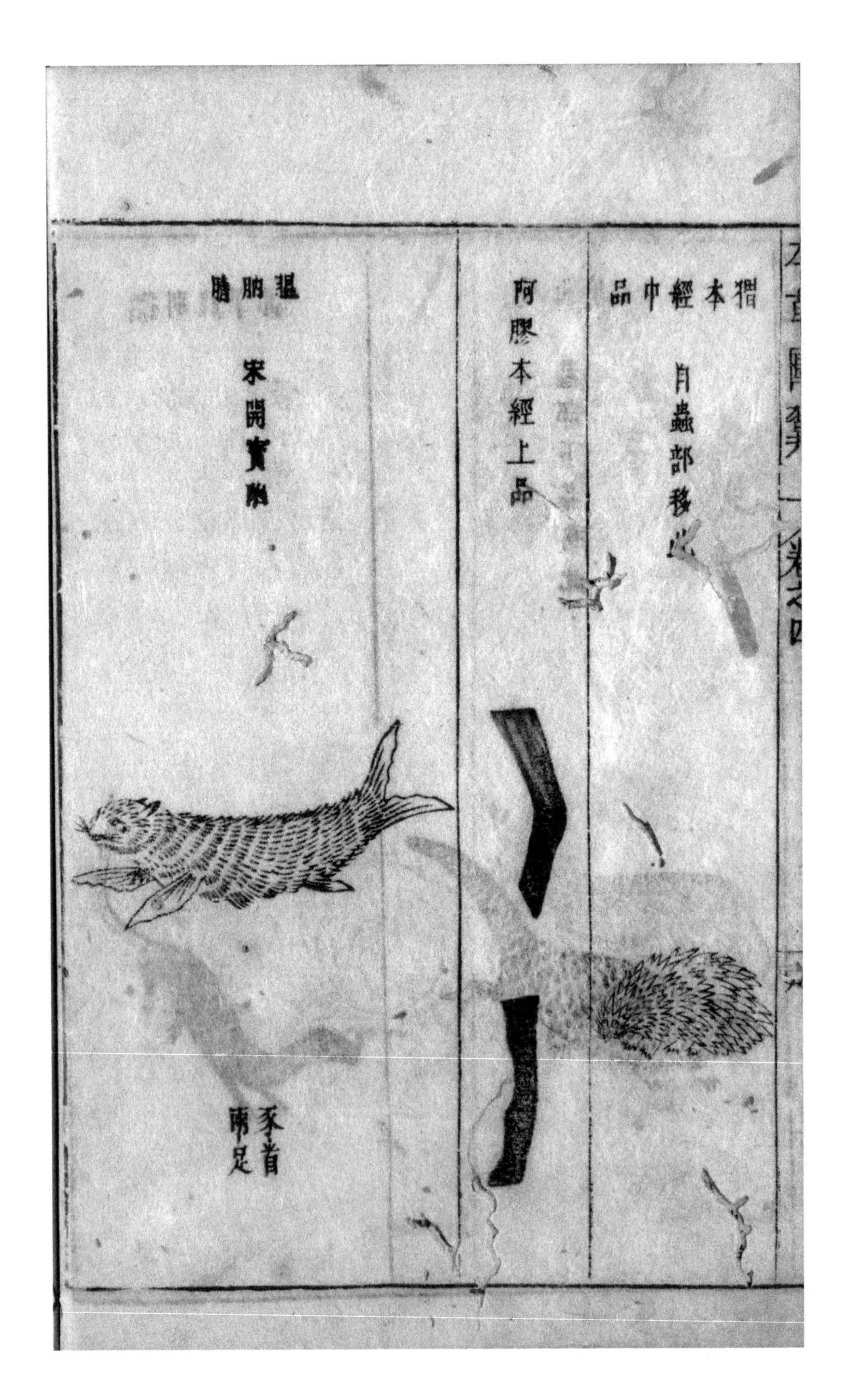
猬
本經中品
自蟲部移此
阿膠本經上品
膃肭臍
宋開寶附
豕首
兩足

禽部
鷹本經中品
鵝別錄上品

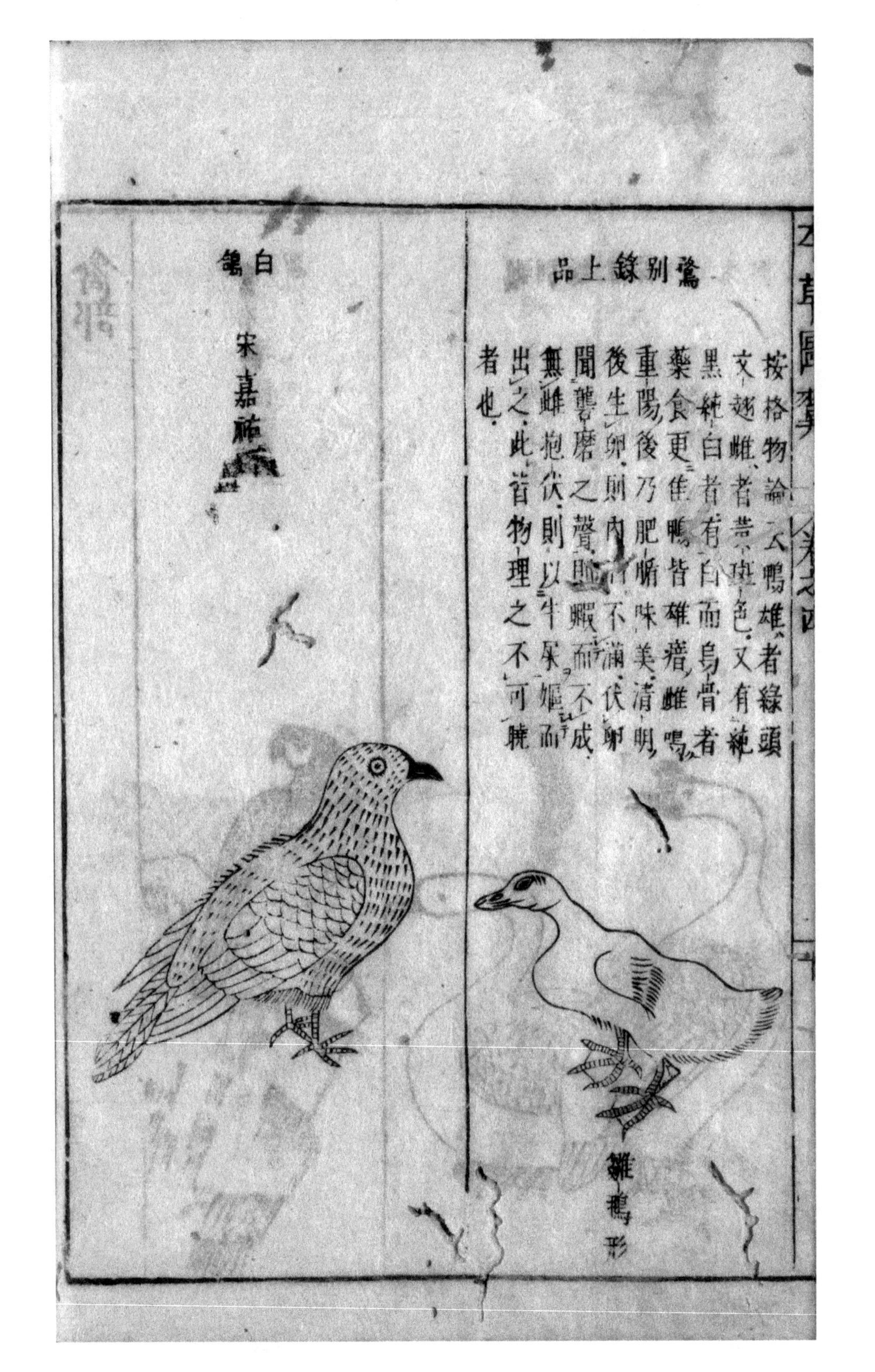

按格物論云鴨雄者綠頭文翅雌者黃斑色又有純黑純白者有白而烏骨者藥食更佳鴨皆雄瘖雌鳴重陽後乃肥腯味美清明後生卵則內陷不滿伏卵聞礱磨之聲則毈而不成無雌抱伏則以牛屎嫗而出之此皆物理之不可曉者也

鶩　別錄上品

雛鴨形

白鴿　宋嘉祐

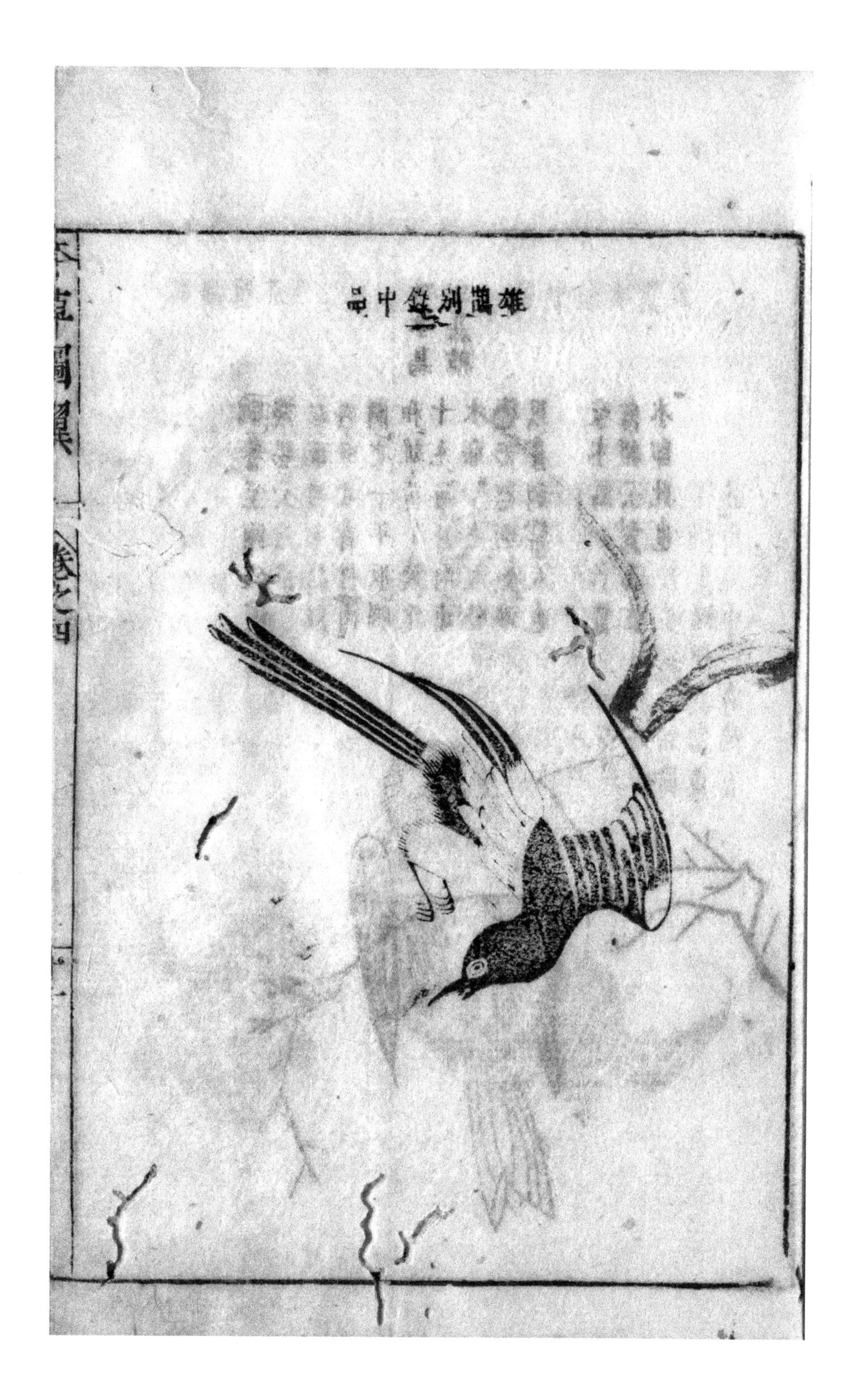

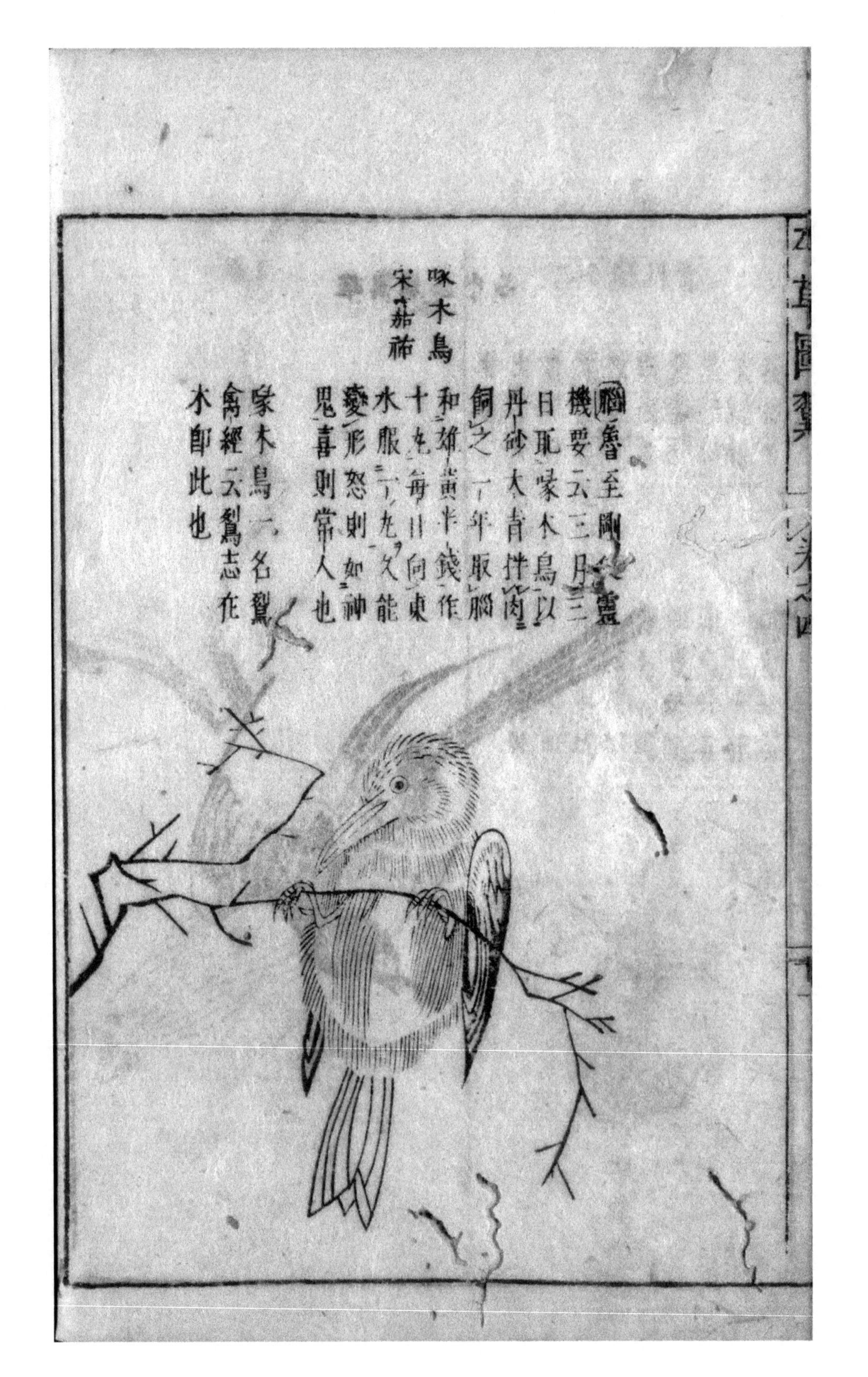

啄木鳥
宋嘉祐

【腦】香至剛靈機要云三月三日取啄木鳥以丹砂大青拌肉飼之一年取腦和雄黃半錢作十丸每日向東水服一丸久能變形怒則如神鬼喜則常人也

啄木鳥一名鴷禽經云鴷志在木即此也

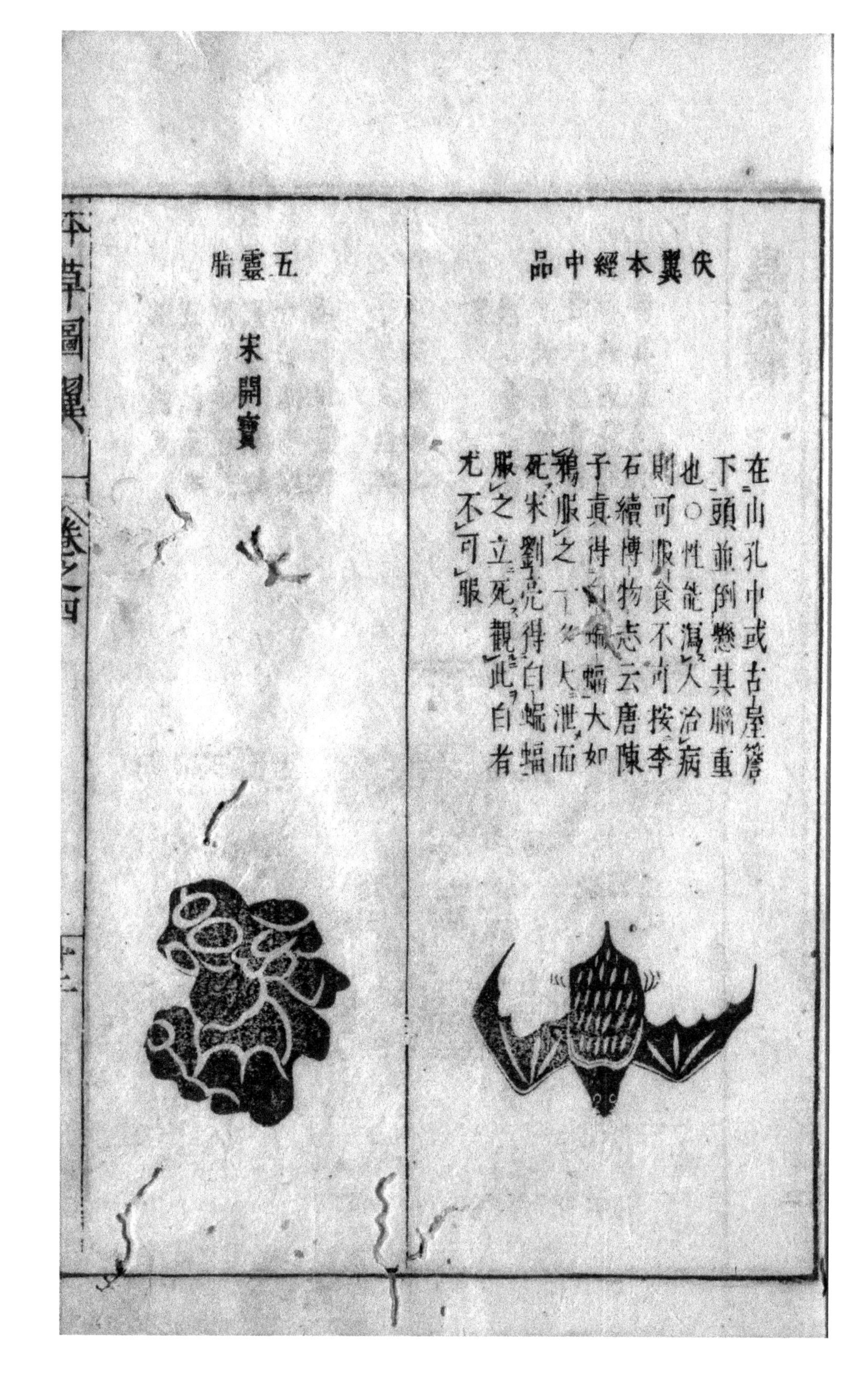

伏翼本經中品

在山孔中或古屋簷下頭並倒懸其翮重也○性能瀉人治病則可服食不可按李石續博物志云唐陳子真得白蝙蝠大如鴉服之一夕大泄而死宋劉亮得白蝙蝠服之立死觀此白者尤不可服

五靈脂

宋開寶

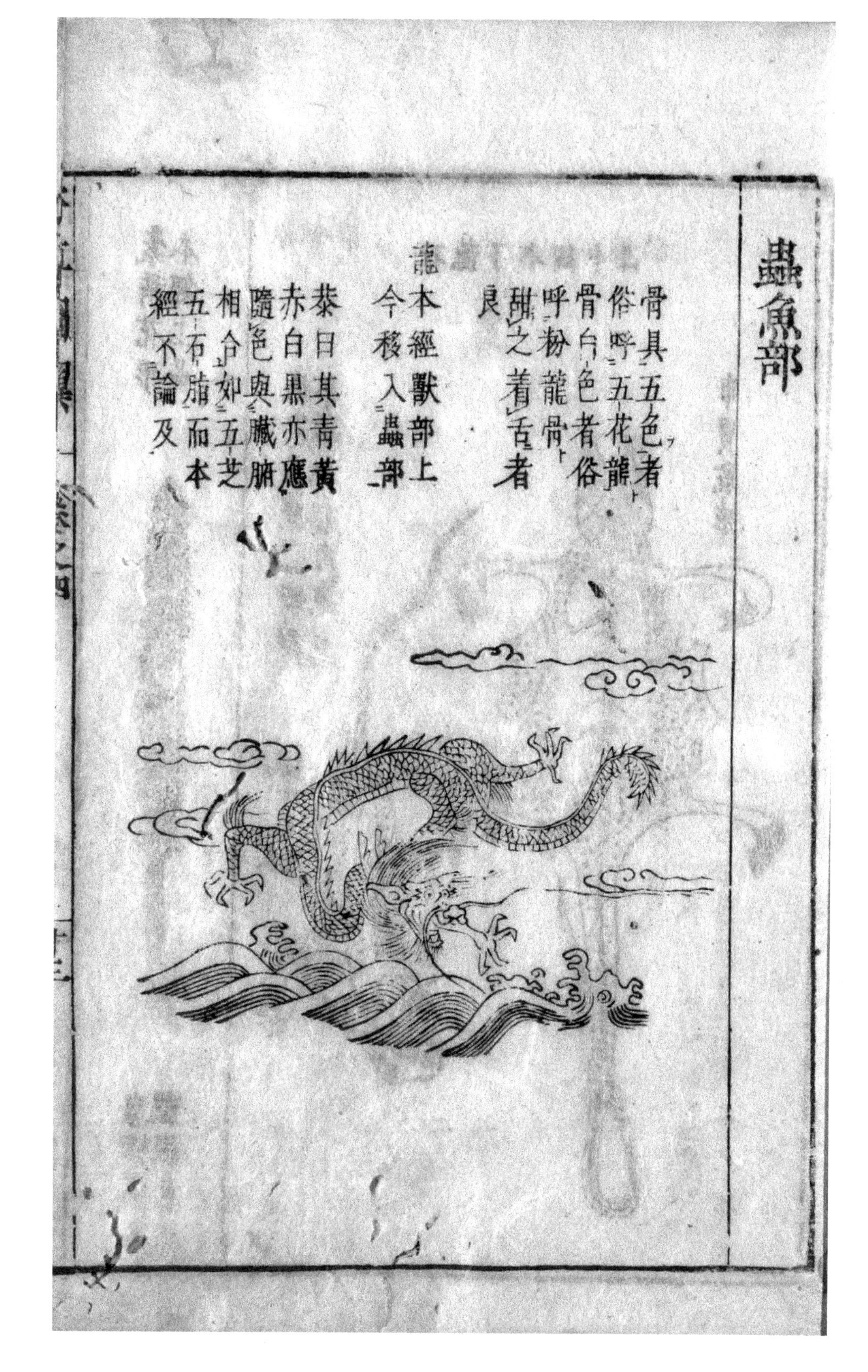

蟲魚部

骨具五色者俗呼五花龍骨白色者俗呼粉龍骨甜之着舌者良

龍

本經獸部上今移入蟲部恭曰其青黃赤白黑亦應隨色與藏腑相合如五芝五石脂而本經不論及

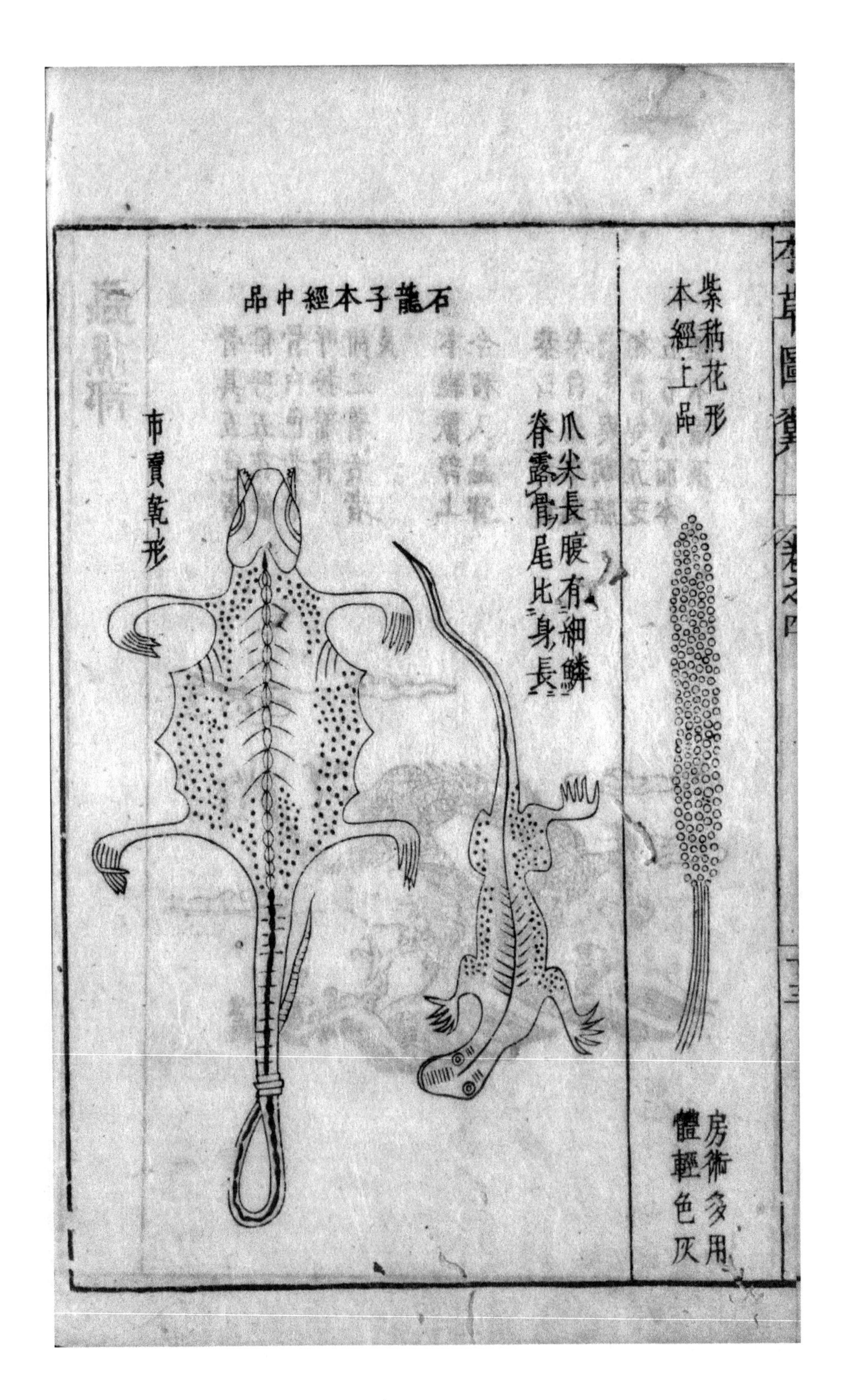
紫稍花形
本經上品
房術多用
體輕色灰
石龍子本經中品
爪尖長腹有細鱗
脊露骨尾比身長
市賣乾形

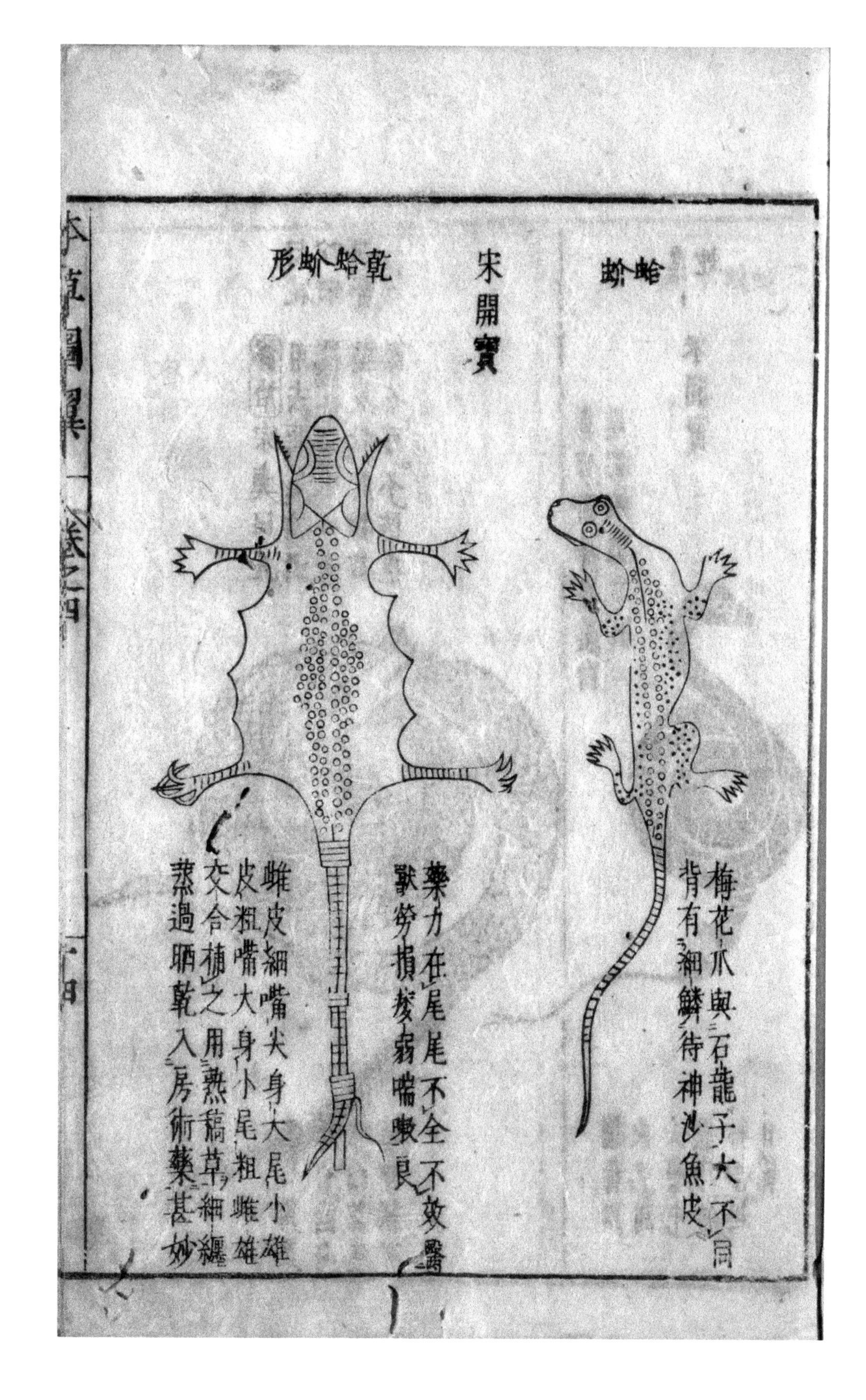

蛤蚧

宋開寶

乾蛤蚧形

梅花爪與石龍子大不同
背有細鱗待神沙魚皮

藥力在尾尾不全不效醫
獸勞損痿弱喘嗽良

雌皮細嘴尖身大尾小雄
皮粗嘴大身小尾粗雌雄
交合捕之用熟稿草細纏
蒸過晒乾入房術藥甚妙

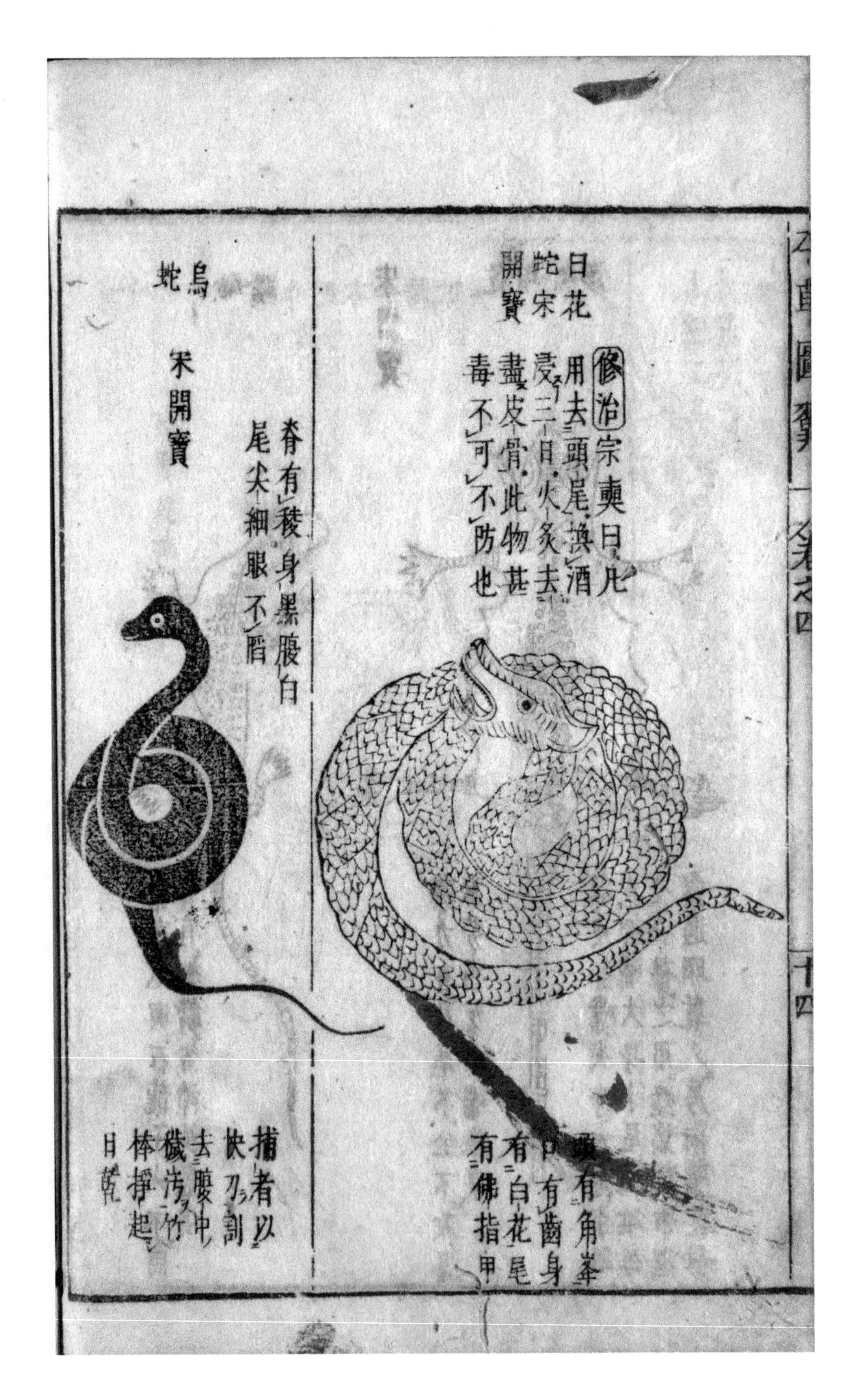

白花蛇 宋開寶

修治 宗奭曰凡用去頭尾換酒浸三日火炙去盡皮骨此物甚毒不可不防也

頭有角峯口有齒身有白花尾有佛指甲

烏蛇 宋開寶

脊有稜身黑腹白尾尖細眼不陷

捕者以快刀剖去腹中穢污竹棒撐起日乾

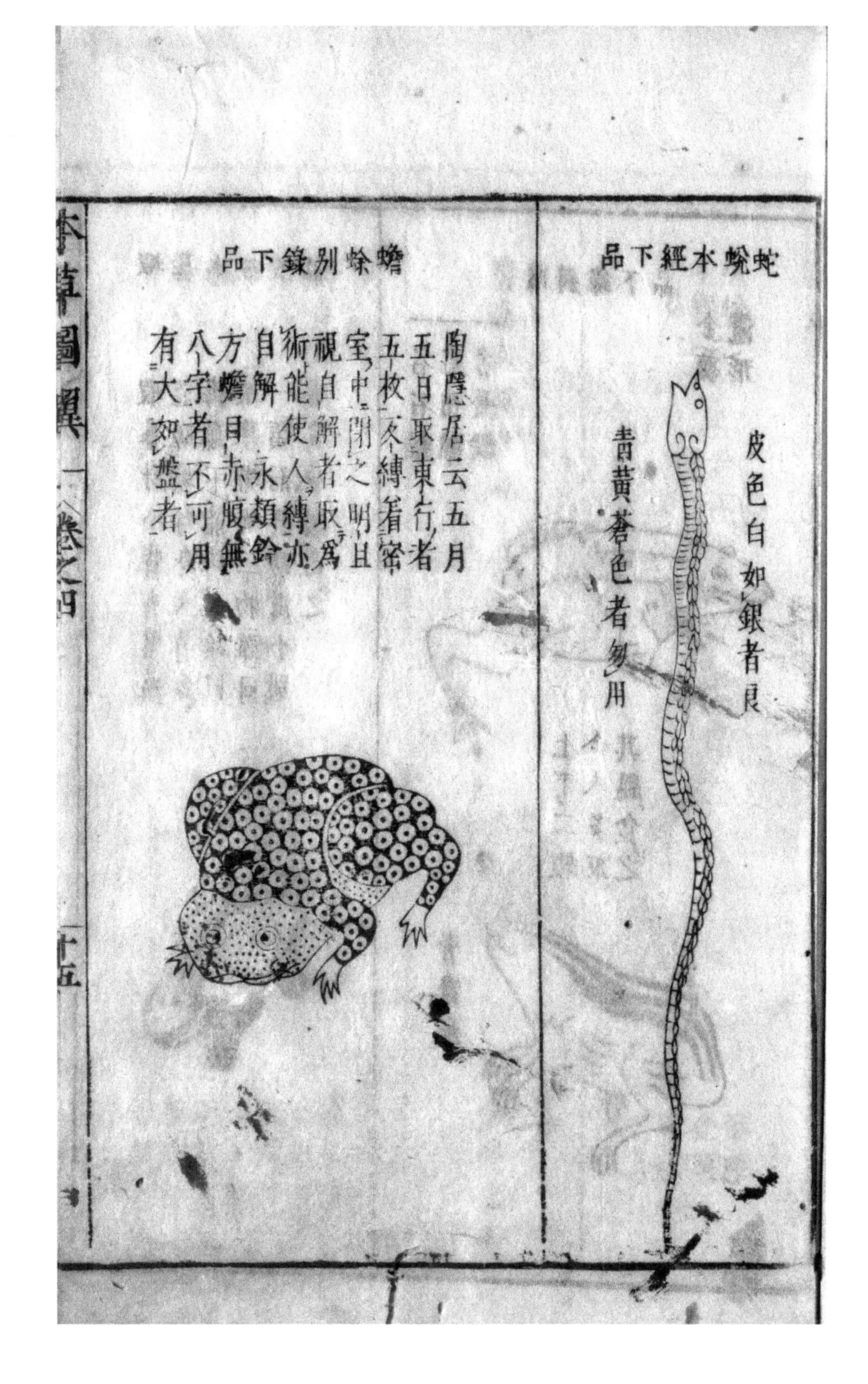
蛇蛻本經下品

皮色白如銀者良

青黃蒼色者勿用

蟾蜍別錄下品

陶隱居云五月五日取東行者五枚反縛着密室中閉之明旦視自解者取爲術能使人縛亦自解永類鈐方蟾目赤腹無八字者不可用有大如盤者

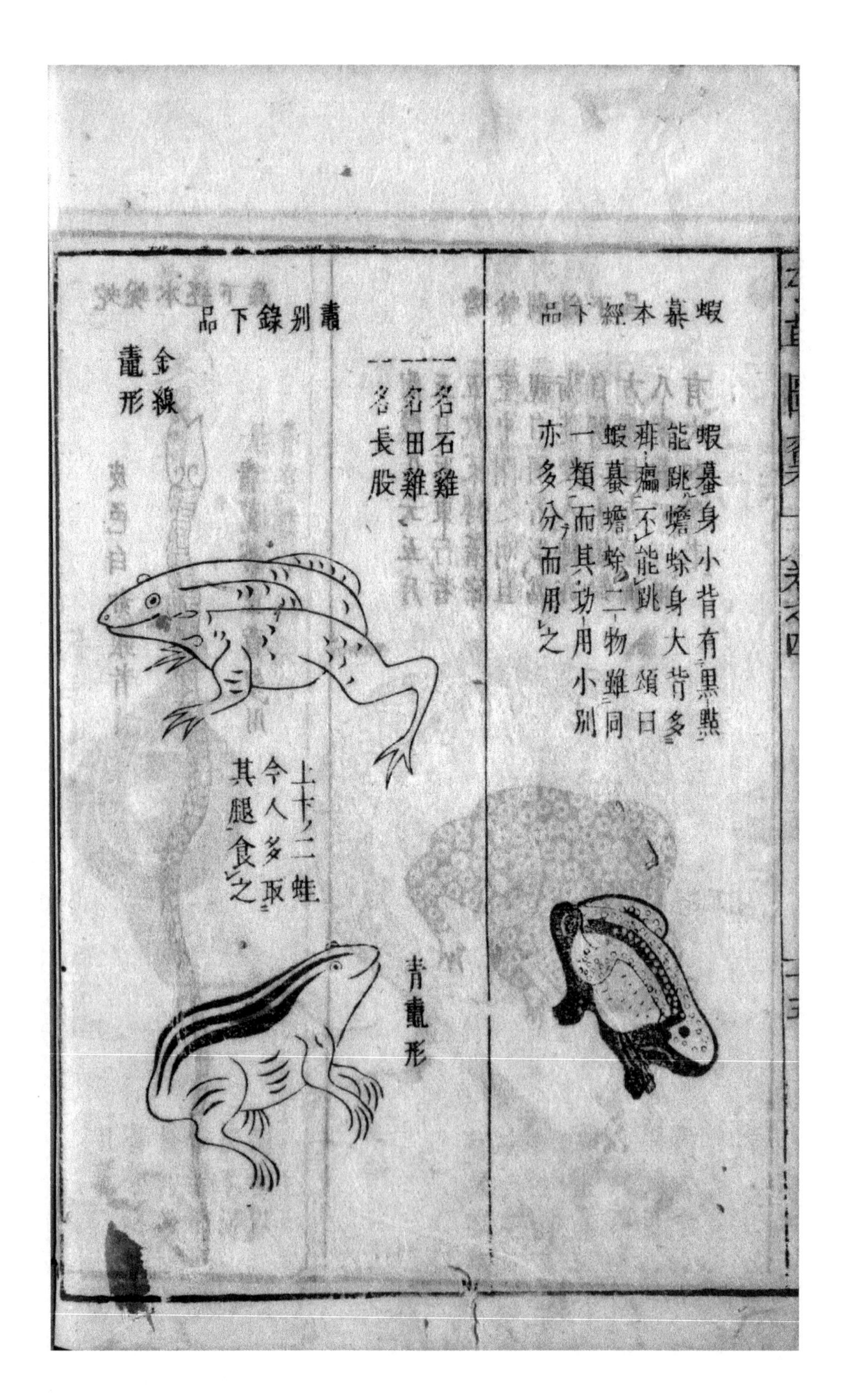

蝦蟇 本經下品

蝦蟇身小背有黑點能跳蟾蜍身大背多痱癗不能跳頌曰蝦蟇蟾蜍二物雖同一類而其功用小別亦多分而用之

鼃 別錄下品

一名石雞
一名田雞
一名長股

金線鼃形

上下二蛙令人多取其腿食之

青鼃形

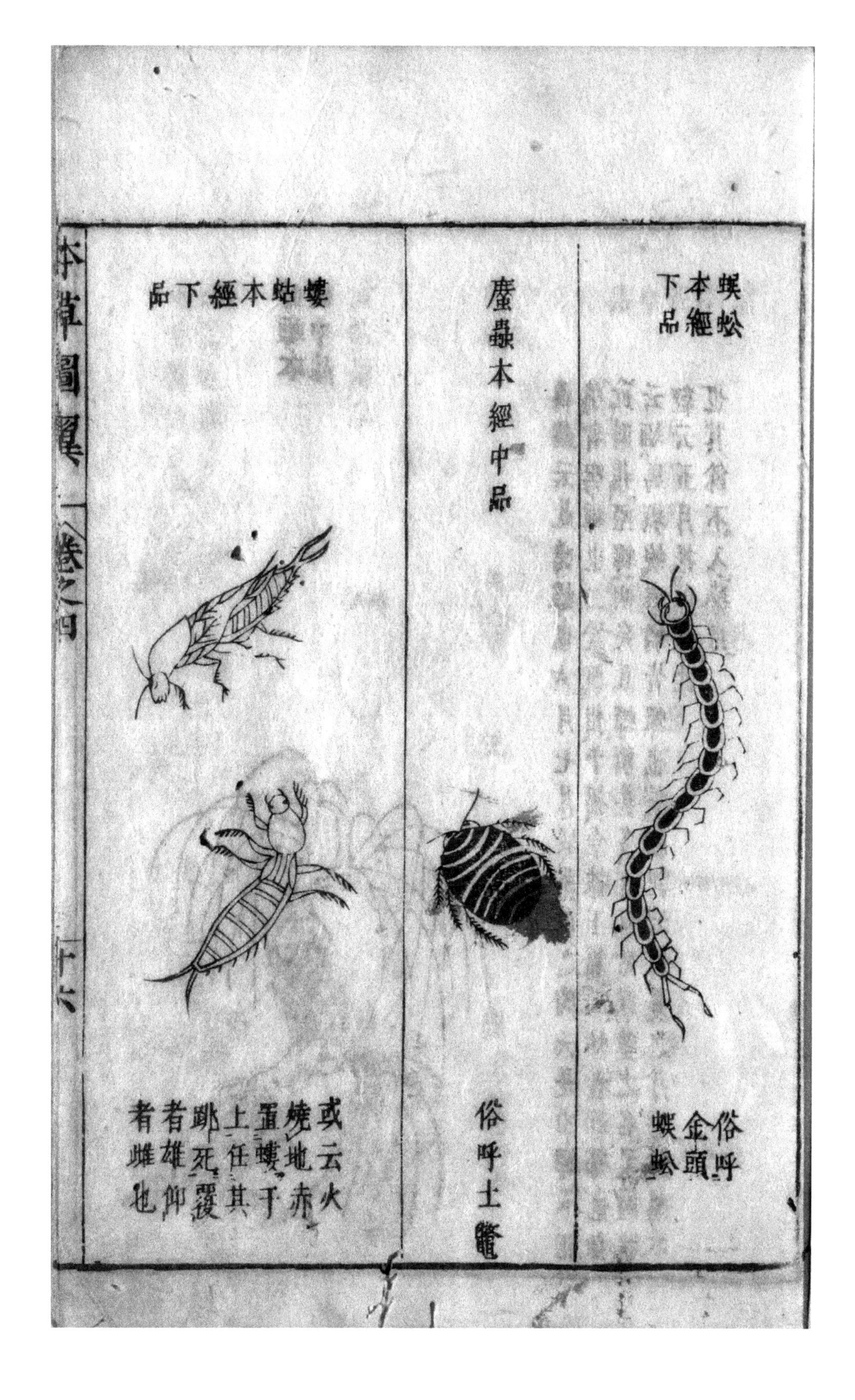

蜈蚣 本經下品

俗呼金頭蜈蚣

䗪蟲本經中品

俗呼土鼈

螻蛄本經下品

或云火燒地赤置螻于上任其跳死覆者雄仰者雌也

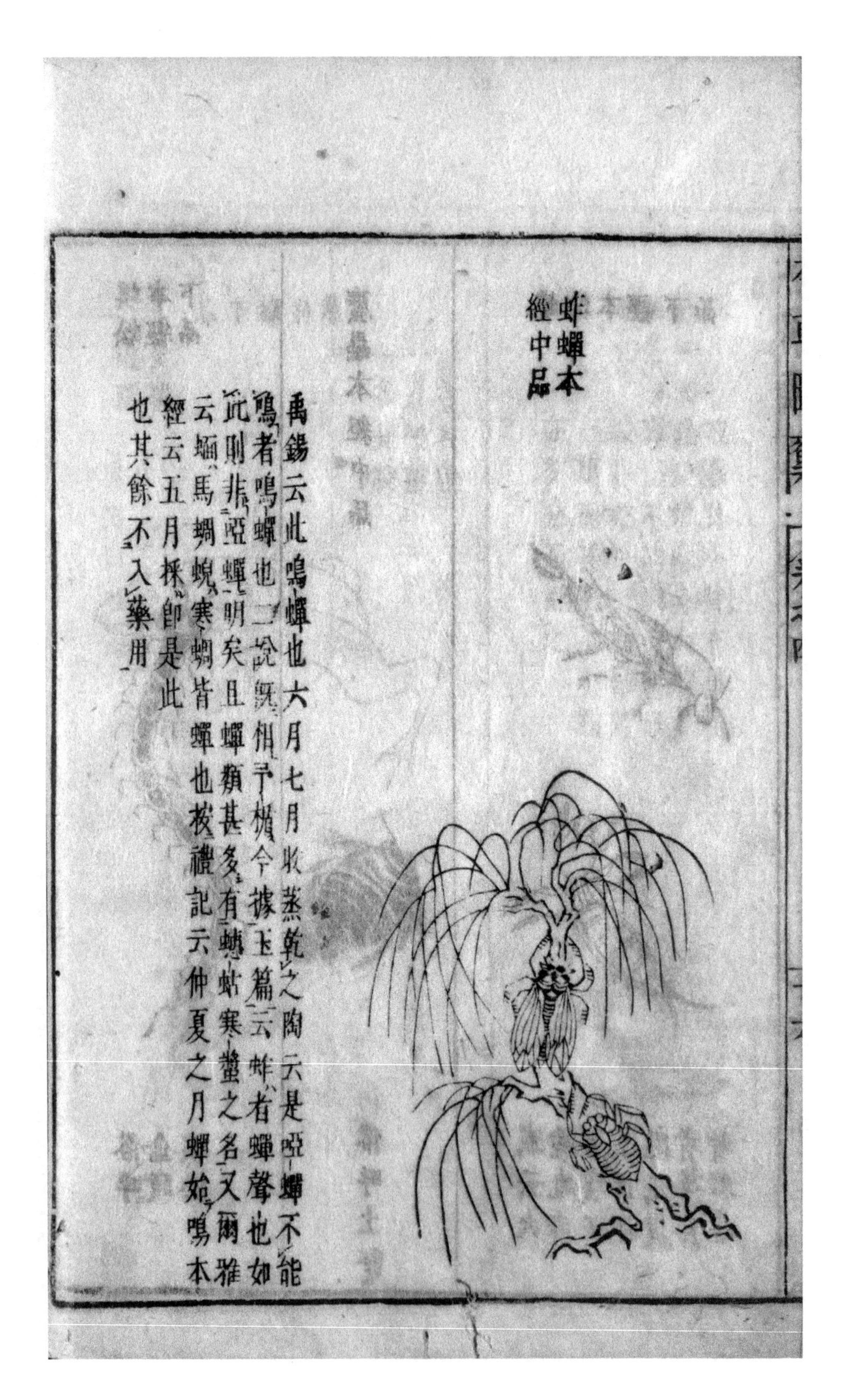

蚱蟬本經中品

禹錫云此鳴蟬也六月七月收蒸乾之陶云是啞蟬不能鳴者鳴蟬也二說既相矛楯今據玉篇云蚱者蟬聲也如此則非啞蟬明矣且蟬類甚多有螗蛄寒螿之名又爾雅云蝒馬蜩蜺寒蜩皆蟬也按禮記云仲夏之月蟬始鳴本經云五月採即是此也其餘不入藥用

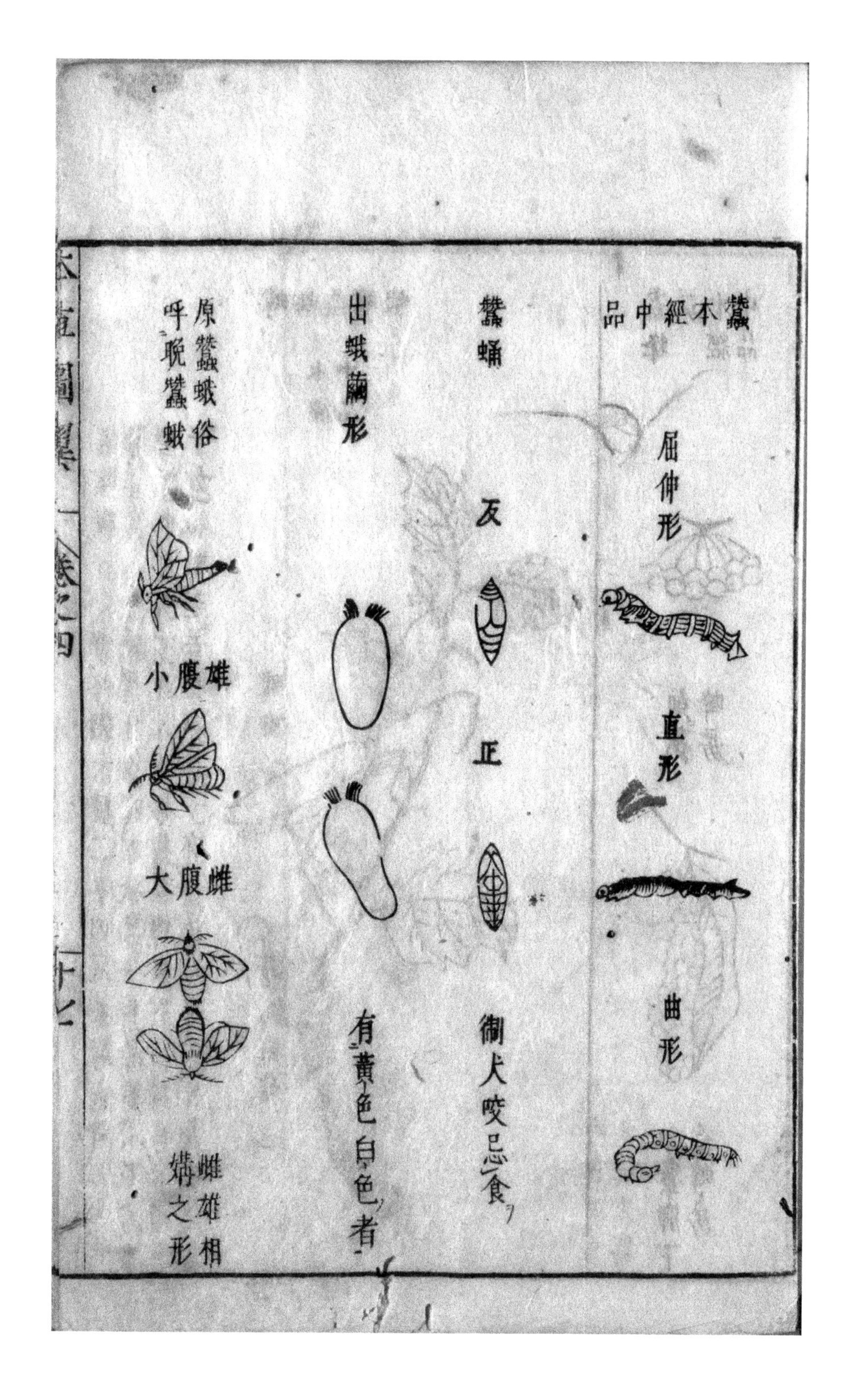
蠶 本經中品
屈伸形
直形
曲形
蠶蛹
反
正
御犬咬忌食
出蛾繭形
有黃色白色者
原蠶蛾 俗呼晚蠶蛾
雄 小腹
雌 大腹
雌雄相媾之形
本草圖翼 卷之四

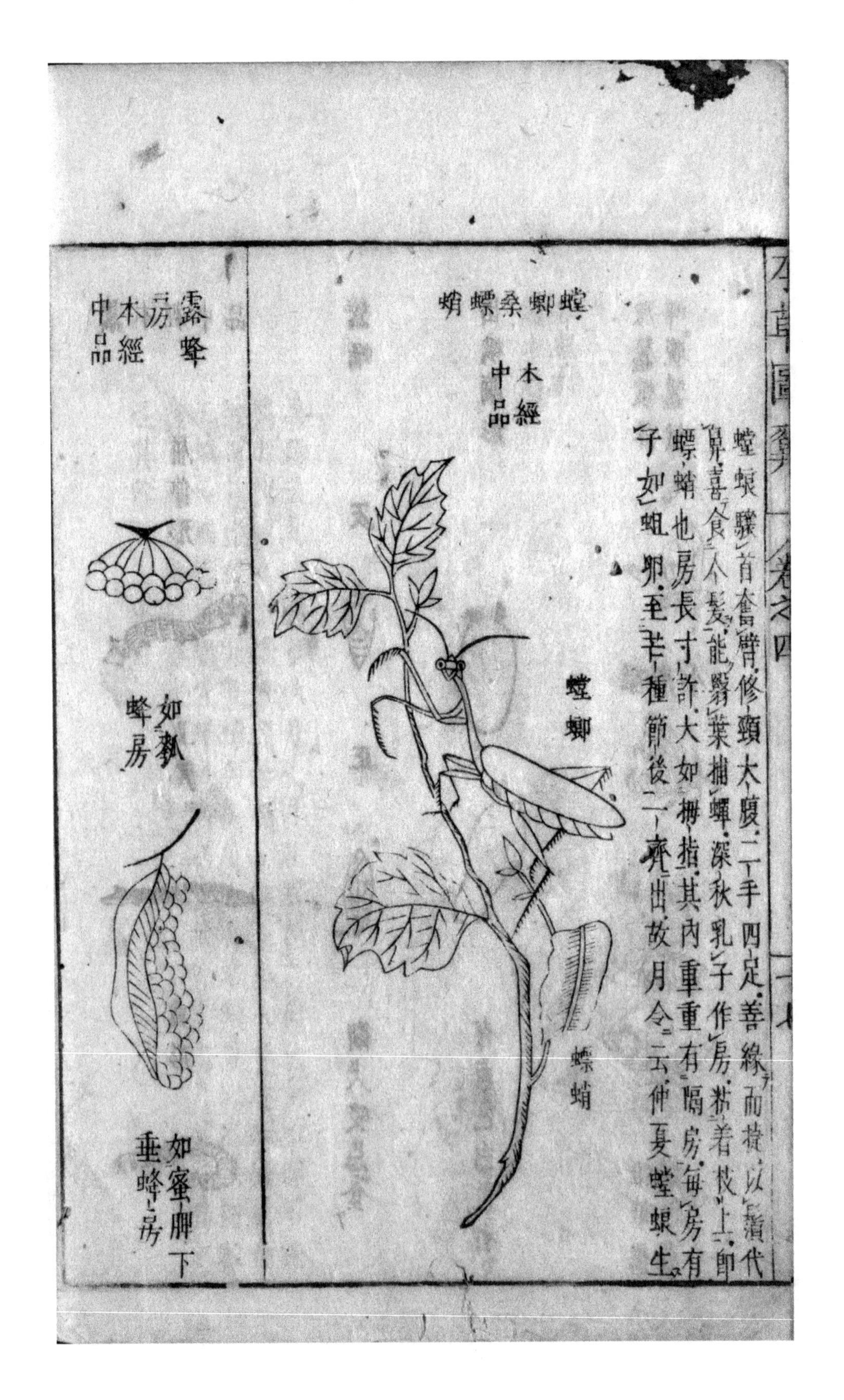

本草圖彙　卷之四　十七

螳蜋驤首奮臂修頸大腹二手四足善緣而捷以須代鼻喜食人髮能翳葉捕蟬深秋乳子作房粘着枝上即螵蛸也房長寸許大如拇指其內重重有隔房每房有子如蛆卵至芒種節後一齊出故月令云仲夏螳蜋生

螳螂桑螵蛸

本經中品

露蜂房

本經中品

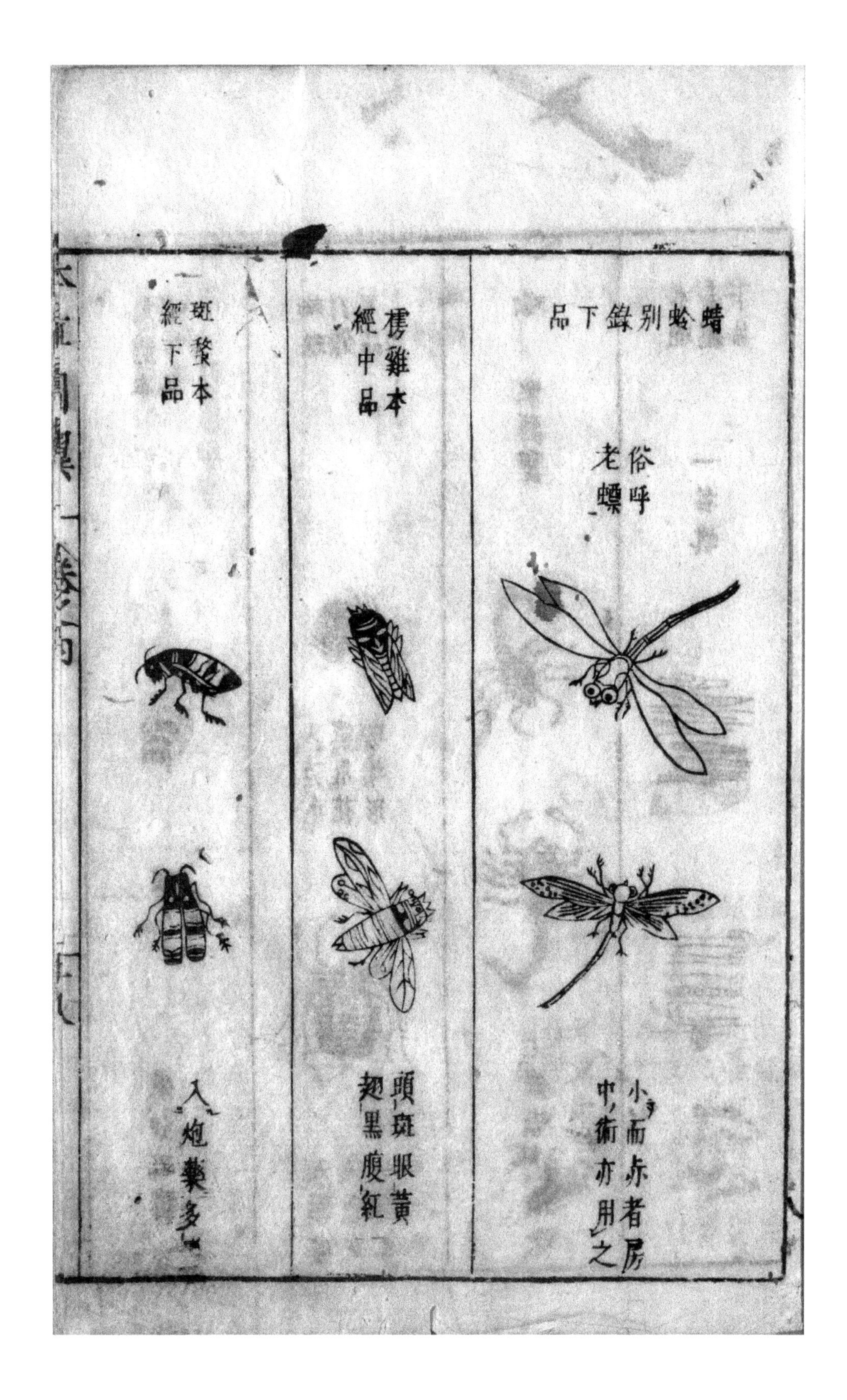
蜻蛉別錄下品
俗呼老螵
小而赤者房中術亦用之

樗雞本經中品
頭斑眼黄翅黒腹紅

斑蝥本經下品
入炮藥多

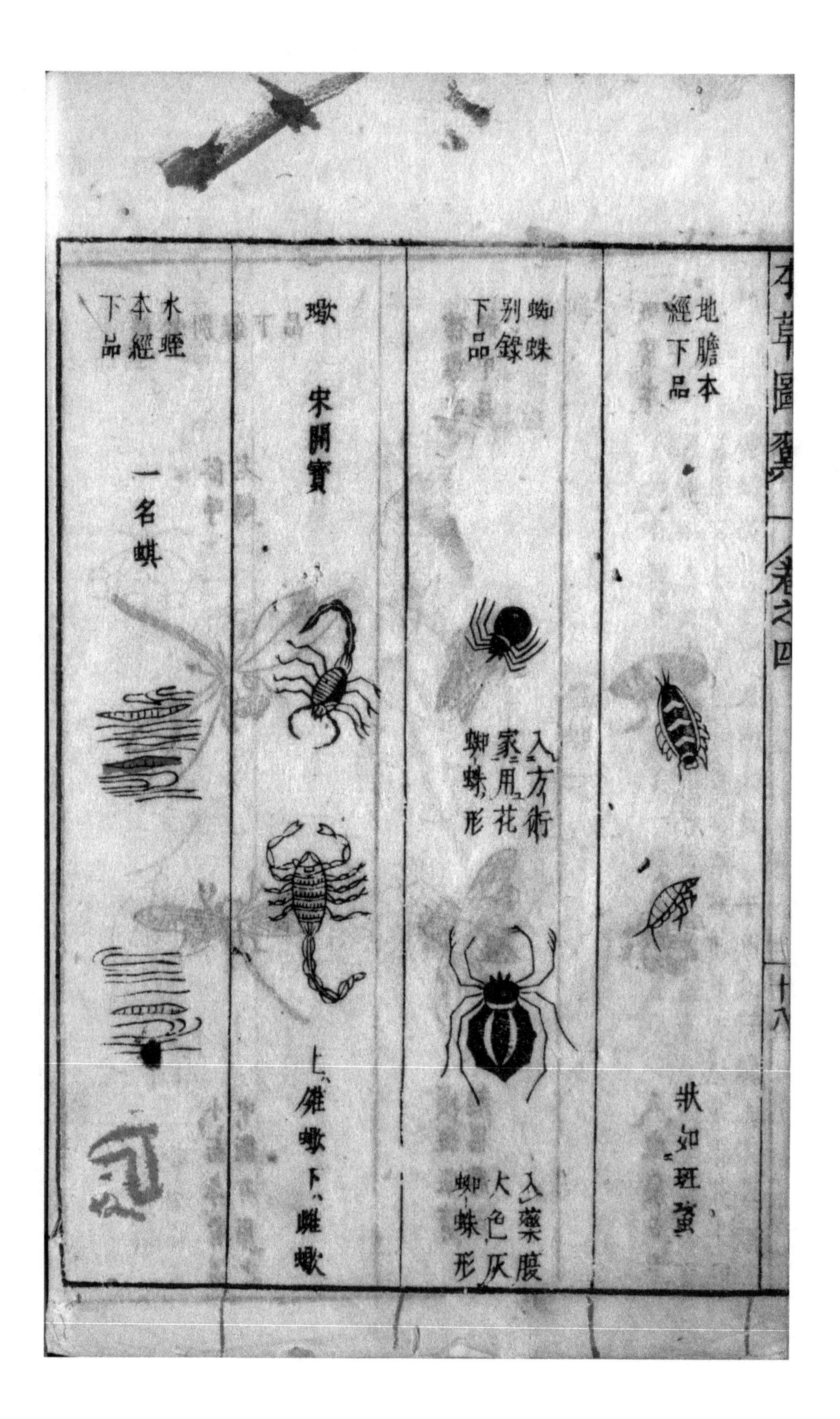
本草圖翼　卷之四　十八
地膽本經下品
狀如斑蝥
蜘蛛別錄下品
入方術家用花蜘蛛形
入藥腹大色灰蜘蛛形
蠍　宋開寶
上雄蠍下雌蠍
水蛭本經下品　一名蚑

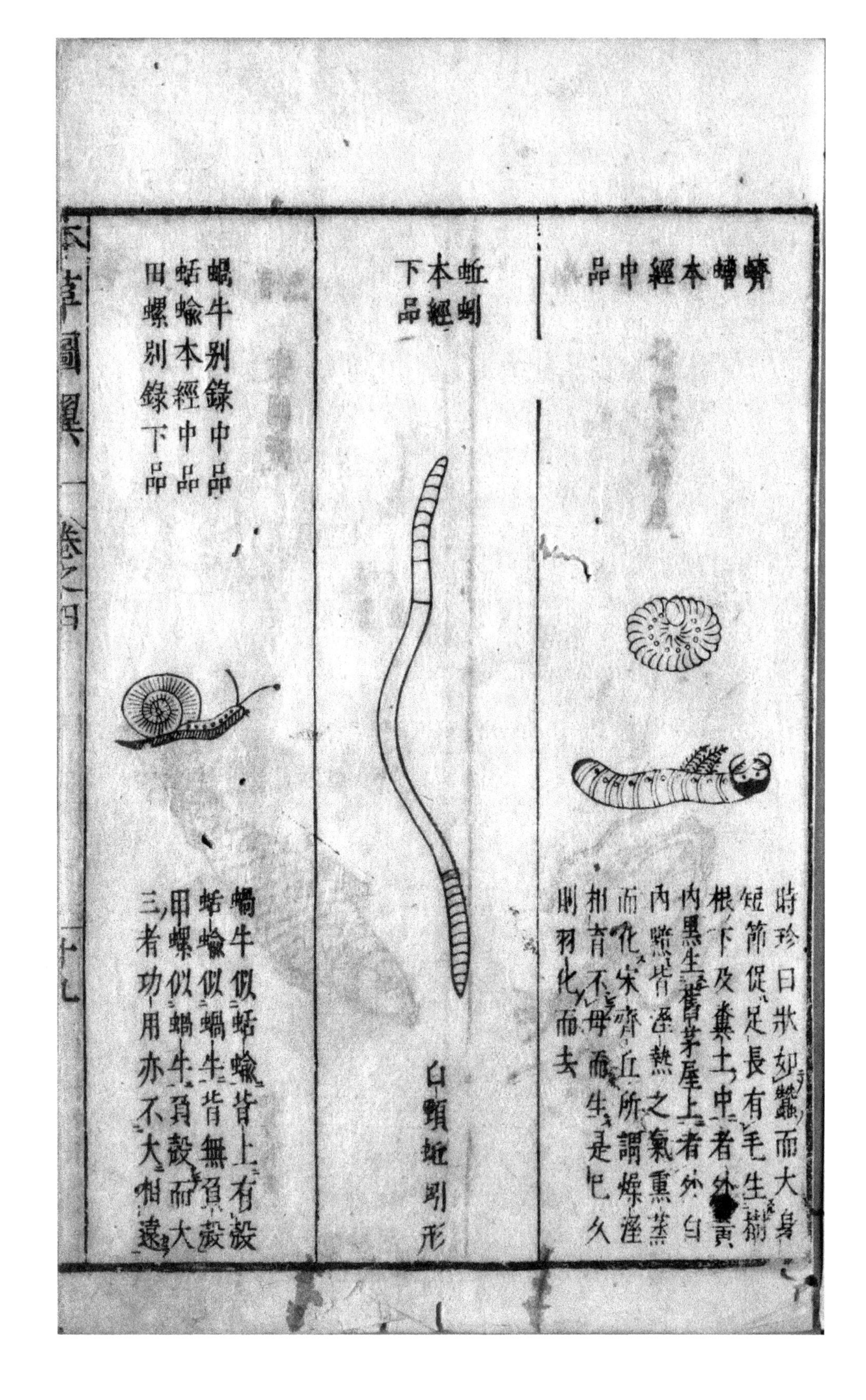

蠐螬本經中品

時珍曰狀如蠶而大身短節促足長有毛生樹根下及糞土中者外黃內黑生舊茅屋上者外白內黯皆溼熱之氣熏蒸而化宋齊丘所謂燥溼相育不母而生是也久則羽化而去

蚯蚓本經下品

白頸蚯蚓形

蝸牛別錄中品
蛞蝓本經中品
田螺別錄下品

蝸牛似蛞蝓背上有殼蛞蝓似蝸牛背無負殼田螺似蝸牛負殼而大三者功用亦不大相遠

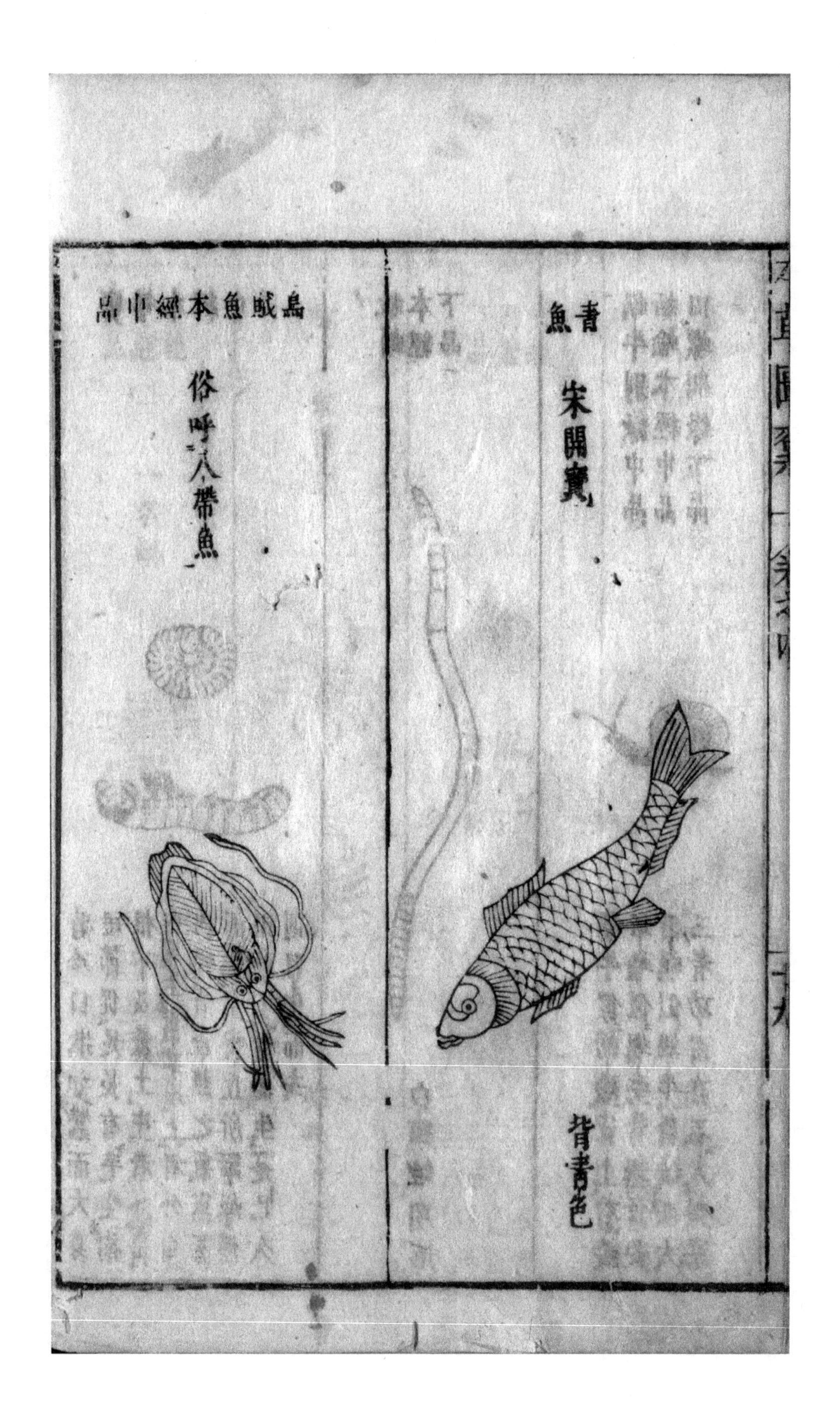
青魚
宋開寶
背青色
烏賊魚本經中品
俗呼八帶魚

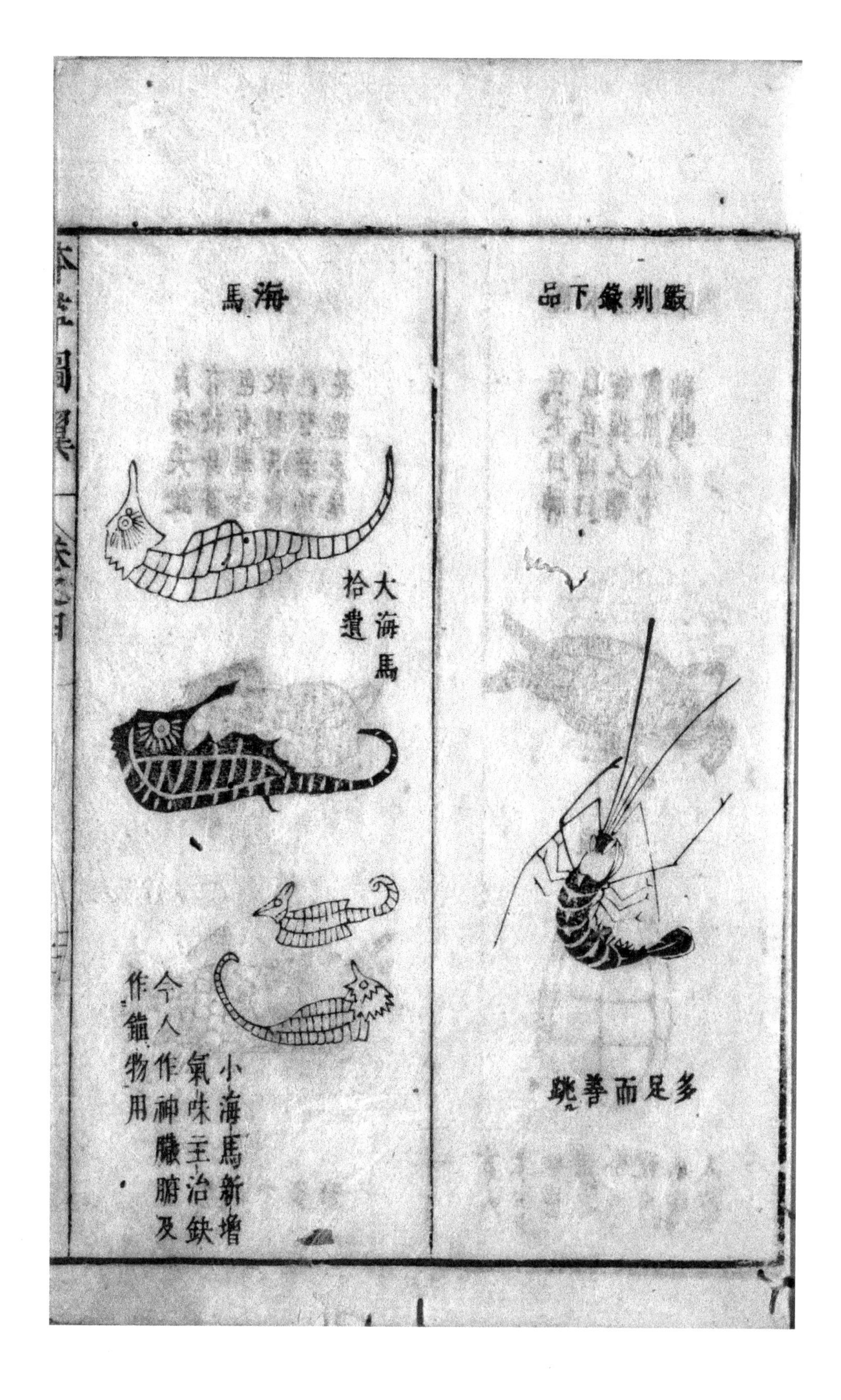

蝦別錄下品

多足而善跳

海馬

大海馬拾遺

小海馬新增

氣味主治鈌

今人作神臟腑及

作鎚物用

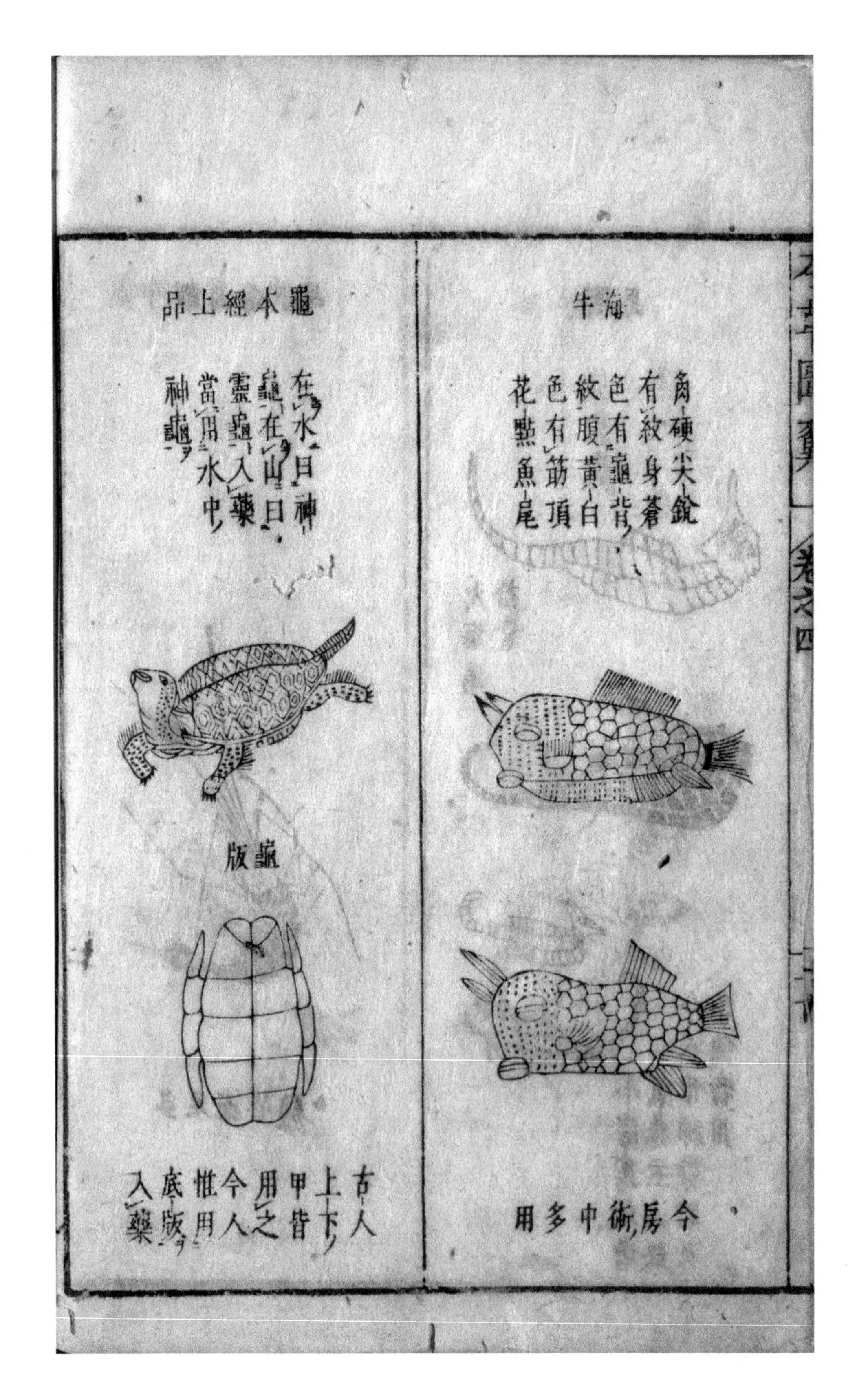

海牛

角硬尖鋭有紋身蒼色有龜背紋腹黄白色有筋頂花點魚尾

今房術中多用

龜 本經上品

在水曰神龜在山曰靈龜入藥當用水中神龜

龜版

古人上下甲背用之今人惟用底版入藥

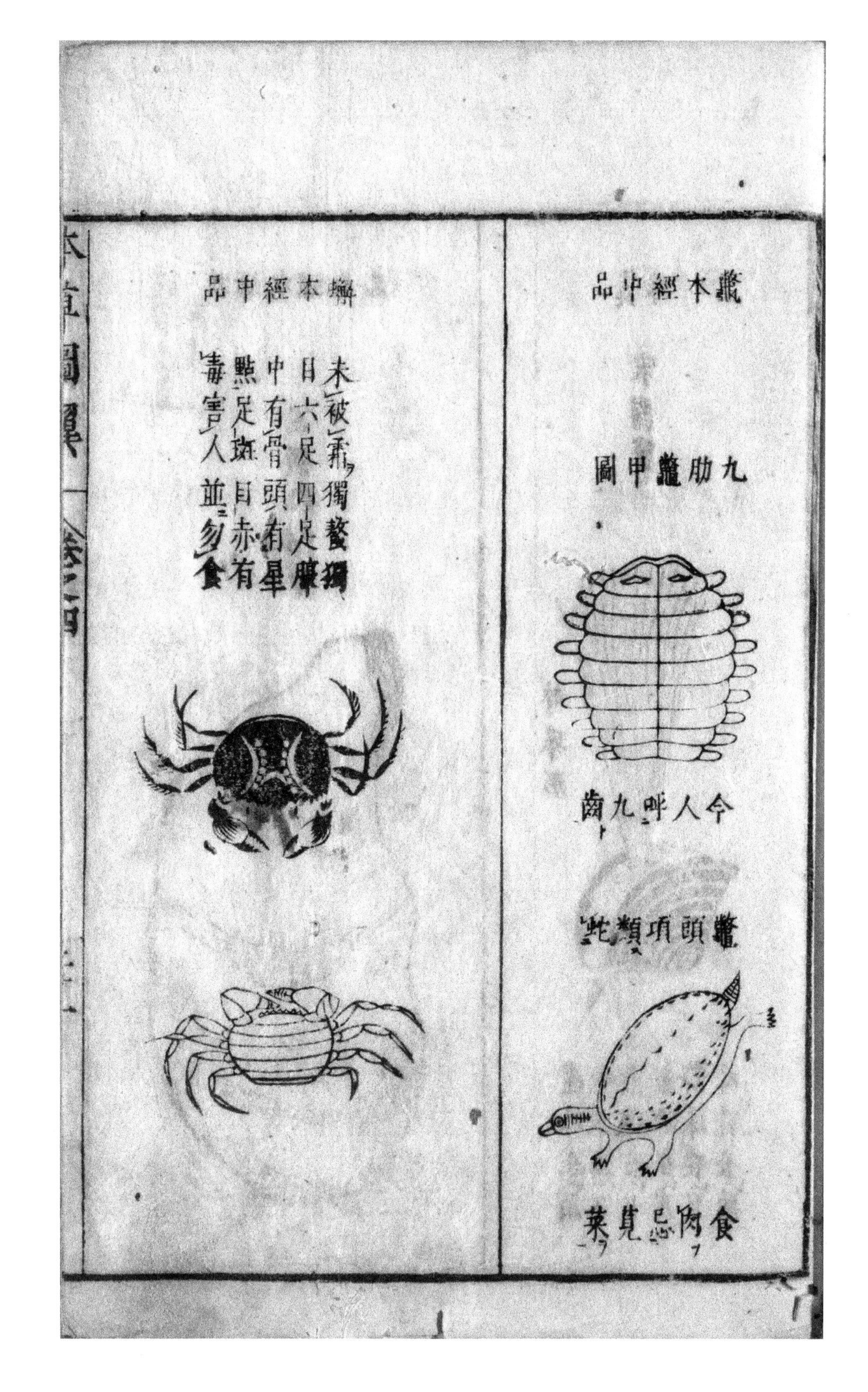
鼈本經中品

九肋鼈甲圖

令人呼九肋

鼈頭項類蛇

食肉忌見莧

蟹本經中品

未被霜獨螯獨目六足四足腹中有骨頭有星點足斑目赤有毒害人並勿食

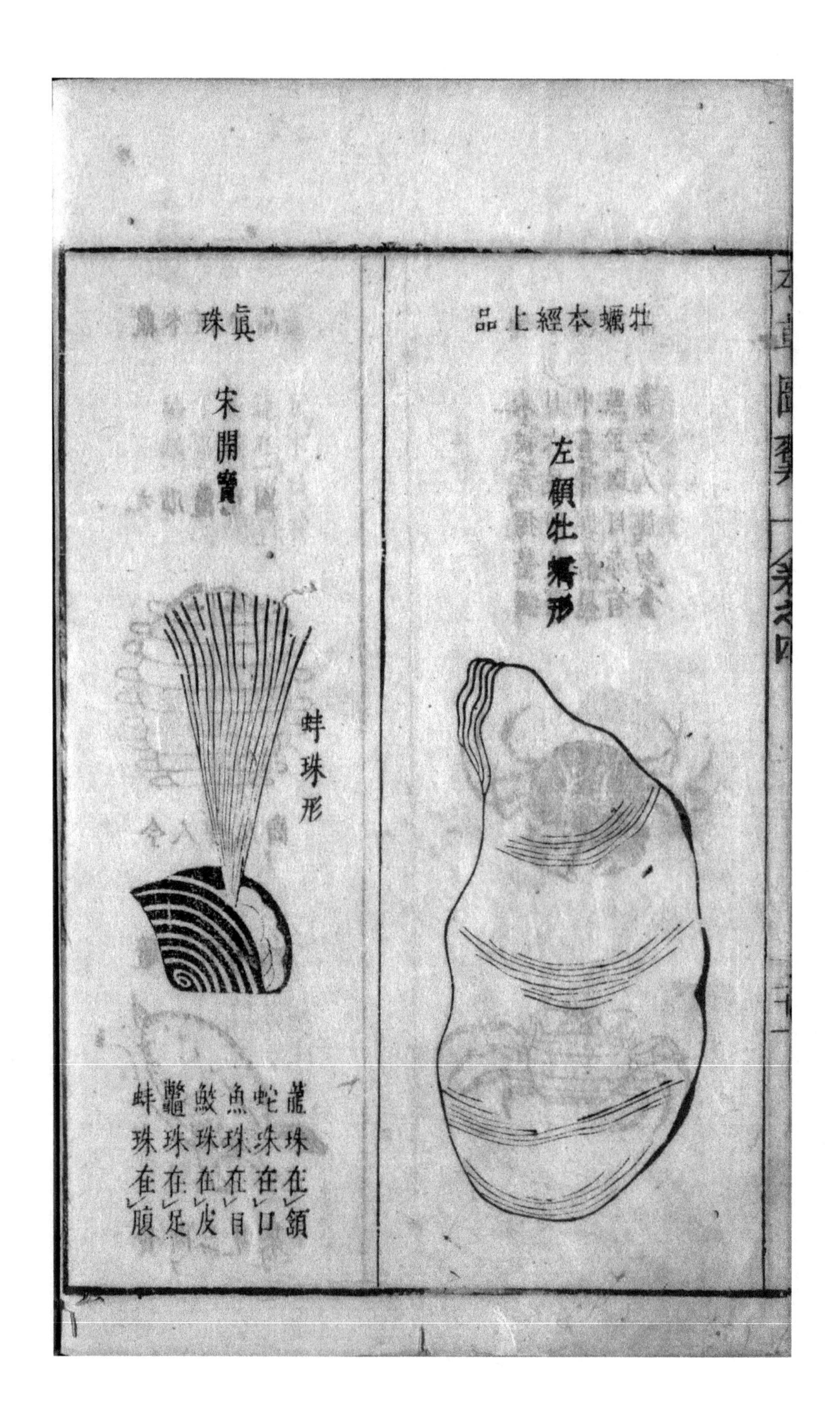

牡蠣本經上品
左顧牡蠣形
真珠
宋開寶
蚌珠形
龍珠在頷
蛇珠在口
魚珠在目
鮫珠在皮
鼈珠在足
蚌珠在腹

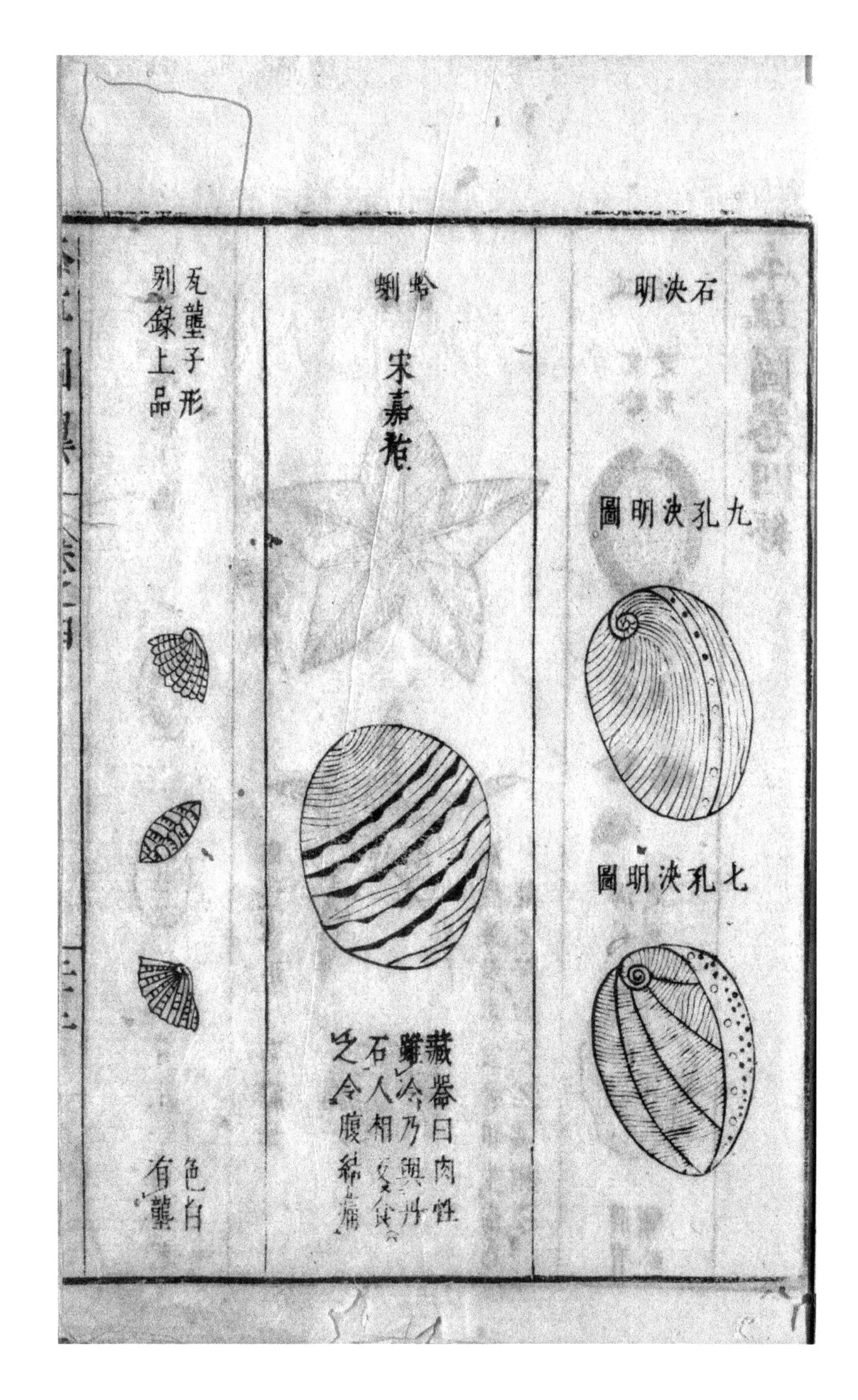

石決明

九孔決明圖

七孔決明圖

蛤蜊　宋嘉祐

藏器曰肉性[illegible]冷乃與丹石人相反食之令腹結痛

瓦壟子形　別錄上品

色白有壟

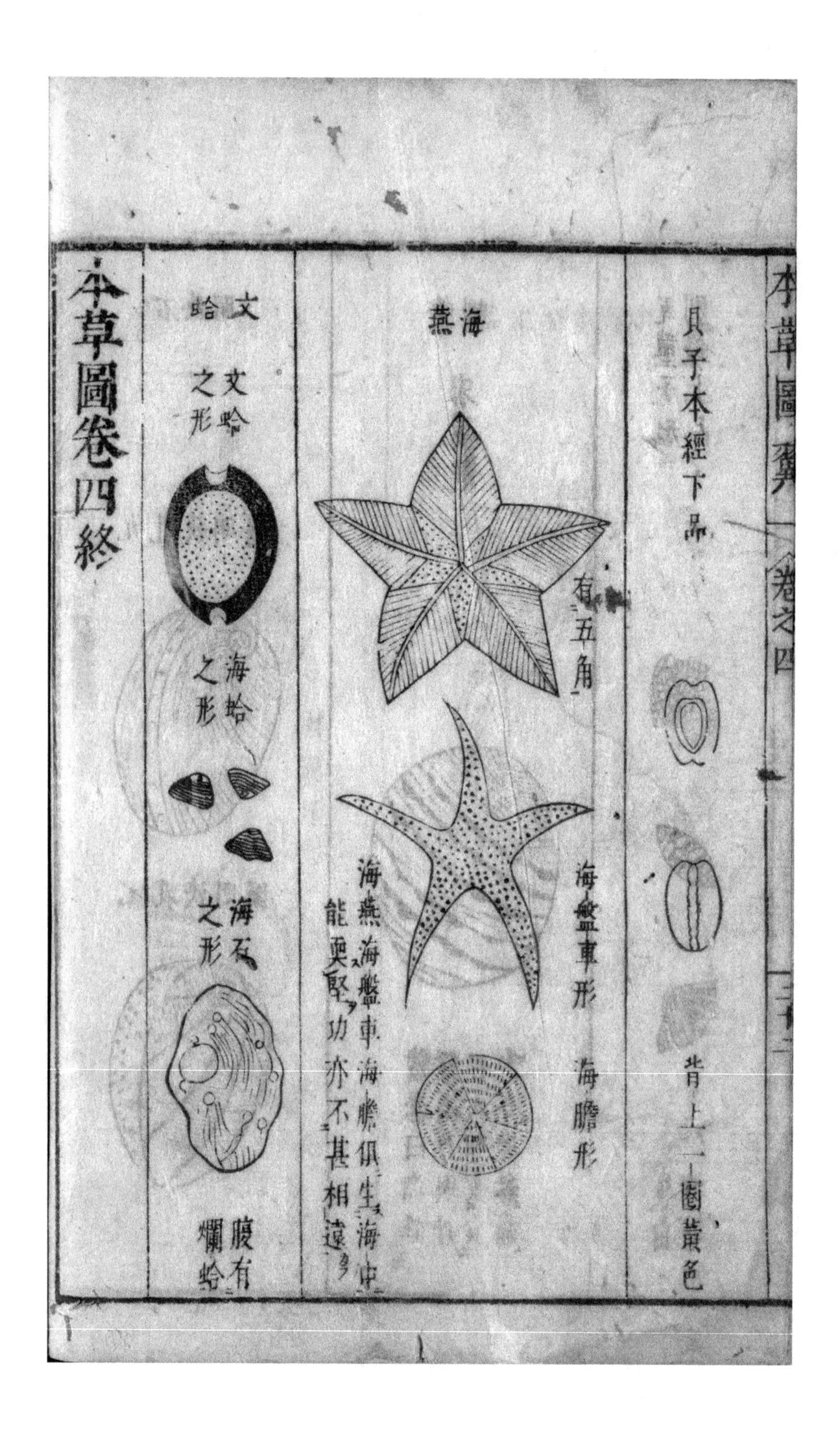
本草圖翼　卷之四
貝子本經下品
背上一團黃色
海燕
有五角
海盤車形
海膽形
海燕海盤車海膽俱生海中能耎堅功亦不甚相遠
文蛤
文蛤之形
海蛤之形
海石之形
腹有爛蛤
本草圖卷四終

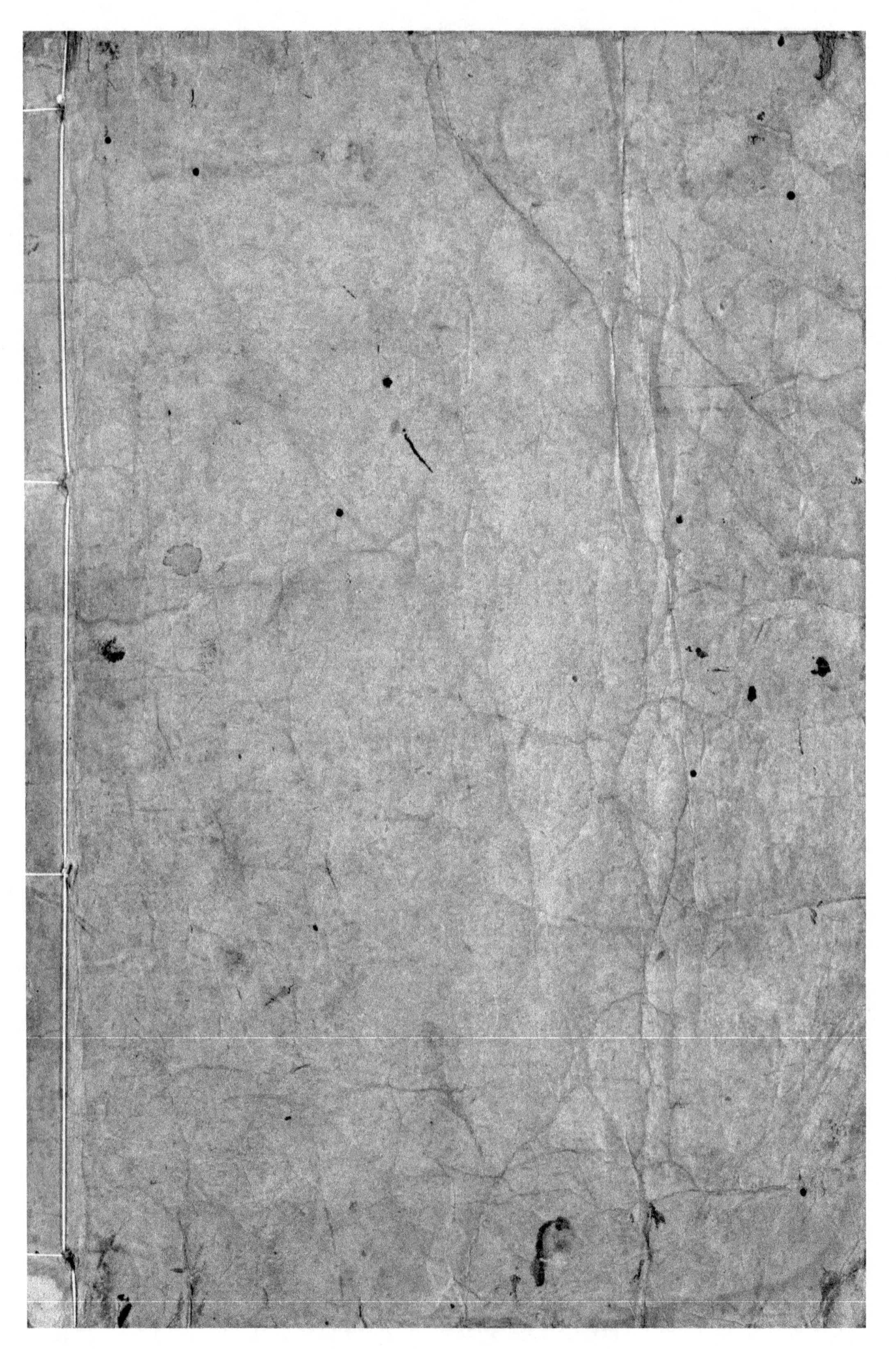